GERHILD GEIL

GOTTFRIED UND WOLFRAM ALS LITERARISCHE ANTIPODEN

GOTTFRIED UND WOLFRAM ALS LITERARISCHE ANTIPODEN

Zur Genese eines literaturgeschichtlichen Topos

von

GERHILD GEIL

1973

BÖHLAU VERLAG KÖLN WIEN

Gesamtherstellung: Anton Hain KG, Meisenheim
Printed in Germany
ISBN 3 412 01473 7

Die vorliegende Arbeit ist eine revidierte Fassung meiner 1972 im Fachbereich Germanistik der Freien Universität Berlin vorgelegten Dissertation.
Ich danke dem Hauptreferenten Heinrich Matthias Heinrichs und dem Korreferenten Herbert Kolb für das dauernde Interesse an dieser Arbeit und für die jederzeit bereitwillig erteilte Hilfe. Ferner danke ich Ursula Hennig, Ingeborg Schröbler und Helga Schüppert für schriftlich und mündlich mitgeteilte Verbesserungsvorschläge.
Schließlich danke ich besonders Theo Vennemann, der während der Revision der Arbeit viel zur Klärung der hier behandelten Probleme beigetragen und der das revidierte Manuskript durchgesehen hat.

INHALTSVERZEICHNIS

Vorbemerkung 1

1. Kapitel:
Zur Forschungsgeschichte 3

2. Kapitel:
Die Texte. Übersetzung und Interpretation 77

3. Kapitel:
Zur Verwendung von Namenformen der
'Tristan' - Sage bei Gottfried und Wolfram 151

Zusammenfassung 159

Literaturverzeichnis 161

MEINEN ELTERN

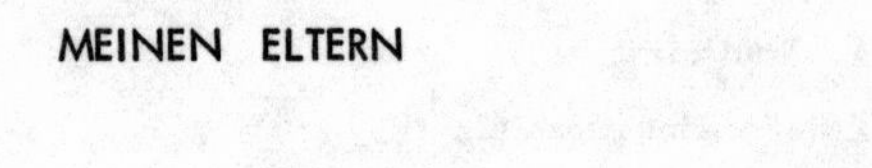

VORBEMERKUNG

Eines der wenigen gesicherten Ergebnisse altgermanistischen Forschens scheint - nach dem Zeugnis der ältesten[1] wie auch der jüngsten Sekundärliteratur - das Faktum der auf künstlerischer Ebene ausgefochtenen Kontroverse zwischen Gottfried von Straßburg und Wolfram von Eschenbach zu sein. So ist bei Alois Wolf nachzulesen, "daß die Fehde zwischen Gottfried und Wolfram eine feste Tatsache ist",[2] und Werner Schröder gibt am Schluß eines Aufsatzes der Überzeugung Ausdruck:

> An der Tatsache mindestens der literarischen Fehde zwischen Gottfried und Wolfram ist nicht länger zu zweifeln. (3)

Etwas weniger apodiktisch, doch wohl kaum die "Tatsache" in Frage stellend, formuliert Peter Wapnewski:

> Sie scheinen im antagonistischen Miteinander geschaffen zu haben und sich zu einem Stück ihres Schicksals geworden zu sein. (4)

Daß die Rivalitätsvorstellung nicht nur im deutschsprachigen Bereich anzutreffen ist, zeigt Frederick Norman in seiner ersten Studie zu unserem Problem, die er mit der Feststellung abschließt: "We are therefore fully justified in our attempts to find further evidence of their deadly rivalry".[5]

---

1) Schon 1843 äußerte C. Kläden in dem Aufsatz "Über den Eingang zu Eschenbachs Parzival" die Ansicht: "Zuerst schrieb Wolfram seine Einleitung und das Gedicht [Parz.] ohne jenen Seitenblick; dann folgt Gottfrieds höhnender Ausfall, durch welchen Wolfram bewogen wurde, die bezeichnete Stelle an dem allein passenden Orte einzuschieben". In: Germania. Neues Jahrbuch der Berlinischen Gesellschaft für deutsche Sprache und Alterthumskunde. 5. Band, Berlin 1843, S.222-246. Zur Stelle s. S.240.

2) Alois Wolf, Die Klagen der Blanscheflur. Zur Fehde zwischen Wolfram von Eschenbach und Gottfried von Strassburg. In: Zeitschrift für deutsche Philologie, Band 85, 1966, S.66-82. Zur Stelle s. S.74.

3) Werner Schröder, Die Chronologie der drei großen mittelhochdeutschen Epiker. In: Deutsche Vierteljahrsschrift für Literaturwissenschaft und Geistesgeschichte, Band 31, 1957, S.264-302. Zur Stelle s. S.291.

4) Peter Wapnewski, Herzeloydes Klage und das Leid der Blancheflur. Zur Frage der agonalen Beziehungen zwischen den Kunstauffassungen Gottfrieds von Straßburg und Wolframs von Eschenbach. In : Festgabe für Ulrich Pretzel, hg. von Werner Simon, Wolfgang Bachofer und Wolfgang Dittmann, Berlin 1964, S.173-184. Zur Stelle s. S.176.

5) Frederick Norman, The enmity of Wolfram and Gotfried. In: German Life and Let-

In einem Büchlein, erschienen in einer Reihe, die "sich zum Ziel gesetzt [hat], das sicher Gewußte vom Erschlossenen und nur Vermuteten zu scheiden", schreibt Joachim Bumke:[6)]

> Zu dem größten seiner Zeitgenossen, Gotfrid von Straßburg, stand er [Wolfram] in einem Verhältnis, das von Wolframs Seite durch Abneigung, von der anderen durch Haß und Verachtung gekennzeichnet war. Durch den ganzen Parzival und bis hinein in den Willehalm ziehen sich die Stellen, die man mit mehr oder weniger Recht als Zeugnisse der Fehde in Anspruch genommen hat. Offenbar war Wolfram der Angegriffene, der sich zuerst aggressiv, später immer ruhiger und selbstbewußter und nie ohne einen Schuß bitteren Humors verteidigte. Es ging um die Prinzipien ihrer Kunst, um die Gesetze der dichterischen Rede und Darstellung; und es ist faszinierend, mit welcher Klarheit die größten Dichter sich in ihrer fundamentalen Gegensätzlichkeit erkannten und wie dabei das Bewußtsein ihres eigenen künstlerischen Wesens wuchs. (7)

Diese kleine Zitatensammlung mag genügen, den toposartigen Gebrauch[8)] der heute wie damals unbewiesenen Kontroversenhypothese durch Vertreter altgermanistischer Wissenschaft anzudeuten. Ein Ziel dieser Arbeit war es, den Weg nachzuzeichnen, den die Forsehung von den Anfängen der deutschen Philologie bis in die heutige Zeit gegangen ist, um die eine polysemantische Struktur besitzenden Textzeugen endgültig als Beweisstücke für eine Gottfried-Wolfram-Fehde beanspruchen zu können.

Der rezeptionsgeschichtliche Teil, mit dem die Arbeit beginnt, machte es notwendig, die wichtigsten der für eine Kontroversenhypothese herangezogenen Textstellen einer genauen Übersetzungsprozedur zu unterziehen und abweichende Ergebnisse im Zusammenhang mit der Interpretation zu diskutieren.

Es ist eine alte Erfahrung, daß keine Aufgabe so undankbar ist wie die, an eingewurzelten Anschauungen rütteln zu müssen. In der Hoffnung, daß diese Erfahrung Ausnahmen zuläßt, wird hiermit eine Untersuchung vorgelegt, die von dem Bemühen geleitet war, in einem Teilbereich der Mediävistik Fakten und Spekulation genauer abzugrenzen.

---

ters, Band XV (1961 / 62), S.53 67. Zur Stelle s. S.67.

6) Joachim Bumke, Wolfram von Eschenbach. 2. durchgesehene Aufl., Stuttgart 1966 (Sammlung Metzler). Zur Stelle s. S.V.

7) Bumke, Wolfram von Eschenbach, S.8.

8) Im Sinne von Tradierung einer bestimmten Vorstellung oder schematischer Wiederholung.

1. Kapitel

ZUR FORSCHUNGSGESCHICHTE

Lange bevor die Gründergeneration der deutschen Germanistik, Johann Gustav Büsching, Bernhard Joseph Docen, die Brüder Grimm, Georg Friedrich Benecke und dessen Schüler Karl Lachmann - um nur einige zu nennen - in philologischer Weise die mittelalterliche Literatur, sofern sie in Handschriften und frühen Drucken zugänglich war, studierte, widmete sich um das Jahr 1750 der Schweizer Johann Jacob Bodmer auf seine Art den hochmittelalterlichen Dichtern. Seine Bekanntschaft mit Wolframs von Eschenbach 'Parzival' gründete sich auf den zu jener Zeit einzigen Druck von 1477. Welche Maßstäbe er an ein literarisches Werk des ausgehenden 12.Jahrhunderts legte, läßt sich aus der Vorrede zu seinem epischen Gedicht 'Der Parzival' erschließen: "Aus diesem alten Gedichte, welches ESCHILBACH aus dem Provenzalischen eines damals beryhmten Poeten, KYOTs, genommen hat, ist das neue Gedicht herausgezogen. Die wichtigsten veraenderungen, die man [Bodmer] gemacht hat, bestehen in weglassungen großer und kleiner episodischer styke."[9] Mit dieser 'Parzival'-Paraphrase wollte Bodmer die seiner Meinung nach von Wolfram nicht gewahrte Einheit von Handlung und Zeit herstellen; und er verwirklichte den Gedanken, indem er die sechzehn 'Parzival'-Bücher in zwei, in Hexametern geschriebene Gesänge komprimierte. Das der Vorrede entnommene Zitat ist eine sehr frühe Stellungnahme zum Quellenproblem des 'Parzival', das sich als Satellitenproblem der Hypothese erweisen wird, deren Verfechter sich bemühten, Wolfram von Eschenbach und Gottfried von Straßburg in eine Dichterfehde zu verstricken.[10]

9) Johann Jacob Bodmer, Der Parcival. Ein Gedicht in 2 Gesängen in Wolframs von Eschilbach Denckart. Eines Poeten aus den Zeiten Kaiser Heinrich des VI., Zürich 1753.

10) Im zweiten Band der "Balladen" schreibt Bodmer über Wolframs 'Parzival': "Von der Einheit der Handlung hatte der Dichter keine Idee, doch einige Winke von der Einheit des Intresse. Man muß den Werth dieses Gedichtes in dem Gefühl des Herzens, in der Einfaltigkeit der Ausbildung ... suchen, in Sachen, die unsern verfeinerten Tagen Plattheit heissen." J.J.Bodmer, Altenglische und altschwäbische Balladen. In Eschilbachs Versart. Zugabe von Fragmenten aus dem altschwäbischen Zeitalter, und Gedichten. Zweytes Bändchen, Zürich 1781, S.202.
Genauere Information über Bodmers 'Parzival'-Bearbeitung gibt Paul Merker in: Vom

Einer der ersten, die sich als Philologen auch mit hochmittelalterlicher Epik beschäftigten, war B.J.Docen. In der von ihm, Büsching und von der Hagen gegründeten Zeitschrift "Museum für altdeutsche Literatur und Kunst" schrieb er im ersten Band zu dem zentralen Problem dieser Arbeit:

> Wenn wir betrachten, wie Gottfried von Straßburg bei dem Reichthum glänzender poetischer Schönheiten doch stets eine edle Simplizität und weises Ebenmaß befolgt, so kann es uns nicht befremden, daß seiner Ansicht der Kunst die Manier eines Wolframs von Eschenbach und seiner Nachahmer nicht sonderlich zusagte. Eschenbachs Parzifal war damals erschienen, eine Komposizion von einer wunderbaren romantischen Wildheit, im Ausdruck nicht selten unklar, gesucht, eigensinnig, oder wie man es sonst nennen will. Es kann sein, daß damals die Bewunderer Eschenbachs das Verdienst der Übrigen verkannten, und neben ihm die Gedichte eines Hartmann von A u e herabsetzten, denen vorzüglich der Stempel einer natürlichen Simplizität aufgedrückt ist; diese, oder eine ähnliche Veranlassung scheint mir Gottfried von Straßburg gehabt zu haben, indem er seinem Freunde Hartmann nicht den wohlverdienten Lorberkranz entzogen wissen will, um ihn dem von Eschenbach, oder solchen, die das Räthselhafte und Gezwungene seiner Muse nachahmten, zuzuwenden. Von diesen Lobpreisern und Nachahmern Eschenbachs sagt er unter andern: "Sie wollen uns mit dem Stocke Schatten gewähren, nicht mit dem grünen Lindenblatte" - ganz das Bild der modernen e r s t r e b t e n Objektivität in der Poesie. (11)

Diese schon sehr detaillierte Äußerung zu Fragen der partiellen Bezogenheit von 'Parzival' und 'Tristan' eröffnet eine Argumentationskette, die unermüdliche Forscher im Laufe der Jahrzehnte zu einer beträchtlichen Länge anwachsen ließen und deren Schlußglied - eine befriedigende Antwort auf die Frage: Gab es zwischen Gottfried und Wolfram eine wie auch immer geartete literarische Auseinandersetzung? - unsichtbar ist. Docen hat sich mit dem Versuch, Teile der Dichterschau im 'Tristan' auf ihre literaturgeschichtliche Valenz zu untersuchen, in vorsichtig vermutender Weise geäußert, weitgehend frei von einer Parteinahme, die auf moralischer Bewertung der zu erklärenden Dichtwerke beruht. Von dieser relativ wertneutralen Basis entfernt sich die spätere Forschung zusehends und gerät in das Stadium moralisierender Literaturbewertung.

Mit der Docen-Studie liegt einer der frühesten Ansätze vor, das nicht durch einen Namen mit einer bestimmten Person verbundene Stück des Dichterkataloges mit Wolfram in Verbindung zu bringen. Allerdings könne der dort anklingende Tadel, auf eine

---

Wesen des deutschen Geistes. Festgabe für Gustav Ehrismann zum 8. Okt. 1925, hg. von Paul Merker und Wolfgang Stammler, Berlin u. Leipzig 1925, S.196-219.

11) Bernhard Joseph Docen, Gallerie altdeutscher Dichter. In: Museum für altdeutsche Literatur und Kunst, Band 1, Berlin 1809, S.37-61. Zur Stelle s. S.59 / 60.

dem Tristandichter diametrale Kunstkonzeption zielend, sowohl auf Wolfram als auch auf Nachahmer und stilverwandte Autoren gemünzt sein. Die Resonanz der Fachkollegen auf diese Studie ist im Briefwechsel der Brüder Grimm[12] und vermutlich auch in Lachmanns Akademievortrag erkennbar. Karl Lachmann hatte im Jahre 1835 vor der Berliner Akademie "Über den Eingang des Parzivals" gesprochen.[13] In diesem Vortrag bezieht er sich ohne Angabe der Quelle auf eine Äußerung Docens, die er in den Dienst seiner bereits viel differenzierteren In-Bezug-Setzung Wolframs und Gottfrieds stellt:

> Aber auf Wolfram und den Eingang des Parzivals wird allerdings Docen den Tadel Gottfrieds ... mit Recht bezogen haben, der von den Märejägern spricht, die wie Hasen umherspringen, die ihre Märe müsten von Ausdeutern herumtragen lassen: er habe nicht Zeit die Glosse aus den schwarzen nekromantischen Büchern herauszusuchen. (14)

Wenn Lachmanns Bezugspunkt der von mir besprochene Aufsatz Docens ist und keine in mehr privatem Kreise geäußerte Ansicht, hat er ihn versehentlich oder gar absichtlich so uminterpretiert, damit er den eigenen Argumentationsgang unterstützt. In dieser Ausführlichkeit hatte sich Docen nicht auf 'Parzival'-Stellen bezogen, schon gar nicht auf den Prolog.[15]

Der Vortrag beginnt mit der Feststellung: "Wir finden bereits im dreizehnten Jahrhundert, ja noch bei Lebzeiten Wolframs von Eschenbach, wiederholte Klagen über die Dunkel-

---

12) Der junge Jacob Grimm bemerkt in einem Brief vom 16.6.1809 an seinen Bruder Wilhelm dazu: "Unter dem fatalen Titel: G a l e r i e a l t d e u t s c h e r D i c h t e r, von Docen, über Konrad von Würzburg, Rudolf von Montfort und Gottfried von Straßburg ... , weder warm noch heiß; was er über den Tristan sagt, ist das beste, was ich von ihm noch gelesen habe." Briefwechsel zwischen Jacob und Wilhelm Grimm aus der Jugendzeit. Hg. von Herman Grimm und Gustav Hinrichs. 2., vermehrte und verbesserte Aufl. besorgt von Wilhelm Schoof, Weimar 1963, S.111.

13) Gelesen in der Akademie der Wissenschaften zu Berlin am 15.10.1835. Veröffentlicht in: Abh. d. Akad. d. Wiss. zu Berlin aus dem Jahre 1835. Philosoph.-hist. Klasse. Berlin 1837. Zuletzt veröffentlicht in: Kleinere Schriften zur deutschen Philologie von Karl Lachmann, hg. von Karl Müllenhoff, Berlin 1876, S.480-518.

14) Lachmann, Kleinere Schriften, S.481.

15) Hier wird deutlich, wie ungleichmäßig L. mit Textmaterial verfahren konnte, das nicht dem genius Wolframi entstammt. Es ist falsch, die "Märejäger wie Hasen" umherspringen zu lassen.

heit der Rede in seinem Parzival."[16] In Lachmanns Arbeiten zu Wolfram findet sich das öfter wiederkehrende Motiv, allen Anfechtungen einer Literaturkritik, die auf Wolframs Dichtstil zielt, zu begegnen und möglicherweise anzumerkende Mängel in Vorzüge zu kehren. Den Kritikpunkt der dunklen Rede und schwer nachvollziehbaren Assoziation schwächt er sogleich ab:

> Zwar ist es mir immer vorgekommen als ob die feinen und scheinbar fern liegenden Beziehungen, welche der Dichter zu nehmen liebt, fast durchaus bequem aus den gangbaren Ansichten Bildern und Redeweisen der Zeit hervorgiengen, so dass sich ihre Veranlassung meistens sehr in der Nähe findet. Ich muss daher glauben dass ein Zuhörer, der in denselben Lebensverhältnissen und in ähnlichen Gedanken stand, auch dem rascheren Gange des gewandten und vielseitigen Dichtergeistes hat folgen können. (17)

Mit der Vorwegnahme eines auf Schwerverständlichkeit und Kompliziertheit der Sprache zielenden Einwandes glaubte Lachmann, den Makel des Mißverständnisse verursachenden Sprachgebrauchs von dem ihn am meisten faszinierenden Dichter des hohen Mittelalters genommen zu haben. Es klingt wie eine Entschuldigung: "Wolfram hat denn auch selbst über seine Dunkelheit gescherzt, (Wilh. 237, 11) 'mein Deutsch ist zuweilen so schwierig, dass mir leicht einer zu wenig versteht, wenn ichs ihm nicht sogleich erkläre: und so halten wir beide einander auf'."[18]

Schon etliche Jahre früher hatte Lachmann zur Begründung und Rechtfertigung der Auswahlkriterien, die für sein Buch "Auswahl aus den hochdeutschen Dichtern des 13. Jahrhunderts" bestimmend waren, folgendes bekannt und sein Verhältnis zu Wolfram und Gottfried bezeichnet:

---

16) Kleinere Schriften, S.480.

Karl August Koberstein bezieht sich in seiner Literaturgeschichte auf Lachmann. Er schreibt: "Wolfram ist der tiefsinnigste, planvollste und sittlich wie künstlerisch grossartigste unter allen altdeutschen Dichtern, die wir kennen. Seine weisheitsvolle Kunst war schon im dreizehnten Jahrhundert sprichwörtlich, und sein Ruhm, früh von der Sage gehoben, dauerte länger, als der irgend eines seiner dichtenden Zeitgenossen, obgleich es ihm schon bei seinen Lebzeiten nicht an Tadlern fehlte: auch der Angriff im Tristan geht sicher auf den Parzival, den Gottfried nicht einmal ganz gekannt haben dürfte." K.A.Koberstein, Grundriß der Geschichte der deutschen Nationalliteratur. 1.Band, 5. umgearbeitete Aufl. von Karl Bartsch, Leipzig 1872, S.169 / 170. Anläßlich der Behandlung von Gottfrieds 'Tristan' arbeitet er ganz selbstverständlich mit der Vorstellung, daß Gottfried Wolfram hart angegriffen und dieser dem 'Tristan'-Dichter "die Gabe des reichern Redeschmucks edelmütig zugestanden" habe. (S.172)

17) S.480.

18) S.481.

> Gottfried von Straßburg ist dabei nicht Unrecht geschehen: seine gehaltene, verständig geschmückte Darstellungsweise erhellet wohl aus dem gewählten Abschnitt; anderes als Üppigkeit oder Gotteslästerung, boten die Haupttheile seiner weichlichen unsittlichen Erzählung nicht dar. (19)

Ein mißgünstigeres und größeres Unverständnis demonstrierendes Urteil über den 'Tristan' ist seitdem nicht gefällt worden, ebenso ist das sich anschließende Lob des 'Parzival' in seiner Überschwenglichkeit kaum jemals übertroffen worden:

> Wolframs Parcivâl aber, wiewohl ihm billig der größte Raum gestattet ist, wird aus diesem Buche nicht nach Würden erkannt werden. Denn wer kann solchen Bruchstükken mehr als etwa das tiefe Eindringen und die Glut der gedrängten Darstellung, mehr als ein kühnes sprachgewaltiges Ringen mit der reichsten Gedankenfülle, in der das Volksmäßige eigenthümlich wird, und was uns Gewöhnlicheren als getrennt zu erscheinen pflegt, leicht und fest sich verbindet, - wer kann ihnen den Werth des Ganzen ansehn, in dem dieser unvergleichliche Dichter der fremden, ihm, so wie uns, nicht verständlichen Fabel einen ihm eigenen tiefgedachten Sinn und Plan untergelegt hat? Prüfe der Kenner, ob ich den unbillig verkannten genügend rechtfertige. (20)

Lachmanns literarische Bewertungskriterien werden, zumindest was Wolfram und Gottfried betrifft, teilweise von einem moralisch-gefühlsbetonten Maßstab bestimmt. Solche moralischen, nicht literaturwissenschaftlichen Kriterien verpflichtete Wertungen werden, einem Buch zum Gebrauch in Schulen und Universitäten beigegeben, ihren Zweck nicht verfehlt haben. Viele noch folgende Zitate lassen erkennen, daß sie, immer subtiler werdend, für manche spätere Publikation bestimmend geworden sind.

Zeigte schon die "Auswahl", wie subjektiv Lachmann zuweilen über hochmittelalterliche Dichtung geurteilt hat, so verdichten sich die Indizien für seinen - von "überströmender Begeisterung"[21)] getragenen - Wertmaßstab durch einen Brief an Jacob Grimm,

---

19) Karl Lachmann, Auswahl aus den hochdeutschen Dichtern des 13. Jahrhunderts. Für Vorlesungen und zum Schulgebrauch. Berlin 1820. Zitiert nach: Kleinere Schriften, S.159.

20) Kleinere Schriften, S.159 / 160.

21) Franz Pfeiffer, der große Forscherrivale Lachmanns und noch mehr der Lachmannverehrer, kommt in einem Aufsatz "Über Gottfried von Straßburg" zu der bemerkenswerten Einsicht, die, bezöge sie sich auf Lachmann, nicht unberechtigt wäre, obwohl der ganze Passus gegen Watterich gerichtet ist: "Leider vertragen sich, zumal in sprachlichen Dingen, überströmende Begeisterung und nüchterne Forschung nur selten gut miteinander; diese strebt und trachtet nach festen Grundlagen, während jene in ihrem hohen Fluge leicht das Wesen preisgibt, um einem täuschenden Scheine nachzujagen." In: Germania, 3. Jahrg., 1858, S.59-80. Zur Stelle s. S.80.

mit dem und dessen Bruder Wilhelm ihn eine lange briefliche und später in Berlin auch persönliche Freundschaft verband:

> Ich muß gestehn, die guten Erzähler unter unsern alten Poeten (aber Rudolf wahrlich ist das nicht einmahl) langweilen mich sammt und sonders. Den weichlichen und unsittlichen Gottfried kann ich kaum lesen, wiewohl ich nicht behaupte, die Sage von Tristan sei ursprünglich unsittlich. Der Verfasser des Titurel versöhnt mich und zieht mich an durch seinen gedankenreichen und in allzugroßer Zierlichkeit und Pomphaftigkeit stäts gründlichen und oft bewundernswürdig kühnen Ausdruck. (22)

Darauf antwortet Jacob in sehr feinsinniger und kenntnisreicher Weise, beider unterschiedliche Ziele ihrer Literaturbetrachtung andeutend:

> Ihre Meinung von dem inneren Werth oder Unwerth unserer alten Dichter läßt sich gewiß verfechten, wiewohl auch anfechten. Wolframs Geist hat mich immer auch angezogen, doch gebe ich auf Gottfrieds Anmuth und den geschlossenen, einfachen Inhalt seines Tristan mehr als Sie thun. Wigalois kommt dem Iwein lange nicht bei, was auch Benecke von ihrer Ähnlichkeit sage.(23) Den Barlaam kann ich mit Vergnügen lesen, am leichtesten liest sich der fließende Conrad, dessen Reimgenauigkeit mir, wie Ihnen, aufgefallen war. (24)

Dieses auch heute noch zutreffende Urteil Jacob Grimms sticht ab von Lachmanns befangenem und einseitigem; sogar in dem Nekrolog, den Jacob anläßlich von Lachmanns Tod am 3.7.1851 in der Akademie, der beide angehörten, hielt, wird der Mangel an Kritikfähigkeit, wenn auch in aller Behutsamkeit, angedeutet:

> Er wählte sich aus innerm trieb den an gedanken und gemüt reichsten dichter unsrer vorzeit und hat dessen tiefbegründeten abstand von Gotfried von Straszburg, welchen abstand wir zwar mehr in der bekannten stelle dieses, als in einer uns erhaltnen Wolframs selbst ausdrücklich anerkannt finden, gewissermaszen wieder aufgenommen. was anmut, was lebendigen, weichen flusz der innigsten poesie angeht, steht Gotfrieds Tristan gewis höher, als Wolframs dunkler, schwerer Parzival, dessen inhalt auch lange nicht so lockt und fesselt, wie im Tristan; allein Lachmannen widerte

---

In diesem Aufsatz hatte Pfeiffer, die "nüchterne" Forschungshaltung demonstrierend, die Ansicht W.Grimms und F.H.v.d.Hagens widerlegt, daß Gottfried der Dichter des Lobgesanges auf Christus und Maria sei.

22) Briefwechsel der Brüder Jacob und Wilhelm Grimm mit Karl Lachmann. Im Auftrage und mit Unterstützung der preuß. Akad. d. Wiss. hg. von Albert Leitzmann. Mit einer Einleitung von Konrad Burdach. 1.Band, Jena 1927. S.15 / 16. Brief vom 11.12. 1819.

23) Er bezieht sich hier auf die 1819 erschienene Ausgabe des 'Wigalois'. Der Ritter mit dem Rade. Getichtet von Wirnt von Gravenberch. Hg. von G.F.Benecke. 1.Druck, Berlin 1819, bes. S.XV des Vorberichtes.

schon die unsittlichkeit der auf ehbruch und fälschung eines gottesurteils mitgegründeten fabel an, so wenig der lieblichen und aus dem menschenherz strömenden dichtung die beschönigenden vorwände fehlen. (25)

Der 24jährige Jacob, damals Bibliothekar und Staatsratauditor in Kassel, hatte mangels ausgeprägter eigener Bewertungskriterien anders, in mancher Hinsicht geradezu "lachmannisch" geurteilt, wie ein Brief an seinen Bruder Wilhelm vom 15.4.1809 aus Kassel beweist:

> In dem elften Hefte [der Studien] steht nur der Eingang zur Nibelungenrezension. Ich wünsche manches daraus weg, vor allem das Urteil über Parzival und Tristan. Wir hatten beide wohl zu flüchtig gelesen, ich habe sie nun wieder gelesen, der Parzival steht weit über dem Tristan in Sprache und Poesie, worin der Wolfram auch einzig steht und noch gar nicht erkannt wird, die Sage im Parzival ist auch nicht verwickelt, aber der Inhalt schwerer, ernsthafter. Die Geschichte ist im Tristan viel freier, lieblicher, scheint aber auch unwahr und lügenhafter, und der Parzival viel älter und historischer. Dabei ist vorzüglich der Gottfried breit und geschwätzig, gewandt aber selten tief, ja geneigt, wunderbare alte Sagen, die in Trisfans Geschichte vorkommen, daraus auszulassen. (26)

Dem Sagenforscher und Märchensammler Grimm mußte die Gottfriedische Quellentreue, die, wie wir wissen, auf Kosten älterer Sagenteile ging, schmerzlich sein. Dieses Motiv dürfte, verbunden mit der noch unentwickelten Urteilsfähigkeit des jungen Mannes, die Triebkraft für dieses dem Mittelalter nicht gemäße Urteil gewesen sein. Zu Beginn des 'Tristan' berichtet Gottfried über die Vorarbeiten zu seinem Roman. Er ist einer Vorlage gefolgt, die einige Sagenteile nicht enthielt - es sei nur an die Schwalbenepisode erinnert. Wollte er dem Prinzip, die 'tihte' zu 'rihten', nicht untreu werden, durfte er nicht verschiedenen Erzählsträngen zugleich folgen.[27)]

---

24) Briefwechsel Grimm-Lachmann, S.21.

25) Jacob Grimm, Rede auf Lachmann. Gehalten in der öffentlichen Sitzung der Akad. d. Wiss. am 3. Juli 1851. In: Reden und Abhandlungen von J. Grimm. 1. Band. Kleinere Schriften, Berlin, 1864, S.157.

26) Briefwechsel zwischen Jacob und Wilhelm Grimm, S.88/89.

27) Jacobs Brief vom 15.4.1809 bezieht sich auf Wilhelms zu Recht scharfe Rezension der von F.H.v.d.Hagen besorgten Übersetzung des Nibelungenliedes, die unter dem Titel "Der Nibelungen Lied, herausgegeben durch Friedrich Heinrich von der Hagen", zuerst in den Heidelbergischen Jahrbüchern der Literatur erschienen war [Fünfte Abtheilung. Philologie, Historie, schöne Literatur und Kunst, 8. Jahrg. II, 1809, Band 1, Heft 4 (11), 5 (15), S. 179-189, 238-252], zuletzt abgedruckt in: W. Grimm, Klei-

In sehr persönlicher und herzlicher Weise korrespondierte Lachmann mit seinem Göttinger Lehrer Georg Friedrich Benecke, den er in dem Brief vom 25.12.1820 um Rat fragt:

> Ich möchte dann - das ist mein geheimer Wunsch - auf Eschenbachs Werke ausgehn. Aber mir ist vor der Schwierigkeit der künftigen Arbeit, der Herausgabe, bange. Sagen Sie mir unverholen - wann sich einige Augenblicke für ein Paar Zeilen Antwort finden -, ob Ihnen das Unternehmen n i c h t a l l z u k e c k e r s c h e i n t. Nur hierüber bin ich im Zweifel: an Liebe zu Wolfram und seiner Poesie fehlt mirs nicht, wie Sie wissen: und nothwendig ist eine Ausgabe seiner Werke auch, gewiss weit mehr als vom Tristan, den ich nicht einmahl unter die eigentlichen 'testi di lingua' rechne, sondern nur Hartmanns, Wolframs und Walthers Werke und in gewissem Sinne die Nibelungen. (28)

Die Liebe zu Wolframs Werken und die Geringschätzung von Gottfrieds Dichtung bildeten das Fundament für eine über Jahrzehnte sich erstreckende philologische Arbeit, deren Ziel immer wieder Wolframs dichterisches Schaffen war. Diese überschwengliche Begeisterung muß den Blick für Dichtung trüben, die von anderer Intention, als Wolfram sie

---

nere Schriften. Hg. von Gustav Hinrichs. 1.Band Berlin 1881, S. 62-91. Danach wird im folgenden zitiert. "Bei weitem das Vorzüglichste [von den sogenannten "romantischen" Gedichten, die W.G. der Volksdichtung, zum Beispiel das NL, gegenüberstellt] ist der Tristan, wo freilich auch manches Breite vorkommt, indessen sehr viele Situationen eine überaus anmuthige Frische und zarte Schönheit haben, wir nennen nur Tristans und Isaldens Liebesleben in der heimlichen Grotte. Neben diesem ist der Tyturell anzuführen, dessen Silbenmaß und ungemeine Zierlichkeit der Rede sehr einschmeichelnd ist, und dessen mystische und allegorische Tendenz sich auszeichnet durch Tiefe und innere Lebendigkeit.In dem Leben Carl des Grossen leuchtet noch viel von dem schönen Grund durch. Der Parzival ist sehr verwickelt und hat in der metrischen Bearbeitung wenig Ergötzliches. Bei den übrigen: Iwain, Wilhelm von Oranse, Flor und Blancheflur usw. ist mehr oder weniger derselbe Fall. So verhält es sich mit den Gedichten, die man unter der altdeutschen romantischen Poesie versteht." (S. 63).
Was die Urheberschaft des 'Titurel' betrifft, war die Forschung um das Jahr 1810 dem Irrtum erlegen, der von der heutigen Forschung der 'Jüngere Titurel' genannte Roman Albrechts von Scharfenberg sei ein Werk Wolframs, die sich ebenfalls Personen des Gralsgeschlechts widmenden Bruchstücke aber von einem Wolfram-Vorgänger unbekannten Namens. Diese Auffassung vertrat der Verfasser des "Ersten Sendschreibens über den Titurel, enthaltend: Die Fragmente einer Vor-Eschenbachischen Bearbeitung des Titurel. Aus einer Handschrift der Königl. Bibliothek zu München herausgegeben und mit einem Kommentar begleitet von. B.J.Docen", Berlin und Leipzig 1810. Dort heißt es: "Eschenbach dichtete den Titurel, nachdem Herman von Thüringen schon gestorben (1228); die d r e i Fürsten, (darunter der König von Rom und ein Herzog von Kärnten) die damals seine Mäcenaten waren, kennen wir nicht. Wir wollen annehmen, daß Wolfram von Eschenbach um 1229 die oben angeführten Stellen schrieb; die ungefähre Zahl 50, die er selbst angibt, hievon abgezogen, erhalten wir das Jahr 1189; aus nicht viel späterer Zeit dürfte der Münchener Kodex datieren" (d.h. Wolframs 'Titurel'-Fragmente).

hatte, getragen ist. Die Maßstabskala für mittelalterliche Epik wird auf den moralischen Bereich reduziert und der Grundstein für einen literaturwissenschaftlichen Topos gelegt, der sich gründet auf den Haß zweier wesensmäßig entgegengesetzter, sich verachtender Dichter des 12. Jahrhunderts: sittenstreng der eine, wollüstig und verworfen der andere.

Der Tristan-Edition Eberhard von Grootes aus dem Jahre 1821 ist ein Aufsatz von Franz Mone beigegeben, in dem eine interessante geistesgeschichtliche Parallele aufgezeigt wird. Mone sagt, daß die Tristansage von den Italienern ähnlich rezipiert worden sei wie von Gottfried von Straßburg. Wenn auch "die Zeugnisse dafür noch nicht so zugänglich sind, so verräth dieses doch Dante's Zorn über die Sagen des Lancelot, Paris und Tristan [Inferno V, 67] , die nach seiner Meinung zu nichts als zum Ehebruch verführen, weshalb er auch die Helden in die Hölle versetzt und eine warnungsvolle Verführungsgeschichte, durch den Lancelot veranlaßt, berührt, um jeden von diesen Sagen abzuschrecken".[29] Bevorzugung beziehungsweise Ablehnung erfolgt auch hier unter dem Aspekt moralischen Handelns, und so ist der Hinweis auf Lachmanns ähnliche Ausgangsposition unumgänglich:

> Eine ähnliche Äusserung hatte schon vor Dante der Teutsche Ulrich von Thürheim ausgesprochen, der den Tristan auch in der Hölle glaubte, aber doch Gott um seine Erlösung bat. Zu diesen gehört neuerdings Lachmann, der in den Hauptteilen der weichlichen und unsittlichen Gotfridischen Erzälung nichts als Üppigkeit und

---

28) Briefe Karl Lachmanns an Georg Friedrich Benecke, hg. von Albert Leitzmann, Berlin 1943. Abh. d. Preuß. Akad. d. Wiss., Jahrg. 1942, Philosoph.-hist. Klasse Nr. 8, S. 11.

Karl August Koberstein bezieht sich in seiner Literaturgeschichte auf Lachmann. Er schreibt: "Wolfram ist der tiefsinnigste, planvollste und sittlich wie künstlerisch grossartigste unter allen altdeutschen Dichtern, die wir kennen. Seine weisheitsvolle Kunst war schon im dreizehnten Jahrhundert sprichwörtlich, und sein Ruhm, früh von der Sage gehoben, dauerte länger, als der irgend eines seiner dichtenden Zeitgenossen, obgleich es ihm schon bei seinen Lebzeiten nicht an Tadlern fehlte: auch der Angriff im Tristan geht sicher auf den Parzival, den Gottfried nicht einmal ganz gekannt haben dürfte." K.A. Koberstein, Grundriß der Geschichte der deutschen Nationalliteratur. 1. Band, 5. umgearbeitete Aufl. von Karl Bartsch, Leipzig 1872, S. 169 / 170. Anläßlich der Behandlung von Gottfrieds 'Tristan' arbeitet er ganz selbstverständlich mit der Vorstellung, daß Gottfried Wolfram hart angegriffen und dieser dem 'Tristan'-Dichter "die Gabe des reichern Redeschmucks edelmütig zugestanden" habe. (S. 172)

Gotteslästerung findet. Was Dante vor sich gehabt, weiß ich nicht, und lasse sein Urtheil auf sich beruhen, Thürheim und Lachmann hätten aber Gotfriden und die Sage gründlicher erforschen sollen. (30)

Abgesehen von einer etwas willkürlichen Aufreihung und der Vermischung von Literaturproduktion und Literaturkritik ist die Problematisierung eines literaturwissenschaftlichen Ansatzes interessant, der offenbar wenig mehr als eine Generation nach Wolfram und Gottfried andeutungsweise vorhanden war. Unsittlich, gotteslästerlich, zur Hölle verdammt, das sind, neben anderen, die Gesichtspunkte, nach denen Wert oder Unwert der Literatur bestimmt werden.

Eberhard von Grootes 'Tristan'-Ausgabe konnte der Aufmerksamkeit des damals noch kleinen und überschaubaren Fachkollegenkreises sicher sein. Noch im Erscheinungsjahr 1821 schreibt Jacob Grimm aus Kassel an Lachmann:

In einer einleitung zu Grootes Tristan, der mir dieser tage zugekommen ist (die arbeit ist mittelmäßig, ungründlich und wäre nur wegen des abgedruckten Türheim dann von werth, wenn Hagens ausgabe unterbliebe), bringt er [Mone] die wunderlichsten dinge und beweise seiner dinge zu markt; mit solchen mitteln läßt sich alles aus allem ziehen und wasser aus holz pumpen. Versteht sich übrigens, daß Sie als offener Tristansverächter bestritten werden. (31)

Die Diskussion des teilweise auf emotionaler Basis ruhenden Literaturverständnisses Lachmanns setzte, wie bei Mone angedeutet, schon zu seinen Lebzeiten ein. Persönliche Spannungen, Eifersüchteleien und nur angedeutete Aversionen innerhalb des Kollegenkreises, deren Einfluß auf die Beurteilung der wissenschaftlichen Leistung nicht gering gewesen sein mag, werden in mehreren Briefen sichtbar, so auch in der Antwort Lachmanns auf den Brief Jacob Grimms vom 27.12.1823, zu deren besserem Verständnis erwähnt werden muß, daß Lachmann Aussicht auf ein Ordinariat hatte, das dann aber mit Friedrich Heinrich von der Hagen besetzt wurde:

---

29) Tristan, von Meister Gotfrit von Straßburg, mit einer Fortsetzung des Meisters Ulrich von Turheim. Hg. von E.v.Groote, Berlin 1821, S.XV.

30) E.v.Groote, Tristan, S.XV.

31) Briefwechsel Grimm-Lachmann, S.316.
Ein Wort dazu, daß gelegentlich aus privater Korrespondenz zitiert wird. Auf der Ebene eines freundschaftlichen Briefwechsels wird in den meisten Fällen offener und ohne Rücksicht auf die Gepflogenheiten wissenschaftlicher Auseinandersetzung argumentiert, und die in einer wissenschaftlichen Arbeit nicht ausgesprochenen subjektiven Normkategorien werden freimütiger bekannt.

> Und für die berliner stelle sei ernannt - H a g e n. In Breslau sei geldmangel, in Berlin noch überfluß; Hagen habe vom staatskanzler [Hardenberg] das versprechen, dem (nach seinem tode!) nicht mehr zu entgehen sei. Offenbar nichtige gründe; daß aber das ministerium nicht nach eigenem willen hat handeln dürfen, ist gewiß. In Berlin sagt man, skandal sei nicht wohl zu vermeiden gewesen in Breslau, wo Hagens weib als hure gedient hat und auf der straße mit vornamen genannt wird, Kurz, er ist ernannt und ich kann mich weiter umsehen. (32)

Nicht genug, daß die häuslichen Verhältnisse angeblich aller Moral entbehrten, auch durch die Wahl der zu edierenden Dichtung - den "unsittlichen" Tristanroman - hatte sich v.d.Hagen bei Lachmann disqualifiziert.
In der Einleitung zu der so viel geschmähten [33] 'Tristan'-Ausgabe versucht v.d.Hagen, eine Charakterisierung des Gottfriedschen Stiles in Kontradiktion zu Wolframs Stileigenheiten zu geben. Gottfried sei "ein wahrer Hofdichter im Gegensatze jener, zumal Eschenbach's, durch Auswahl, Zierlichkeit, Leichtigkeit und Faßlichkeit der Sprache und ganzen Darstellung, welche er selber die Rede des Hofes nennt, und die er der schweren, dunkeln, langweiligen und geschmacklosen gegenüberstellt, welche aus Büchsen und schwarzen Büchern geschüttelt, durch Glossen und Catenen erst verständlich werde". [34]
Die folgenden Überlegungen weichen kaum von dem ab, was er in den "Minnesingern" zu diesem Thema bemerkt. Bemerkenswert ist seine Parteinahme für Gottfried, mehr noch die Identifizierung mit dessen Kritik. Auf dem Hintergrund der persönlichen Spannungen zwischen ihm und Lachmann wird die so extrem negative Einschätzung von Wolframs Dichtstil erklärlicher. Ich glaube, daß er so harte Kritik an Wolfram übte, um "seinen" Dichter, den Lachmann herabgesetzt hatte, zu rehabilitieren. V.d.Hagen bedient sich zur Charakterisierung stilistischer Phänomene fast ausschließlich des Mittels der Paraphra-

---

32) Brief Lachmanns vom 24.2.1824 an J.Grimm. Briefwechsel Grimm-Lachmann, S.437.

33) So auch weiterhin negativ Jacob Grimm in dem Brief vom 27.12.1823 an Lachmann über v.d.Hagens 'Tristan'-Ausgabe: "Erstens gar keine auskunft über handschriften, varianten, ausgaben, damit er den Groote nicht einmahl zu nennen braucht ... Dann sollten und musten alle bearbeitungen gedruckt werden, warum nicht Eilharts vorgotfriedischen Tristan mitgetheilt?". Briefwechsel Grimm-Lachmann, S.434/435.

34) Gottfrieds von Strassburg Werke aus den beßten Handschriften mit Einleitung und Wörterbuch hg. durch F.H.v.d.Hagen. 1. Band Tristan und Isolde mit Ulrichs von Turheim Fortsetzung, Breslau 1823. Einleitung S.V.

sierung von Teilen des Dichterkataloges. Er versäumt, eine Begründung zu geben, warum mit der 'vindaere wilder maere'-Passage nur "Eschenbach" und sonst niemand getroffen werden sollte. Der spekulative Gedanke, gerade weil Wolfram nicht genannt ist, sei er um so gewisser gemeint, ist noch keine Begründung. Dieses Negativargument, 1823 zum ersten Mal verwendet, hat heute seine Geltung noch immer nicht verloren.

Ausführlicher, da eine 'Willehalm'-Stelle einbeziehend, kommt v.d.Hagen in dem 1838 erschienen Werk "Minnesinger. Geschichte der Dichter und ihrer Werke" auf die Frage der wechselseitigen Bezogenheit von Wolframs und Gottfrieds Dichtung zurück und weist auf die Verse Willeh. 4,19 hin, deren Bedeutung Lachmann als erster untersucht hat.[35] V.d.Hagen bemerkt:

> Zugleich mit der guten Aufnahme bei Einigen, auch der Schmähung bei Anderen gedenkend, die ihre Rede zierlicher setzten: unter welchen letzten vornämlich G o t t f r i e d im Tristan gemeint scheint. Dagegen gehen die bestimmten früheren Anspielungen auf diese Dichtung im Parcival wohl nur auf den älteren Tristan des Eilhard von Hobergen (36), wie schon die Beziehung auf ein Abenteuer zeigt (37), welches in Gottfrieds Gedichte nicht vorkommen würde, wenn es auch vollendet wäre, weil er einer andern Darstellung folgt, als seine Fortsetzer, die dagegen mit Hobergen übereinstimmen. (38)

Er scheint der erste zu sein, der Wolframs Kenntnis der 'Tristan'-Sage auf Eilhart zurückführt. Seine Anmerkungen 5 und 6 (hier 35 und 36) präzisieren das durch Textstellen: für bedeutsam hält er Parz. 187,19 'und bêder Isalden', eine Namenform, die durch das Reimwort des darauffolgenden Verses 187,20 'jâ muose prîses walden' gesichert ist. Dem Problem der Namenformen bei Gottfried und Wolfram ist in dieser Arbeit ein kurzes Kapitel gewidmet. Ich bin der Meinung, daß mit Hilfe dieser Fragestellung bestimm-

---

35) Es sind die Verse, in denen sich Wolfram selbstbewußt als Verfasser des 'Parzival' bezeichnet.

36) Bei v.d.Hagen Fußnote 5) Parcival 4293 (Curvenal). 5560 (beide Isalden).

37) Bei v.d.Hagen Fußnote 6) Ebend. 17123 (das Wangenkissen. Vgl. S.177).

38) Friedrich Heinrich von der Hagen, Geschichte der Dichter und ihrer Werke. Abbildungen der Handschriften, Sangweisen, Abhandlung über die Musik der Minnesinger, Alte Zeugnisse, Handschriften und Bearbeitungen, Übersicht der Dichter nach der Zeitfolge, Verzeichnisse der Personen und Ortsnamen, Sangweisen der Meistersänger nach den Minnesingern. Neudruck der Ausgabe von 1838 (Aalen). Otto Zeller Verlagsbuchhandlung 1963, S.197.

te Aussagen über den Grad der Wahrscheinlichkeit einer Rivalität zwischen Wolfram und Gottfried gemacht werden können.
An anderer Stelle setzt v.d.Hagen die Betrachtung der Literaturschau fort: "Auch die Darstellungsweise der ihm [Gottfr.] im Sinne oder persönlich befreundeten Dichter sondert er von einer anderen, bei der Vertheidigung Hartmanns sichtlich, obschon namenlos, gegen Wolfram".[39] Es sieht so aus, als ob der berechtigte Einwand, daß Wolframs Name bei Gottfried an keiner Stelle vorkommt, allein dadurch, daß er vorgetragen wird, zu entkräften ist. Da v.d.Hagen und auch niemand vor ihm Textstellen bezeichnet hat, deren Aussage eindeutig auf Wolfram hinweist, läge es näher, aus dem Fehlen von Wolframs Namen im Dichterkatalog zu schließen, daß Gottfried ihn möglicherweise nicht gekannt hat. Aber der einfachen und naheliegenden Erklärung wird gern die kompliziertere vorgezogen. Ich erinnere an die Versuche, den Fragmentcharakter des 'Tristan' zu erklären. Der Aussage der beiden Fortsetzer, Heinrich von Freiberg und Ulrich von Türheim, daß Gottfried durch den Tod an der Vollendung seines Romans gehindert worden sei, wird die spekulative Erklärung entgegengestellt, daß die Kühnheit des Entwurfs Gottfried zum Abbruch gezwungen habe.
Auch in den "Minnesingern" stützt sich v.d.Hagens Vermutung, daß mit den anonymen "Erfindern wilder Mären" einzig Wolfram gemeint sei, nur auf einen oberflächlichen Stilvergleich, den er teilweise aus der Einleitung zu seiner 'Tristan'-Ausgabe übernommen hat:

> So erscheint Gottfried vor allen als ein rechter Hofdichter, in Walthers Art, durch Auswahl ... und Faßlichkeit der Sprache ,.., welche er selber im Tristan (7958) die "Rede des Hofes" nennt, und sie der anmuthslosen ... dunkeln und verwickelten gegenüber stellt, die aus der Büchse geschüttelt wird und Catenen und Glossen in schwarzen Büchern zur Erklärung bedarf, und dennoch unklar bleibt (4663). E s c h e n b a c h ist hier umso gewisser gemeint, als er nicht genannt wird, nämlich seine eigenthümliche schwierige Darstellung und kühne Behandlung der Sprache, die theilweise trockene Herzählung, die seltsamen Abenteuer, Wundergeschichten, Einmischung der Wissenschaft und der religiösen Mystik, im Parcival. Gottfried gebraucht von solcher Manier gerade das Bild von dem auf der Wort = Heide wild umhersetzenden Hasen, welches Wolfram im Eingange des Parcival mit anderen Bildern verbindet, dabei schon über den Stumpfsinn der Leute gegen solche bildliche Darstellung bitter ist: so daß eben dieser Eingang wirklich noch im Eingange des vollendeten Titurel [Albrechts von Scharfenberg] in Wolframs Namen umständlich comentiert und glossiert wird. Diesen Ausfall gegen Wolfram thut Gottfried in der berühmten und für die Geschichte der Altdeutschen Dichtkunst so wichtigen Stelle des Tri-

39) Minnesinger, S.559.

> stan, wo er ältere und besonders mitlebende Dichter als geschickter zur Beschreibung der Schwertleite ... anruft. (40)

Es ist merkwürdig zu beobachten, wie unerschütterlich Fachgelehrte, die unterschiedlichsten Positionen beziehend, in einem Punkt übereinstimmen: Ungeachtet der Wertschätzung, die entweder Wolfram oder Gottfried in stärkerem Maße genießt, herrscht Einigkeit, daß sie, auf Grund ihres unterschiedlichen literarischen Geschmacks und Gestaltungsvermögens, einander abstoßen mußten, als hätten sie, der moderne Vergleich sei einmal gestattet, im Literarischen Colloquium Gelegenheit gehabt, ihre unterschiedlichen Positionen vorzustellen und zu diskutieren.

Georg Gottfried Gervinus, 1837 gemeinsam mit den Brüdern Grimm, mit Dahlmann, Weber, Albrecht und Ewald des Professorenamtes enthoben, beginnt das 5. Kapitel seiner vielbeachteten "Geschichte der deutschen Dichtung", das Gottfried von Straßburg gewidmet ist, mit dem fundiert scheinenden Satz:

> Berühmt ist jene Stelle im Tristan ..., in der Gottfried von Straßburg mit einer Hindeutung auf die dunkle Einleitung in den Parzival dem Wolfram von Eschenbach gegenübertritt, ihm gegen Hartmann den dichterischen Ehrenkranz weigert, und sich scharf gegen den barocken Vortrag und das Trockene und Dunkle der Wolframischen Manier erklärt." (41)

Bereits zur Zeit von Gervinus hatte die Vorstellung von einem zumindest auf literarischer Ebene ausgetragenen Streit zweier großer Epiker des hohen Mittelalters ebensolche "Berühmtheit" erlangt - insbesondere in der zur Verallgemeinerung und Vereinfachung neigenden Literaturgeschichtsschreibung - wie die dieser Vorstellung zugrundeliegende, bereits eine Generation nach Gottfried von Rudolf von Ems kopierte Literaturstelle selbst. In allen bisher referierten Arbeiten, die die Frage nach der Wahrscheinlichkeit einer Berührung Gottfrieds mit Wolfram über das Medium Literatur thematisieren, fehlen stringent durchgeführte Textuntersuchungen und, darauf aufbauend, vorurteilslose stilkritische Analysen vergleichender Art. Außer Mutmaßungen und souverän geäußerten Behauptungen ist bis zum Erscheinen der "Geschichte der deutschen Dichtung" kein philologisch

---

40) Minnesinger, S.559 / 560.

41) 1835 erschien der erste Band der fünfbändig angelegten "Geschichte der deutschen Nationallitteratur" von Georg Gottfried Gervinus, 1842 der fünfte Band. Seit 1853 hat das Werk den veränderten Titel "Geschichte der deutschen Dichtung". Es wird nach der 4., gänzlich umgearbeiteten Auflage, Leipzig 1853, zitiert. Zur Stelle s. S.408. In einer Fußnote teilt G. die 'vindaere wilder maere'-Stelle mit.

abgesichertes Ergebnis für oder gegen eine Fehde vorgelegt worden. Umso mehr erstaunt es, wie selbstsicher von Gervinus dieses Wenige, schon mit dem Gewicht eines Faktums versehen, dargeboten wird.

Da besonders Literaturgeschichten seit jeher großen Einfluß auf den Lernenden haben – er ist besonders hinsichtlich der mittelalterlichen Zeit für jedes überzeugend vorgestellte "Faktum" dankbar, die Vielfalt der Meinungen verwirrt eher als das sie entzückt –wird verständlicher, warum in Permanenz von einmal Gesagtem und durch Fachautorität Besiegeltem ungeprüft Gebrauch gemacht wird. Polarisiertes prägt sich leichter ein, insbesondere dann, wenn der Gang der Argumentation nicht nachvollzogen werden muß.

Gervinus nennt indirekt einen Gesichtspunkt, der zur Entstehung des Komplexes "Dichterkontroverse" beigetragen haben könnte:

> Sollen wir zum Schlusse ein Urtheil über Gottfried's Tristan beifügen, so wüßten wir kein anderes ..., als Dante über solche Gefühle: man muß verdammen, aber bewundern und bedauern. Ob dies Gedicht bei den damaligen Ansichten von Sitte und Gesellschaft wohl verwerflicher erschien, als Werther in unsern Zeiten? ob nicht die Stimme eines so strengen Sittenrichters wie Thomasin's, der den Tristan als ein Muster gerade von Seite seiner weltmännischen Gewandtheit aufstellt, für die damalige Ansicht von außerordentlichem Gewicht ist? ob nicht die Aufnahme den Dichter rechtfertige, die sprichwörtlich Tristan und Isolde als Beispiele einer zarten Liebe nannte, wie der Orient Wamik und Asra oder Jussuf und Suleika, und wie die neuere Zeit den Werther, der so viele Anfechtungen zu leiden hatte? und ob nicht der Dichter mit gleichem Rechte wie Göthe verlangt hätte, an ein Kunstwerk keine Forderungen der Sittlichkeit zu stellen? Dies sind Fragen, die wohl immer von verschiedenen Menschen verschieden beantwortet werden. (42)

Dieses Urteil berücksichtigt weder kompositorische Gesichtspunkte, noch stilistische, noch sagengeschichtliche, sondern wird fast ausschließlich von der moralisch-normierenden Perspektive bestimmt. Sitte und gesellschaftliche Normen des beginnenden 19. Jahrhunderts werden als Maßstab an ein Epos des 12. Jahrhunderts gelegt, dessen ethische Bezugsgrößen bei Gervinus undeutlich bleiben.

Weshalb rekurriert Gervinus auf Goethes "Werther", der im Herbst 1774 erschienen war?

---

42) Gervinus, Geschichte der deutschen Dichtung, S.423 / 424.
Reserviert ist auch die Beurteilung, die Friedrich Neumann über Gervinus gibt: "Wer freilich gewohnt ist, sich (wie Lachmann wünscht) Dichtung in verstehender Hingabe aufzuschließen, wird immer wieder mit Bedenken lesen, wie hier in kühnen Vergleichen, die Entferntes verbinden, Entsprechungen, ja Ähnlichkeiten als Tatsachen behandelt sind." Studien zur Geschichte der deutschen Philologie. Aus der Sicht eines Germanisten. Berlin 1971, S.82.

Die nach der Veröffentlichung der "Leiden" einsetzende lebhafte Diskussion kreiste - abgesehen von Versuchen, Personen des Romans mit damals noch Lebenden in Verbindung zu bringen - um das Problem des Selbstmordes aus Liebeskummer, berührte aber ebenfalls kaum Fragen der Komposition, des Kunstwerks als Ganzes. Ich will hier nicht einer ausschließlich werkimmanenten Interpretation das Wort reden, die Bezüge zur Realität dürfen jedoch nicht einseitig im moralischen Bereich gesehen werden. Mit der Einbeziehung der 'Werther'-Diskussion bereitet Gervinus den Hintergrund für seine moralisch-normierende Beurteilung des 'Tristan' und baut das Fundament für seine auf eine Kontroverse zielende Interpretation der Dichterschau.

Gervinus stellt in seinem Gottfried-Kapitel formal etwas in Frage, was ihm selbst in dem Maße nicht fraglich ist. Er gehört zu den Literaturgeschichtsschreibern, die auch und gerade an ein Kunstwerk die Forderung des Sittlichkeit, wie sie für das 19. Jahrhundert verbindlich war, stellen - eine Forderung, die mehr oder weniger stark ausgeprägt seine ganze Literaturgeschichte durchzieht. Dieser fast nur durch moralische Positionen konstituierte Maßstab hat m.E. einen nicht unbeträchtlichen Anteil an der Vorstellung eines fehdeartigen Kommunikationsverhältnisses zwischen Wolfram und Gottfried.
Dergestalt mit einem Wertmesser ausgerüstet, haben Gelehrte wie Lachmann und Gervinus die Interpretation der Dichterschau in Angriff genommen, und es war nur noch ein kleiner Schritt, auf dieser Folie einen - wenn auch nicht explizierten - Konflikt zwischen den beiden "Großen" zu sehen, eine erbittert geführte Auseinandersetzung einer Lebensauffassung, die auf Bewahrung eines Sittenkodex angelegt war, mit der diesen Kodex überwindenden, ein Widerstreit des klaren, aber oberflächlichen Stiles mit dem 'krumben', aber redlichen. Auch ein Urteil wie dieses beruht auf einem flüchtig durchgeführten Stilvergleich: "Wer nur wenige Seiten im Tristan zur Vergleichung mit dieser Wolfram'schen Manier gelesen hat, schon der wird begreifen, woher die feindselige Stimmung dieses klaren geschmackvollen Mannes rührt, der dem ritterlichen Stande nicht angehört zu haben scheint."[43)]
Diese "feindselige Stimmung" gegen Wolfram verspürt Gervinus vermutlich in den 'Tristan'-Versen, die von ihm so paraphrasiert worden waren: "Wir müssen einstimmen, wenn Gottfried sich gegen jene ausläßt, die 'mit dem Stocke Schatten bringen, nicht mit dem grünen Lindenblatte' und wenn er ein mühseliges Glossenstudium der Schriften der 'vin-

---

43) Gervinus, S.410.

daere wilder maere' von sich weist". Der Leser würde gern die Etappen des Gedankenganges nachvollziehen, an dessen Anfang die Übersetzung von 'vindaere wilder maere' mit dem Plural steht, an dessen Ende aber ein rekonstruiertes Geschehen, dessen stützendes Element die Verwendung von 'vindaere wilder maere' als Singularform ist, steht.[43a] Warum kann für die 'vindaere wilder maere' Wolfram eingesetzt werden?

1843 erscheint in der Zeitschrift "Germania" ein Akademievortrag des Theologen C. Klöden, in dem in behutsamer Weise eine partielle Gegenposition zu Lachmanns Interpretation des 'Parzival'-Prologs vertreten wird. Klöden vermutet, "daß der ganze Abschnitt von 'diz vliegende bispel' bis 'der hat vil nahe griffe erkant' 1,15 - 1,28 Parz.[44] von dem Dichter erst eingeschoben ist, nachdem er wegen seines Gedichts und namentlich des Einganges zu demselben ähnliche Angriffe erfahren hatte, als der bekannte, alles Maaß übersteigende in Gottfried von Straßburgs Tristan; vielleicht diesen selbst".[45] Zum ersten Mal wird deutlich die Vermutung ausgesprochen, daß Teile des 'Parzival'-Prologes aus der Position der Verteidigung heraus geschrieben worden seien. Damit hat Klöden der Altgermanistik für lange Zeit ein Argument von zweifelhaftem Wert in die Hand gegeben, das philologisch nicht fundiert ist. Warum dieses harte Urteil? Er betreibt die Texterklärung sehr ungenau, indem er über grammatisch und semantisch schwierige Stellen hinweggeht und mit der Assoziation aller möglichen Gleichklänge, die bei genauerem Hinsehen jedoch verschwinden, operiert. Ein Beispiel: Er schreibt zum Gebrauch des Hasenvergleichs bei Wolfram: "Die Bilder vom Hasen hergenommen beziehen sich in jedem Fall auf einander, und Manches paßt und erläutert sich besser, wenn man annimmt das Bild gehöre ursprünglich dem Gottfried."[46] Es werden weder Kriterien benannt, nach denen eine immer noch zu leistende Untersuchung der zoologischen Vergleiche bei Wolfram und Gottfried zu verfahren hätte, noch wird begründet, warum Gottfried die Priorität im Gebrauch des Hasenvergleichs haben solle. Die wich-

---

43a) Gervinus, S.415.

44) Es wird im folgenden mit der 1. Ausgabe des 'Parzival', hg. von Karl Lachmann, Berlin 1833, gearbeitet.

45) Klöden, Über den Eingang zu Eschenbachs Parzival, S.240.

46) ebd.

tige Frage nach der zeitlichen Abfolge der beiden Epen wird überhaupt nicht gestellt.[47] Der Leser muß sich mit der schlichten Aussage zufrieden geben, daß manches besser paßt, wenn der Vorschlag Klädens befolgt wird. Überzeugt von der Trefflichkeit seiner Überlegungen, zeichnet er ein schönes Bild vom Ablauf der Kontroverse:

> Zuerst schrieb Wolfram seine Einleitung und das Gedicht ohne jeden Seitenblick; dann folgt Gottfrieds höhnender Ausfall, durch welchen Wolfram bewogen wurde, die bezeichnete Stelle an dem allein passenden Orte einzuschieben, indem er zugleich den Grund des gänzlichen Verkennens und Nichtverstehens angiebt und sich tröstet. Später im Willehalm kommt er zuletzt mit unverkennbarer Beziehung auf Gottfried, aber milder, fast scherzend auf die Beschuldigung der Unverständlichkeit zurück. Willehalm 4,19 und 237,5." (48)

Kläden ist m.W. der erste, der mit Hilfe einer·Gegenüberstellung von Textabschnitten[49] die These eines wechselseitigen Aufeinanderbezogenseins von 'Parzival'-und 'Tristan'-Passagen so deutlich formuliert hat..

Die besonders in deutschen Schulen einstmals viel gelesene "Geschichte der deutschen National-Literatur" von A.F.C.Vilmar, 1844 erschienen, erlebte 1856 bereits die 6.Auflage. Von diesem schändlichen Buch werde, so schreibt Müllenhoff an Scherer, "jährlich eine Auflage von 3-4000 Exemplaren verkauft",[50] weshalb es dringend geboten sei, es so bald wie möglich mit einer Arbeit Wilhelm Scherers zu verdrängen. Bei Vilmar begegnen zahlreiche Klischees, deren Verwendung im Rahmen einer Literaturgeschichte gattungsspezifisch zu sein scheint, zum Beispiel die großzügige Parallelisierung mittelalterlicher und neuzeitlicher Dichter:

> Als Darstellung des Heldenkampfes der Seele, als Ideal der Bildungs-und Entwicklungsgeschichte des innern Menschen hat Wolframs Parcival nur e i n e Parallele auf dem weiteren Gebiete unserer, vielleicht auf dem weiteren Gebiete der europäischen Literatur überhaupt: G ö t h e s F a u s t". (51)

---

47) Es ist interessant, die wechselnden Positionen in der Frage des Hasengleichnisses, auf die in diesem Kapitel noch eingegangen wird, einmal nebeneinander zu betrachten. Sie lassen den Schluß zu, daß beide Dichter die Idee zu diesem Vergleich gehabt haben konnten.

48) Kläden, S.240.

49) vgl. Kläden, S. 241 ff.

50) Briefwechsel zwischen Karl Müllenhoff und Wilhelm Scherer. Im Auftrage der Preuß. Akad. d. Wiss. hg. von Albert Leitzmann. Mit einer Einführung von Edward Schröder. Berlin u. Leipzig 1937, S.476.

51) A.F.C.Vilmar, Geschichte der deutschen National-Literatur. 1. Aufl. Marburg 1844, S. 200.

Das Nebeneinander-und Gegenüberstellen der unterschiedlichsten Literaturprodukte, bei Gervinus bereits angedeutet,[52] bei Adolf Bartels und anderen noch aufzuzeigen, hat offenbar den Vorteil, daß die Vielzahl dichtender Individuen einem Ordnungsschema unterworfen wird, dessen strukturierendes Element in diesem Fall das Phantasma zweier in hartem geistigem Zweikampf stehender Dichterpaare ist: Gottfried und Wolfram und, weniger sorgfältig ausgeführt, Goethe und Schiller. Die Freundschaft zweier Dichter der Neuzeit, zu Vilmars Zeit noch in lebendiger Erinnerung, übte einen gleichsam typologischen Zwang auf mittelalterliche Verhältnisse aus, der bisher noch nicht in dieser Deutlichkeit gesehen worden ist.

> Es gibt auf dem ganzen Gebiete unserer Literatur kein zweites Beispiel eines so schneidenden Gegensatzes zwischen zwei gleichzeitigen großen Dichtern, als zwischen Wolfram von Eschenbach und Gottfried von Straßburg; eines Gegensatzes welcher Stoff und Form, Gesinnung und Sprache, Tendenz und Ausführung in einem Grade beherscht[!], daß man kaum glaubt, gleichzeitige Dichter vor sich zu haben." (53)

Das trifft dann nicht zu, wenn die Sekundärliteratur in die Untersuchung mit einbezogen wird: Das zweite Beispiel "eines so schneidenden Gegensatzes", wie er zumindest in der Vorstellung einiger altgermanistischer Forscher existiert, ist der, wenn auch nicht so tiefgreifende Widerstreit Walthers von der Vogelweide und Reinmars von Hagenau. Mit ähnlicher Zielsetzung wie ich hat Günther Schweikle Arbeiten zur Reinmar-Walther-Fehde untersucht. Er kommt zu dem ernüchternden Ergebnis, daß 1. unklar ist, ob Reinmar überhaupt dem Ritterstand angehört hat, was immer wieder behauptet wird, 2. ein lebenslanger oder auch nur längerer Aufenthalt am Babenberger Hof nicht nachzuweisen ist und 3. ein Existenzstreit Walthers und Reinmars an eben diesem Hof jeglichen Anhaltspunktes entbehrt. Die Untersuchung der Argumentationsweise in den Publikationen zum Thema "Reinmar-Walther-Fehde", wie Schweikle sie in Auswahl vorstellt, deckt frappierende Parallelen zur "Gottfried-Wolfram-Fehde" auf. Seiner Klage ist voll zuzustimmen:

---

52) Vgl. S.409 seiner "Geschichte der deutschen Dichtung", wo in behaglicher Breite Wolfram und Jean Paul kompariert werden, oder S.368: "Wie reine poetische Wirkung die Legende machen kann, haben so verständig-sinnige Männer wie Göthe und Sachs gezeigt".

53) Vilmar, S.216.

An solchen Auseinandersetzungen verblüfft es immer wieder, mit welcher Unbekümmertheit Dinge umstritten oder für gesichert erklärt wurden, für deren Erörterung Vorarbeiten und Beweismittel fehlten. Stichhaltige Begründungen schienen ebenso zweitrangig wie Wahrscheinlichkeitsüberlegungen. Es genügte, etwas zu erahnen, und unversehens war ein ansprechender Gedanke zur Tatsache erhoben und wurde oft genug allgemein als solche anerkannt. (54)

Doch zurück zu Vilmar. Niemals vor seiner Zeit und auch später nicht gab es überzeugende Ansätze, die vermutete Bezogenheit im Dichten Gottfrieds und Wolframs zu konkretisieren, niemand hat die Frage beantwortet, wie es zu einer so guten Bekanntschaft beider Epiker gekommen sein könnte (falls stringent nachgewiesen ist, daß sie einander kannten). Fragen über Fragen, jedoch keine auch nur teilweise befriedigende Antwort.

Es überrascht nicht, wenn sich nun der Moralist Vilmar äußert, dem anläßlich der Besprechung des 'Tristan' die keltische Dichtung als ein Sammelbecken von Untugenden erscheint:

Es haben diese Erzählungen des Keltenstammes, wenigstens zum großen Theil, noch eine andere weit schlimmere Seite. Es ist dieß die, nicht wenigen dieser Erzählungen eigene Bewustlosigkeit in Beziehung auf alles das, was man Zucht und Sitte, Treue und Ehre, Scham und Keuschheit nennen mag. Göttliche und menschliche Gesetze, göttliche und menschliche Rechte werden mit Füßen getreten, als müße das so sein, und oft mit einer Unbefangenheit - doch nein mit einer hartstirnigen Frechheit und einer nackten Schamlosigkeit, welche oft in Erstaunen setzt, öfter mit Widerwillen, ja mit Ekel erfüllt." (55)

Dieser des Maßes und der Objektivität entbehrende Passus bereitet einen Gedankengang vor, der auf ein bestimmtes Ziel hinsteuert:

Man kann zugeben, daß manches dieser Dinge auf Rechnung der französischen Bearbeiter, und der damals schon in hoher Blüte stehenden französischen Leichtfertigkeit, Frivolität und Lüsternheit komme; die Grundzüge dieser schamlosen Unsittlichkeit liegen bereits in den britischen Erzählungen selbst, und wir werden uns schwerlich teuschen, wenn wir hierbei in Anschlag bringen, daß sie von einem absterbenden, das Bewustsein von sich selbst, also auch das Bewustsein der ewigen Maße und

---

54) Günther Schweikle, "War Reinmar 'von Hagenau' Hofsänger zu Wien?" In: Gestaltungsgeschichte und Gesellschaftsgeschichte. Literatur-, kunst- und musikwissenschaftliche Studien. In Zusammenarbeit mit Käte Hamburger hg. von Helmut Kreuzer, Stuttgart 1969. (= Martini-Festschrift). Band 1, S.1-31. Zur Stelle s. S. 7/8.

55) Vilmar, S.217.

Schranken des menschlichen Lebens verlierenden Volksstamme herrühren." (56)

Doch auch diese Gedanken sind nur Präliminarien, die den Hauptangriff vorbereiten helfen sollen:

> Die schmählichste Verhöhnung der Gattentreue, so schmählich, wie sie der Sache nach nur in irgend einer der frivolsten Schilderungen der französischen Neuzeit vorkommen kann, ist der Gegenstand des Gedichtes T r i s t a n und I s o l t. Und eben so wie Wolfram seinen Stoffen einen Gedanken, einen Geist eingehaucht hat, den die Originale nicht besaßen, so hat auch Gottfried seinem Stoffe Gedanken und Gefühle, wenn man will: einen G e i s t eingegoßen, welchen das dumpfe britische Ingenium nicht oder nicht mehr zu erzeugen vermochte. (57)

Aber: "Welchen Geist haucht er [Gottfr.] dem Stoffe ein! Es ist die i r d i s c h e Liebe, die lodernde, den Menschen in seinen innersten und besten Elementen aufzehrende und sich selbst als einzigen Lebensinhalt darstellende Liebesglut".[58] Unter völliger Ausklammerung der Minnetrankproblematik, der Riwalin-Blanscheflur-Geschichte, der zahlreichen Realitätsbezüge sowie des künstlerischen und kompositorischen Aspekts erreicht eine 'Tristan'-Interpretation wie diese ein Höchstmaß an Kongruenz mit - biedermeierlichen Lebensvorstellungen. Wir verdanken Vilmar eines der deutlichsten Beispiele für eine Verbiedermeierung mittelalterlicher Epik und ihrer wesentlichen Problemstellungen. Überdies ist der 'Tristan'-Text für Vilmar nur insofern von Interesse, als er Munition für eine polemische Interpretation zu liefern vermag.

> Gottfried selbst ist der früherhin angeführte Dichter, welcher Wolfram als einen "Finder fremder wilder Märe" tadelnd bezeichnet; einem Weltkinde in so eminentem Sinne, wie Gottfried, mußte der strenge, fast heilige Ernst, die stolze Würde der Gedanken und die Erhabenheit eines himmlischen Zieles, wie wir dieß bei Wolfram finden, unbequem, ja unerträglich sein. Er schwimmt in vollem Zuge m i t der Welt, ja der Welt voraus, als ihr Führer zu Gelüst und Genuß - während Wolfram sich dem Strome des Weltlaufs entgegenstemmt und die starke fast drohende Stimme eines Lehrmeisters, ja eines Propheten in das Weltgewühl hinein schleudert. (59)

Vilmar scheint sich aus Begeisterung für Wolframs an Sitte und Anstand orientierter Dichtung und aus purer Empörung gegen Gottfrieds "sündhafte" Darstellung der Liebe der Lektüre des 'Tristan' enthalten zu haben. Denn der Prolog zu 'Tristan und Isolt' zeigt auf eindringliche Weise, daß gerade diejenigen von Gottfried mit kühlem Bedauern bedacht

---

56) ebd. 57) ebd.

58) Vilmar, S.218.

59) Vilmar, S.223.

werden, die mit der Welt schwimmen:[60)]

vv. 45-66 Ich han mir eine unmüezekeit
der werlt ze liebe vür geleit
und edelen herzen zeiner hage, ...
ine meine ir aller werlde niht
als die, von der ich hoere sagen,
diu keine swaere enmüge getragen
und niwan in vröuden welle sweben:
die laze ouch got mit vröuden leben! ...
der werlt wil ich gewerldet wesen,
mit ir verderben oder genesen.

Das Ziel dieser abenteuerlichen Phantasiereise erreicht Vilmar über die folgenden, nirgends objektivierten Stationen:

> Ja wir gehen wol schwerlich irre, wenn wir die Ansicht geltend machen, es habe eben der Unwille, sich belehrt und geistlich unterwiesen zu sehen - was niemand g e r n thut - die Funken aus Gottfrieds Dichtertalente geschlagen, die er in Tristan und Isolt zur lodernden, glühenden Flamme anfachte. Geschieht es doch überall, daß da wo große Geister mit Ernst und Nachdruck auf das Höhere und Ewige hinweisen, Misfallen und Widerspruch um so stärker rege werden, je imposanter die Mahnung an das Ohr der Menge schlägt. (61)

Hatte Vilmar vorhin von gleichzeitigen Dichtern gesprochen, geht er jetzt stillschweigend davon aus, daß der größte Teil des Parzivalepos geschrieben war, als Gottfried von der Existenz eines Dichters mit Namen Wolfram erfuhr. Was hätte sonst Gottfrieds "heiligen Zorn" entfachen sollen? Weil ihm "die stolze Würde der Gedanken" Wolframs unerträglich war, suchte er nach einem geeigneten, natürlich unwürdigen Sujet und machte seinem Ärger in Gestalt des 'Tristan' Luft, nicht ohne die Belehrung und Zurechtweisung mit der Invektive 'vindaere wilder maere' zu vergelten. Stünde es nicht schwarz auf weiß da, glaubten wir nicht, daß derartige Überlegungen möglich waren. Diese kühne Konstruktion Vilmars ist der einzigartige Versuch, Gottfried von Straßburg auch die letzte Eigenständigkeit zu rauben: die Motivation zur Bearbeitung des 'Tristan'-Stoffes sei allein Wolfram zu verdanken. Doch nicht genug, daß Gottfrieds Gedicht vor des gestrengen Konsistorialrats Augen nicht zu bestehen vermag, er hat auch die Tür zum Niedergang der Literatur im späten Mittelalter auf-

---

60) Es wird im folgenden mit der 8. Aufl. von 'Tristan und Isold', hg. von Friedrich Ranke, Zürich und Berlin 1964, gearbeitet.

61) Vilmar, S. 223.

gestoßen. Gottfried ist der "Vorbote der immer mehr dem bloß weltlichen Streben, dem physischen Wolsein, dem materiellen Gewinn und Besitz zugeneigten, zuletzt in tiefe Rohheit und fast tierischen Genuß versinkende, aus Mundbekennern und Thatleugnern der christlichen Wahrheit bestehenden europäischen Menschheit des 14. und 15. Jahrhunderts".[62)]

Vilmars Mutmaßungen und verfehlte Interpretationen sind kaum dazu angetan, den Boden für eine objektive Rezeption mittelalterlicher und spätmittelalterlicher Dichtung zu bereiten. Die Früchte dieses moralistisch durchtränkten Werkes spätromantischer Schule können in der nachfolgenden Literatur aufgelesen werden.

Der Zeitgenosse Gervinus, mehr Historiker als Philologe, hatte, was den Wert mittelalterlicher Erzählstoffe betrifft, ähnliche Ansichten wie Vilmar. Der Grundtenor seiner Literaturgeschichte ist ein ständiges Hin und Her zwischen den Polen "sittlich" und "unsittlich", denen die Deutschen einerseits, die Engländer und Franzosen andererseits zugeordnet werden:

> Die Sittenrohheiten dieser Art sind in den britischen Mährchen durchgehend; und selbst bei den französischen Dichtern, welche die Welt nicht mit den ernsten Augen, wie unsere Deutschen, und wie diese nur zum Theile, ansahen, ist die Zuchtlosigkeit in allen geschlechtlichen Verhältnissen beinahe grundsätzlich. Über die verfänglichsten Dinge wird hier ruhig weggegangen, als müsse es so sein; und es ist charakteristisch, wie hier Hartmann von Aue und Wirnt von Gravenberg sich drehen und wenden und der Sache eine Seite abzugewinnen suchen; in Lanzelot und dem alten Tristan aber ist das Häßliche nicht einmal mit dem Reiz der Darstellung verschönert. Was Ariost zwischen Ernst und Scherz predigt, und Gottfried mit mehr Ernst als Scherz, das thut Eilhart mit dem heftigsten Ernst, der zornig den Teufel in die Gesellschaft der argen Verleumder ruft, die den guten Marke gegen den schnöden Ehebrecher Tristan nur warnen ... und selbst in Gottfried's feiner Behandlung des Tristan stoßen wir auf Vorstellungen, die wir mit unseren sittlichen Begriffen nicht in Einklang bringen können. (63)

Offenbar hat Gervinus nicht die Kritik bemerkt, mit der Gottfried die recht problematische Gestalt des Königs Marke bedenkt, indem er nach der Rückkehr Isoldes und Tristans aus der Minnegrotte sarkastisch bemerkt: 'Marke der was aber do vro. / ze vröuden haeter

---

62) Vilmar, S.187.

63) Gervinus, Geschichte der deutschen Dichtung, S.265.

aber do / an sinem wibe Isolde , / niht zeren, wan ze libe'.[64] Der Schluß des Gervinus-Zitats macht deutlich, wie unbekümmert mittelalterliche Literatur mit den jeweiligen Moralbegriffen der Zeit gemessen wurde.

In der Literaturgeschichte von Heinrich Kurz wird ein anderer mit dem Fehdeproblem verbundener Bereich germanistischen Forschens berührt: das Kyot-Problem. In der umfangreichen 'Parzival'-Literatur sind zwei Positionen erkennbar. Die der einen "Partei" Angehörenden sind der Meinung, Kyot sei nichts weiter als ein Produkt der Fehde zwischen Gottfried und Wolfram, hervorgegangen aus dem Rechtfertigungsversuch, kein Märejäger zu sein. Die der anderen "Partei" angehörenden und von einem m.E. realistischeren Forschungsansatz ausgehenden 'Parzival'-Forscher nehmen die Nennung Kyots als Gewährsmann für die Vorlage des 'Parzival' ernster und suchen im Bereich der altfranzösischen Literatur nach Spuren eines Dichters mit ähnlicher Namenslautung.[65]
Mit dem Kyot-Problem ist die Frage nach dem Grad der Eigenständigkeit in Wolframs Dichten verknüpft. Wer Kyot zur Fiktion erklärt, tut oder tat das vielleicht auch in der Absicht, Wolfram als einen ungebundenen und frei schöpfenden Dichter darzustellen, dessen 'Parzival'-Epos wir in dem von Chrétien abweichenden Teil seiner großen Erfindungsgabe verdanken. Ein wohl gut gemeintes, aber der mittelalterlichen Zeit inadäquates Unterfangen, denn Begriffe wie 'genial' und 'geistiges Eigentum' hatten im hohen Mittelalter wenig Geltung.

---

64) Trist. vv. 17723-27 'Marke war nun froh. Freude hatte er an seiner Frau Isolde, doch nicht in Ehren, sondern am Körper (sondern rein körperlich).' Allein aus leiblicher Begierde verlangt Marke wieder nach Isolde: Trist. vv. 17764-67 'war umbe, herre, und umbe waz / truoger ir inneclichen muot?' / dar umbez hiute maneger tuot: / geluste und gelange.

65) Für Kurz ist Kyot eine Realität, denn er schreibt: "Diese drei Gedichte [Parzival, Willehalm, Titurel] sind nach französischen Vorbildern bearbeitet, von denen uns Wolfram jedoch nur dasjenige näher bezeichnet, welches ihm bei dem Parzival vorlag. Es war dieses von dem Provenzalen Kyot (Guiot) gedichtet; da Wolfram jedoch des Südfranzösischen unkundig war, hatte er wohl eine nordfranzösische Bearbeitung desselben vor sich, welche verloren gegangen zu sein scheint." Geschichte der deutschen Literatur mit ausgewählten Stücken aus den Werken der vorzüglichsten Schriftsteller. Mit vielen nach den besten Originalen und Zeichnungen ausgeführten Illustrationen in Holzschnitt. Von Heinrich Kurz. 1.Bd. Von den ältesten Zeiten bis zum ersten Viertel des 16. Jahrhunderts. 1.Aufl., Leipzig 1853, S.358.

Kurz führt an anderer Stelle an, daß "Wolfram seine epischen Gedichte, wie seine Vorgänger und Nachfolger, nach französischen Vorbildern bearbeitete, wir diese aber nicht kennen".[66] Daher sei es im einzelnen Falle unmöglich, zu beurteilen, "was sein Eigenthum war, und was er den französischen Urtexten nachbildete".[67] Der Gang der Argumentation muß nun einmal in umgekehrter Richtung beschritten werden, wenn es heißt:

> Wie Anlage und Composition, so ist auch die Ausführung im Einzelnen in übertriebener Weise gelobt worden, ja man hat sogar Dinge gepriesen, die geradezu nur Tadel verdienen, und die schon Gottfried von Straßburg mit Bitterkeit, aber mit vollem Rechte gerügt hat. Wolfram zeigt in seinem ganzen Gedichte ein unverkennbares Bestreben, durch Seltsamkeit der Gedanken und Anschauungen sich auszuzeichnen, was um so unangenehmer berührt, als darunter oft nur das Allergewöhnlichste verborgen liegt. (68)

Für Heinrich Kurz ist Wolfram der künstlerisch weit unter Gottfried Stehende, Grobschlächtige, den dieser zu Recht in seiner Dichterschau hatte tadeln müssen. Wer von den beiden großen Erzählern auch höher in der Gunst der Interpreten stand, durch ihre angeblichen literarischen Querelen, die bisher allerdings noch nicht bündig nachgewiesen worden sind, waren sie auf Gedeih und Verderb aneinandergekettet. Wenn Kurz Vergleiche Wolframs wie diesen erwähnt, da der Leib einer schönen Frau (Antikonie) mit einem aufgespießten Hasen in Beziehung gesetzt wird, oder wenn er auf die Stelle im 'Willehalm' hinweist, wo Wolfram "von Alisens Keuschheit sagt, daß sie, auf eine Wunde gebunden, dieselbe heilen würde",[69] dann ist dies alles im Lichte der Rechtfertigung der Gottfriedschen "Angriffe" auf Wolfram zu sehen. Auch Kurz verspürt, wie schon Gervinus[70], Gottfrieds "ausgesprochen feindselige Stimmung gegen Wolfram", "den er in der angeführten Literaturstelle zwar nicht nennt, aber doch deutlich genug bezeichnet".[71] Dieses unfreundliche Klima könne, so vermutet Kurz, "kaum anders als aus persönlicher Berührung erklärt werden",[72] obwohl es keinerlei Hinweis gebe, daß Gottfried jemals am Hof des Landgrafen Hermann von Thüringen gewesen wäre.

---

66) Kurz, S.363.

67) S.363 / 364.

68) S.366.

69) S.367.

70) Vgl. S.18, Anm.43 dieser Arbeit.

71) Kurz, S.381.

72) ebd.

Alle bisher besprochenen Autoren stellen die Bekanntschaft Wolframs und Gottfrieds nicht in Frage, problematisch ist für sie auch nicht der Text der Literaturschau, wo von den 'vindaeren wilder maere' gesprochen wird. Vielmehr wird bereits jetzt eine Vermutung, für die es keine Beweise gibt, in der wissenschaftlichen Erörterung als Faktum verwendet. Gegen eine solche Arbeitsweise ist Kritik anzumelden, weil Kenntnisse vorgetäuscht werden, die wir nicht haben.

Starkes Licht wirft ein an der Grenze zum populärwissenschaftlichen Schrifttum angesiedeltes Werk auf die Rezeption und Geltung mittelalterlicher Literatur zu einer Zeit, als Lachmann schon fünfzehn Jahre tot, die Brüder Grimm ebenfalls gestorben waren. Es ist ein Buch für "Gebildete", das Kreise ansprechen sollte, die literarisch interessiert waren, geschrieben in Form eines Berichtes über Zusammenkünfte in einem literarischen Hauszirkel: Ludwig Ettmüllers "Herbstabende und Winternächte".[73] Am zehnten Abend wird in dieser imaginären Gesellschaft über die Unsittlichkeit der von Gottfried von Straßburg bevorzugten Version der 'Tristan'-Sage gesprochen. Man bedauert, "daß einer der größten Dichter des Mittelalters seine Kraft an solchem Gegenstand verschwendet" habe, der doch "an sittlicher Beziehung tief unter Salmann und Morolt" [!] stehe.[74] Die Ursache dafür sei in der Haltung der damaligen Ritterschaft moralischen Grundsätzen gegenüber zu suchen. Besonders heftig wird in Ettmüllers Abendrunde die Umgestaltung der Tristansage hinsichtlich der Schicksalhaftigkeit des Minnetranks kritisiert. Die Stelle im 'Tristan', in der Gottfried seine Zuhörer unterrichtet, warum er einer anderen Überlieferung gefolgt ist, wurde offenbar nicht verstanden. Angesichts dieser Kritik überrascht das Resultat nicht: "Gerade dadurch, daß er [Gottfr.] die verbrecherische Liebe beider psychologisch begründet, macht er die Sache schlimmer. Nur wenn beiden der freie Wille fehlt, können ihre Handlungen entschuldigt werden, weil sie dann nicht zurechnungsfähig sind".[75]

So wenig dieses Buch einer präzisen Textexplikation den Weg weist, so aufschlußreich ist es im Hinblick auf das latent in vielen, Anspruch auf strenge Wissenschaftlichkeit

---

73) Ludwig Ettmüller, Herbstabende und Winternächte. Gespräche über deutsche Dichtungen und Dichter. 2. Bd. Erzählende Dichtungen des 13. bis 16. Jahrhunderts. Stuttgart 1866.

74) Ettmüller, S.547.

75) S.547.

erhebenden Arbeiten vorhandene System sittlicher Normen, das eher dem 19. als dem 12. Jahrhundert zugehört.

Nach diesem Ausflug in populärwissenschaftliches Gelände möchte ich noch auf ein Problem hinweisen, daß in der Literaturgeschichte von Heinrich Kurz auch angesprochen wird. Am Beispiel der gegensätzlich gestalteten Schmerzenshaltung der Parzival-Mutter Herzeloyde und der Tristan-Mutter Blanscheflur entwickelt Kurz die These, daß Gottfried bewußt dezent dargestellt habe, um sich umso deutlicher von Wolfram zu unterscheiden, ein Gedanke, der erst kürzlich von Peter Wapnewski wieder aufgegriffen worden ist.[76)]

> Wie die Haltung des Ganzen, so zeugt auch die Darstellung im Einzelnen von von vollendeter Kunst und tiefem Gefühl für das Schöne; es ist dieses in dem Dichter so lebendig, daß er mit Bewußtsein Alles vermeidet, was unangenehm berühren könnte. Vielleicht nicht ohne mißbilligenden Seitenblick auf Wolfram, der von Anfortas Krankheit und den vergeblich angewandten Arzneimitteln mit ermüdender Weitläufigkeit berichtet, sagt er bei Gelegenheit von Tristans Heilung durch die Königin Isot: "Wollte ich Euch nun viel sagen und lange Rede vortragen von meiner Frauen Meisterschaft, wie wunderbare gute Kraft ihre Arzenei wohl hätte und wie sie ihrem Kranken thäte: was hälfe es, und was sollte das?" ... desto weniger spreche ich eh' von jeglicher Sache, als daß ich die Märe mache unleidlich und unangenehm dabei mit Rede, die nicht des Hofes sei. (77)

Meint er damit, daß Gottfried aus Opposition gegen Wolframs naturalistische Krankheitsschilderung zum Ästheten wurde? Den ganzen 'Tristan' durchzieht eine ästhetische Grundhaltung, so daß das Argument, ausgerechnet die zurückhaltende Schilderung der Heilung von Tristans übelriechender Wunde sei eine beabsichtigte Kontradiktion, in sich zusammenfällt. Warum sollte Gottfried gerade an dieser Stelle seinem Prinzip, das Ebenmaß nicht zu verletzen, untreu werden?
Kurz kommt schließlich zu einer Einschätzung der persönlichen Beziehungen zwischen Gottfried und Wolfram, die - nur in umgekehrter Weise - in der Altgermanistik gebräuchlich geworden ist:

> Dieser ächt poetische Geist, der ihn so lebendig durchdrang, erklärt hinlänglich, warum Wolframs Dichtung ihm nicht behagen konnte, in welcher die Form

---

76) Peter Wapnewski, Herzeloydes Klage und das Leid der Blancheflur. s. S.2, Anm. 4 dieser Arbeit.

77) Kurz, S.387 / 388.

> so ganz dem Gedanken untergeordnet war. Daher äußert er seinen Mißmuth sowohl über dessen schwer sich bewegenden Styl, dem er Hartmanns anmuthige Leichtigkeit entgegensetzt ... , als auch über dessen Anhäufung seltsamer Abentheuer, durch welche die Dichtung sich mühsam bewegt, und die ihr nebst dem geschraubten und gesuchten Ausdruck alle Klarheit rauben, so daß es Noth thäte, für seine Gedichte Noten und Glossen zu haben. (78)

Die Annahme einer Dichterkontroverse zwingt den Gelehrten, der sie vertritt, je nachdem ob er mehr der Dichtung Gottfrieds oder mehr der Wolframs zugetan ist,den einen gegen den anderen herabzusetzen. Die individuelle Erfassung und Wiedergabe von Gegenwartsereignissen und literarischen Stoffen wird nicht berücksichtigt, und wegen der Vernachlässigung wesentlicher Konstitutionskriterien der Gedichte werden jeweils unzutreffende Einschätzungen vorgenommen.

Kann sich Wilhelm Scherer, damals junger Professor in Wien, von den bei Lachmann, Vilmar und Gervinus gebrauchten Kriterien der Literaturbewertung befreien?
In dem Kapitel über Gottfried bemerkt er in seiner Literaturgeschichte dort, wo er die Dichterschau behandelt:

> Er polemisiert auf das Heftigste gegen einen Ungenannten, der er mit Gauklern und Tschenspielern vergleicht, der nach dunklen Worten suche und der mit seinen Geschichten einen Erklärer ausschicken müsse, Gottfried dagegen will den Dichterlorbeer nur demjenigen zugestehen, dessen Rede glatt wie eine Ebene sei, über die ein Mann von schlichtem Sinn ohne Straucheln traben könne. (79)

Die von Gottfried vindizierte und auch ausgeführte 'ebene' und 'slehte', also ebenmäßige und geglättete Schreibart steht im Gegensatz zu einer komplizierten und wenig durchsichtigen. Gottfrieds Ablehnung dieses Stiles ist sehr allgemein gehalten und grammatisch nicht so klar, als daß man aus der ablehnenden Haltung auf einen einzigen Ungenannten - Wolfram - schließen könnte. Es kann nur am flüchtigen Lesen oder an einem Hypothesenzwang liegen, daß Scherer das Ambiguöse der artikellosen Form 'vindaere wilder maere' übersieht.

> Der Ungenannte ist ohne Zweifel Wolfram von Eschenbach. Und daß Gottfried ihm abgeneigt war, verwundert uns nicht. Wenn die vier Epiker Eilhard von Oberge, Heinrich von Veldeke, Hartmann von Aue, Gottfried von Straßburg eine Reihe bilden, welche den vier Jahrzehnden 1170 bis 1250 entspricht und einen stetigen

---

78) S.388.

79) Wilhelm Scherer, Geschichte der deutschen Literatur, 1.Aufl. Berlin 1883. Es wird nach der 3. Aufl. Berlin 1885 zitiert. Zur Stelle s. S.170.

> Fortschritt zur Klarheit, Eleganz und Glätte ausdrückt, so steht Wolfram abseits, ein Mann für sich, mit ganz anderen Idealen des Lebens und der Kunst, mit einer Breite und Tiefe der Anschauung, von der Gottfried keine Ahnung hatte. (80)

Die Formulierung einmal aufgegriffen: Verwundert uns doch die unbekümmerte Art, in der Scherer ein schwerwiegendes Urteil abgibt. Da er jedoch in der Tradition der Literaturgeschichtsschreibung früherer Jahre steht, die die Fehde zwischen Wolfram und Gottfried bereits als Faktum behandelte, ist gegen ihn kein stärkerer Vorwurf als gegen seine Vorgänger zu erheben. Auch den bereits bekannten, durch Lachmann gefestigten Gegensatz moralischer und, damit verbunden, stilistischer Art greift Scherer auf, ein Gegensatz, auf dessen Grundlage es ein leichtes zu sein scheint, zwischen dem 'Parzival'-Dichter und dem 'Tristan'-Dichter, ohne den Beweis führen zu müssen, einen persönlichen Gegensatz zu konstruieren, der durch die Akzentuierung der angeblichen Oberflächlichkeit Gottfrieds und des Tiefsinns Wolframs noch schroffer wirken soll.[81] Von solcher Qualität sind die Bausteine, aus denen eine Kontroversenhypothese zusammengefügt wurde.

Nachdem Friedrich Vogt[82] die Dichtungen Wolframs nach thematischen und stilistischen Gesichtspunkten untersucht hat, berührt er einige wirkungsgeschichtliche Aspekte.

> Zu Wolframs einsamer Größe blickten seine Zeitgenossen und die Dichter der nächsten Jahrhunderte mit ehrfürchtiger Bewunderung auf. Nur e i n e r ist aller Anerkennung für ihn bar, der bedeutendste Epiker nächst ihm und neben Hartmann, sein Zeitgenosse G o t t f r i e d v o n S t r a ß b u r g. Mit harten, höhnenden Worten tadelt Gottfried, zwar ohne den Gegner zu nennen, aber in einer Weise, die keinen Zweifel läßt, wer gemeint sei, Wolframs launische, gesuchte, wunderliche Sprache. Er nennt ihn einen Erfinder wilder Abenteuer, einen Geschichtenjäger, der mit allerlei Blendwerk und Taschenspielerkünsten stumpfen Sinn betrüge. Mit dem Stock, nicht mit dem grünen Maienlaub,

---

80) Scherer, S.170.

81) Friedrich Neumann schreibt in seinen "Studien zur Geschichte der deutschen Philologie" über Scherers Art, mittelhochdeutsche und neuhochdeutsche Literatur zu beurteilen: "Was in verschiedenen Zeiten entsteht, wird durch Vergleichen erhellt, das sich in der schnellen Bewegung vom Hier zum Dort gern am Gegensätzlichen entzündet, getragen wird solches Verfahren von einem oft nicht ungefährlichen Denken in Analogien." (S.95)

82) Friedrich Vogt und Max Koch, Geschichte der deutschen Litteratur von den ältesten Zeiten bis zur Gegenwart. 1.Aufl. Leipzig und Wien 1897.

wolle er Schatten bringen, und keinerlei Herzensfreude ströme von seiner Dichtung aus. Er sei so unverständlich, daß er Ausleger mit seinen Erzählungen herumschicken müßte; aus den Büchern der schwarzen Kunst müsse man sich wohl erst ihren Sinn erschließen; er seinerseits aber habe nicht Zeit, sich auf diese Weise um sie zu bemühen. (83)

Das handliche, aber wenig überzeugende Argument v.d.Hagens, daß Gottfried den Gegner Wolfram angegriffen habe, ohne ihn zu nennen,[84] erscheint bereits jetzt als fester Bestandteil der Darstellung und Interpretation von Gottfrieds Dichterschau im Rahmen literaturgeschichtlicher Arbeiten.

Bereits in dritter (und vierter) Auflage kann 1905 eine in der Tendenz stark antisemitische Literaturgeschichte erscheinen, die 1901 zum ersten Mal vorgestellt worden war. Ihr Verfasser, Adolf Bartels, unterwirft sich der Observanz einer Literaturgeschichtsschreibung, die einige wesentliche Konstitutionskriterien von Gervinus und Vilmar empfangen hat. Anläßlich einer überschwenglichen Würdigung der dichterischen Fähigkeiten und Charaktereigenschaften Wolframs wird der zu diesem Zeitpunkt schon zum Topos gewordene "Gegensatz" beschworen und Wolfram vor der ungerechten Kritik Gottfrieds liebevoll in Schutz genommen. In großzügiger Weise wird Faktisches mit Phantastischem vermischt: "'Wilde Märe', wie der große Nebenbuhler Wolframs sagte, ist der 'Parzival' keineswegs, er hat künstlerische Einheit, aber es ist ein natürlich gewordenes Werk, kein künstlerisch komponiertes."[85] Aus den anderen Ausführungen geht nicht hervor, wie Bartels zu dem Begriff "Nebenbuhler" gekommen ist und wie er ihn versteht, ob er allein an Rivalität im literarischen Bereich gedacht hat? Wenig später, allerdings durch moralische Vorbehalte abgeschwächt, zeigt er auch für Gottfried eine gewisse Sympathie, der zwar in seinem 'Tristan' "an Frivolität hier und da streift und partienweise Abscheu erwecken kann, aber mit dem Abscheu verbindet sich doch auch stets das Grauen vor der unheimlichen Macht der Leidenschaft, und das wirkt auf den richtigen Leser wieder sittlich".[86] Bartels arbeitet mit zwei

---

83) Vogt / Koch, S.122.

84) Vgl. S.14 dieser Arbeit.

85) Adolf Bartels, Geschichte der deutschen Litteratur. Bd. 1.Die ältere Literatur. 1.Aufl. Leipzig 1901. Es wird nach der 3./4.Aufl. Leipzig 1905 zitiert. Zur Stelle s. S.99.

86) Adolf Bartels, Geschichte der deutschen Literatur. Ausgabe in einem Bande. 9. und 10. Aufl. Hamburg / Braunschweig / Berlin 1920, S.51.

unbewiesenen Annahmen, die er nicht als solche kennzeichnet: 1.ist es die stillschweigende Übereinkunft, daß die 'wilde maere' bei Gottfried und Wolframs 'Parzival' identisch seien, 2. die stillschweigende Übereinkunft, daß der (die Möglichkeit, daß es sich um eine Pluralform handeln könnte, wird nicht einmal erwogen) 'wildenaere' mit dem Dichter Wolfram von Eschenbach identisch sei. Das sind gleich zwei Probleme, nach deren Lösung nicht gesucht wird, deren Aufklärung vielmehr als bereits geleistet vorausgesetzt wird.

An anderer Stelle werden von Bartels verschiedene Attribute zusammen- und gegenübergestellt, die die Kontroverse als aus dem Naturgesetz erklärbar und deshalb als tatsächlich bestimmen sollen: "Wolfram ein rauher Bayer, Gottfried ein feiner Alemanne, Wolfram eine durchaus religiöse Natur, Gottfried ein Weltkind, Wolfram eine große Persönlichkeit, Gottfried ein großer Künstler - das alles liegt auf der Hand und läßt sich im einzelnen durch eine Fülle aus den Werken hergenommener Züge ausführen."[87)]
Angesichts einer Unsitte, die besonders Literaturgeschichten des 19. Jahrhunderts kultivierten, läßt sich der Tadler Bartels hören. "Je nach Neigung und Sinnesrichtung" habe man, so klagt er, "den einen gegen den anderen herabgesetzt", "da war Wolfram der mittelalterliche Klopstock, Gottfried der mittelalterliche Wieland".[88)] Obwohl er die Ansicht vertritt, daß "der Ritter und Christ Wolfram im übrigen mit dem großen Künstler Goethe, den man den großen Heiden genannt hat, trotz dessen "Faust" auch in nichts übereinstimmt, sollte niemandem zweifelhaft sein",[89)] kann er selbst der Suggestion des Parallelisierens nicht widerstehen. Allerdings soll nicht übersehen werden, daß seine Paarungen eigenwilliger und urwüchsiger sind als die seiner Vorgänger. Statt Wolfram mit Klopstock und Gottfried mit Wieland zu vergleichen, fügt er, was ebenfalls besser getrennt geblieben wäre, zusammen:

> So könnte man beispielsweise recht wohl Wolfram und Gottfried mit Jeremias Gotthelf und Gottfried Keller vergleichen, da stimmt alles, im einzelnen und in der Proportion - aber freilich, die Vergleichung wäre nicht leicht. (90)

---

87) Bartels, Geschichte der deutschen Literatur, 1.Bd., 1905, S.101.

88) Bartels, 1905, S.101.

89) ebd.

90) S.102.

Dem Problem der Parallelisierung mittelalterlicher und neuzeitlicher Dichter, wie es in vielen Literaturgeschichten sichtbar wird, sollte in einer breiter angelegten Arbeit einmal genauer nachgegangen werden, insbesondere müßte der Grad der Gemeinsamkeit, von dem ausgegangen wird, um Parallelisierungen dieser Art vornehmen zu können, bestimmt werden. Auch die Kriterien, die Entscheidungen wie "nicht Klopstock, aber Jeremias Gotthelf" zugrunde liegen, sind unbekannt, da nicht artikuliert.

Auffällig an Bartels' Darstellung ist auch eine ausgleichende, harmonisierende Tendenz, die sich zum Beispiel in der Bemerkung zeigt, daß "die Herabsetzung des einen zu Gunsten des anderen ... energisch zurückzuweisen" sei. Seltsamerweise verfällt er selbst in diesen Fehler, indem er die 'wilden maere' mit dem 'Parzival' gleichsetzt. Damit stempelt er, ohne es zu bemerken oder bemerken zu wollen, Gottfried zu einem ungerechten Querulanten. In der großen Ausgabe der Literaturgeschichte von 1924 greift Bartels diesen Aspekt noch einmal auf und kommt zu einer Einschätzung Gottfrieds, die seine frühere widersprüchliche Bemerkung korrigiert: "Den Künstler Gottfried von Straßburg soll man nur hübsch unangefochten lassen, er hatte als solcher volles Recht, gegen Wolfram, den 'vindaere wilder maere,der maere wildenaere', zu protestieren".[91] Es ist immer wieder interessant, zu sehen, wie sich zwar die Einschätzung der künstlerischen Leistungen der beiden Dichter zuweilen ändert, aber Zweifel an dem einmal geäußerten Gedanken eines Streites zwischen Gottfried und Wolfram nicht mehr geäußert werden.[92]

---

91) A. Bartels, Große Ausgabe in drei Bänden. 1. Bd. Die ältere Zeit. Leipzig 1925, S.90.

92) Die stammesgeschichtliche Interpretation von Bartels wird nur noch von Josef Nadler überboten, dessen "Literaturgeschichte der deutschen Stämme und Landschaften" 1912 erschienen war. Im 11. Kapitel "Die Rheinlandschaften" schreibt er: "Über diese tiefe Kluft zwischen den Geheimnissen des Ostfranken und den Stimmungen des Elsässers führte keine Brücke. Es mag sie auch Persönliches getrennt haben; ein voll gerütteltes Maß von Haß und Verachtung haben sie sich zugemessen. Wie selten in unserer Entwicklung entluden sich in den beiden Großen die zwei Pole des deutschen Antagonismus. Wolframs Seele war auf Humor abgestimmt, Gottfrieds Gabe ist Esprit. Der Geist des Elsässers ist ein kühles, tausendfach wechselndes Irisieren; der Ostfranke durchsonnt und wärmt. Gottfried hatte Schüler, doch keine Schule, weil er nur Formen zu vermitteln hatte und keinen Inhalt, der eine große geistige Familie umfängt, atemspendend wie die Luft, lebenerweckend wie die Sonne. Der Ostfranke besaß eine Schule, doch kaum den einen oder anderen Schüler. Sie lebten alle in seinem Geiste, doch seine Lebensform war so individuell, reich an verwirrenden Fugen und Linien, daß kaum einer in ihre Rätsel eindrang. Lag die Schuld bei Gottfried am Meister, bei Wolfram lag sie in den Nachfolgern." Literaturgeschichte der deutschen Stämme und Landschaften, Regensburg 1912, S.125 / 126.

In der bisher auf ihre Haltung gegenüber der Frage nach der Wahrscheinlichkeit einer Dichterkontroverse zwischen Gottfried von Straßburg und Wolfram von Eschenbach untersuchten Literatur sind hinsichtlich des methodischen Vorgehens und der Objektivität der Forschungshaltung interessante Sachverhalte sichtbar geworden.
Seit Lachmann die mittelalterliche Literatur teilweise nach ihrem Wert für die moralische Erziehung des Lesers im 19. Jahrhundert betrachtet hat, ist die moralische Position, neben der ästhetischen - die gegensätzlich gearteten Stilformen Gottfrieds und Wolframs wirkten zusätzlich fehdekonstituierend - in der Literaturgeschichtsschreibung dominierend, obwohl die Ergebnisse der Einzeluntersuchungen schwieriger Textstellen des 'Tristan' und des 'Parzival' keineswegs als die Kriterien philologischen Arbeitens erfüllend bezeichnet werden können. Als die Fülle der dichtenden Individuen vieler Jahrhunderte ordnender Faktor erweist sich die prägende Kraft eines in Spannung zueinander stehenden Dichterpaares der Neuzeit, dessen individuelle Beziehung ohne Objektivierung auf mittelalterliche Verhältnisse projiziert wird.
Es darf natürlich nicht übersehen werden, daß im 19. Jahrhundert von den Literaturgeschichtsautoren erwartet wurde, daß sie die Dichtung unter dem Gesichtspunkt des erzieherischen Wertes betrachteten. Forscher wie Gervinus, Vilmar oder Scherer paßten sich denn auch weitgehend den vorherrschenden Denkschemata an. Daß es einem Germanisten damals auch möglich war, den allgemein geltenden Urteilen zu widersprechen, beweisen v.d.Hagen und Kurz. Besonders bei Heinrich Kurz wird das Bemühen deutlich, die durch moralische Bedenken verzerrten literarischen Bewertungen zurechtzurücken. Da er gegen die vorherrschende Ansicht anzukämpfen hatte, ist sein Urteil über Wolfram vermutlich schärfer, als es unter weniger widrigen Bedingungen ausgefallen wäre.

Mit John Meier nimmt ein Forscher zu unserem Problem Stellung, der manches Versäumnis der Sekundärliteratur zur Gottfried-Wolfram-Problematik auszugleichen scheint, indem er den Aufbau seines Festschriftbeitrages zur 49. Versammlung deutscher Philologen und Schulmänner von der Interpretation zentraler Textpassagen aus Wolframs und Gottfrieds Dichtung bestimmt sein läßt. Die Umsetzung der Absicht, über Wolfram "und einige seiner Zeitgenossen" zu schreiben, ruft bei dem Leser gleich zu Anfang fragendes Erstaunen hervor, inwieweit eine objektive Forschungshaltung aufgebbar ist zugunsten einer unterschwellig oder bewußt vorhandenen Zweipoligkeit der Denk- und Vorstellungsweise:

> Wolfram von Eschenbach und Gottfried von Straßburg, die beiden einzigen großen Epiker der mittelhochdeutschen Litteratur, sind in ihren Lebensanschauungen und Kunstbegriffen so verschieden, wie es nur möglich ist. (93)

Hartmann von Aue wird, zumindest in dieser Festschrift, nicht für wert befunden, in der Runde der großen mittelhochdeutschen Erzähler zu verweilen. Er stört in einer Untersuchung, die es sich zum Ziel gesetzt hat, die schicksalhafte Zwanghaftigkeit, in der sich Wolfram und Gottfried befunden haben sollen, aufzudecken. "Wenn sie sich im Leben begegneten, mußten sie sich, wie zwei feindliche Sterne bei ihrem Zusammentreffen nur desto heftiger abstoßen." [94] Mit dieser etwas ungewöhnlichen Satzkonstruktion, in der "wenn" wohl konditional gebraucht ist und der Nebensatz die Form "wenn sie sich im Leben begegnet sind" haben müßte, soll ausgedrückt werden, daß eine persönliche Begegnung zwar denkbar, aber nicht nachweisbar ist. Dann schreibt Meier aber, daß es auf literarischer Ebene durchaus Berührungen gegeben habe. Daß auch dies bisher nicht bewiesen ist, wird unterdrückt. "So weiß man denn auch, daß ein feindlicher Zusammenprall stattgefunden hat: nach der allgemeinen Ansicht hat Gottfried in der bekannten litterarischen Stelle im Tristan (4619 ff.; besonders 4635 ff.) Wolfram, ohne ihn zu nennen, angegriffen, und dieser hat dann im Willehalm (4,19 ff.) darauf erwidert." [95] Der Passus gibt gleich zwei Beispiele dafür,

---

93) John Meier, Über Wolfram und einige seiner Zeitgenossen. In: Festschrift zur 49. Versammlung deutscher Philologen und Schulmänner, Basel 1907, S.507. Zur Stelle s. S.507.

94) Meier, S.507.

95) ebd.

wie leicht es ist, einen Sachverhalt durch eine bestimmte Wortwahl zu verschleiern. Es entsteht der Eindruck, als könne durch die Häufigkeit und Intensität, mit der eine Ansicht geäußert wird, auch deren Richtigkeit bewiesen werden. Mit dem Indefinitpronomen "man", dessen semantische Breite es zur Kollektivbezeichnung für eine unbestimmte Zahl von Personen prädestiniert, ist der Sprachbenutzer einer Darstellung vieler Einzelmeinungen und -standpunkte enthoben. Dieses unverbindliche, nichtssagende "man" wird durch ein noch unverbindlicheres "nach der allgemeinen Ansicht" verstärkt. Die Information ist jedoch gleich Null.

Der zitierte Passus will überzeugen, daß an vielen, von Meier aber nicht benannten Stellen der Rezeptionsgeschichte die Meinung vertreten worden sei, daß Wolfram den 'Parzival' geschrieben habe, ohne Kenntnis von Gottfried und dessen Tristanepos gehabt zu haben. Mit einer gewissen zeitlichen Verschiebung sei dann der 'Tristan' mit der für Wolfram wenig schmeichelhaften Dichterschau bekannt geworden, so daß sich Wolfram - wiederum in größerem zeitlichem Abstand - dagegen zur Wehr gesetzt habe. Welche Autoren es waren, die diese "allgemeine Ansicht" vertreten haben, bleibt unerwähnt, und es dürfte auch schwierig sein, sie zu nennen. Lachmann und v.d.Hagen zeigen bescheidene Ansätze in dieser Richtung, doch nur bei Kläden, den Meier zur Stützung eigener Interpretationsansätze heranzieht, wird in so entschiedener Weise von einem möglichen Ablauf einer Kontroverse gesprochen. Meiers Arbeitsweise macht eine intensive kritische Auseinandersetzung nötig, insbesondere dort, wo er so merkwürdige Pauschalbezeichnungen verwendet. Er versucht, mit Hilfe von Textgegenüberstellungen, wie schon Kläden, die "Vulgäransicht",[96] daß der 'Parzival' früher geschrieben sei als der 'Tristan', zu erschüttern. Folgende Thesen sollen aus Textstücken, die dem 'Tristan' und dem 'Parzival' entnommen sind, ableitbar sein:

1. Es hat vom 'Parzival' - Buch I - IX - eine Teilveröffentlichung gegeben.
2. Nach diesem Zeitpunkt ist das Erscheinen des 'Tristan' anzusetzen.
3. Danach ist die 2. Ausgabe des 'Parzival', vermehrt um die Repliken auf Gottfried beziehungsweise den 'Tristan', erschienen.

Die bei Meier korrespondierenden Textstücke sind

---

96) S.507. Was Meier die Vulgäransicht nennt, ist mit der Sekundärliteratur nicht zu belegen. Es entsteht der Verdacht, daß hier eine Generalisierung einer einzigen Meinungsäußerung zum Zweck stärkerer Beweiskraft vorgenommen worden ist.

Parz. 292, 18 ff. Trist. 4724-27
4736-48.

Wolfram, der seinen Helden Parzival angesichts der drei Blutstropfen im Schnee in tiefer Versunkenheit zeigt, erwähnt in einem fiktiven Gespräch mit Frau Minne Heinric van Veldeken und rügt, daß dieser zu sagen unterlassen habe, wie der die Minne festhalten könne, dem sie zuteil geworden sei. Folgendes Verspaar schließt den Textabschnitt ab:

> 292, 24 von tumpheit muoz verderben
> maneges tôren hôher funt.

Ohne die unterschiedlichen Bedeutungsmöglichkeiten von mhd. 'vunt' zu berücksichtigen, es bezeichnet sowohl Gefundenes als auch Erfundenes, bestimmt Meier Wolframs 'hôher vunt' als wörtlichen Anklang an Trist. 4743, wo Gottfried Veldekes 'meisterliche vünde' lobt. Gestützt auf dieses und andere ähnlich "präzise" Ergebnisse stellt Meier diese Chronologie auf: Das Bild vom Baum der Kunst findet sich nicht bei Veldeke, wohl aber bei Gottfried. Da Parz. 292, 18 ff. auf Gottfrieds Literaturstelle bezogen ist, müssen diese Verse später als der 'Tristan' geschrieben sein, sozusagen als Antwort. "Ohne Gottfried zu nennen macht er Opposition: 'der von dir so gelobte Veldeke, er hat auch nur über das Entstehen der Minne geredet und hat leider einen wichtigen, ja den wichtigsten Punkt fortgelassen, nämlich wie man sie festhalten kann.'" [97] So wie hier der korrekte philologische Nachweis fehlt, warum Wolframs 'hôher funt' auf Gottfrieds 'meisterliche vünde' zurückgeht, fehlt auch in dem folgenden Beispiel eine akzeptable Begründung, mit "scheinen" und "meinen" ist es angesichts eines so weitreichenden Problems wohl nicht getan:

> So scheint mir auch an unsrer Stelle in den Versen 291, 21 auf Tristan und Isolde, wie Hartmanns Gregorius angespielt zu sein. (98)
> Auch an einer andern Stelle des Parzival [436, 11 ff.], wo Wolfram Hartmanns Iwein erwähnt und Frau Lunête tadelnd nennt, meine ich in den darauf folgenden Versen eine stillschweigende Verurteilung von Gottfrieds Heldin Isolde zu lesen. (99)

Die Möglichkeit, daß diese Anklänge, sollten sie überhaupt haltbar sein, auf eine andere Bearbeitung der Tristansage, die des Eilhart von Oberg, zurückgeführt werden

---

97) S.509.

98) ebd. 99) ebd.

könnten, wird leichthin verworfen:

> Wenn nun in ganz ähnlicher Weise Wolfram gleich darauf von Parzival sagt:
>
> in zôch nehein Curvenâl:
> er kunde kurtôsîe niht,
> als ungevarnem man geschiht,
>
> so wird dies wohl nicht auf Eilhards, sondern auf Gottfrieds Tristan zu beziehen sein. (100)

Das Interessante und Wichtige wäre gerade der Nachweis, warum Eilhart für die Übermittlung der Curvenal-Geschichte nicht in Frage kommt. Die schlichte Negation einer Annahme reicht nicht aus, ihre Falschheit zu beweisen.
Meier hat sich bemüht, eine Textsammlung zusammenzustellen, die die Hypothese eines literarischen Streites zwischen dem 'Tristan'-und dem 'Parzival'-Dichter wahrscheinlicher machen soll. Doch die ausgewählten Texte haben allesamt nicht die Aussagekraft, die notwendig wäre, um einen auf Grund mangelnder Information skeptischen Betrachter der Szene um 1200 zu einem Anhänger der Kontroversenhypothese zu machen. Die einzige Stelle im 'Parzival', die ganz deutlich bezug auf die Tristansage in der Ausgestaltung Eilharts nimmt, Parz. 187, 19, hat Meier übersehen. An dieser Stelle versucht Wolfram, die Schönheit der vom König von Brandigan militärisch bedrängten Condwiramurs über alle Heldinnen der Epik jener Zeit zu erheben, auch über die Schönheit 'bêder Isalden'.[101)]

In der sogenannten Selbstverteidigung, in der dem heutigen Leser vorliegenden Textgestalt zwischen dem zweiten und dem dritten Buch des 'Parzival' stehend, wird Meiers Ansicht zufolge "keine der Persönlichkeiten namhaft gemacht, gegen die sich Wolfram wendet, aber man hat Reinmar von Hagenau und Hartmann von Aue deutlich erkannt. Ihnen scheint sich mir auch Gottfried zuzugesellen".[102)] Da wiederum das Indefinitpronomen "man" verwendet ist, kann nur vermutet werden, daß Meier sich hier auf Stosch stützt. Johannes Stosch hatte zu Parz. 114, 5-116, 4 bemerkt, daß hier ohne Zweifel eine Verteidigungsrede vorliege. Er ist mit Moriz Haupt der An-

---

100) S.510.

101) Parz. 187,7-22. Es wird immer deutlicher, wie notwendig eine Untersuchung der bei Wolfram und Gottfried verwendeten Namen aus der Tristansage ist. Vgl. dazu das dritte Kapitel dieser Arbeit.

102) Meier, S.510.

sicht, daß Wolfram dort ein auf eine ungetreue Dame zielendes Scheltlied verteidige und eine im Bereich des Minnesangs begangene "Schandtat" im epischen Bereich zu rechtfertigen suche. Von diesem Scheltlied ist nichts erhalten, nicht einmal der Hinweis auf ein solches, dennoch konstruiert Stosch die folgende Geschichte: Wolfram habe "schlimme erfahrungen im minnedienst gemacht. die verweigerung 'dienstlicher triuwe' (114, 9) deutet auf ein vorangegangenes liebesverhältnis conventioneller art zu einer vornehmen dame. aber die umworbene war ihm untreu geworden, er hatte sie wankelmütig gefunden (114, 11 : 'sît ich se an wanke sach) und ihr in einem scheltliede den abschied gegeben". "er sucht keinen ausgleich mit der geschmähten dame, aber er bedauert es (114, 19), durch sein auftreten auch die übrigen gegen sich eingenommen zu haben".[103] Die eigentliche Verteidigung gelte den Frauen, die Wolframs Scheltlied als Beleidigung des ganzen Frauengeschlechts empfunden haben. 115, 5 ff. interpretiert Stosch als Hieb gegen Reinmar, der zugunsten seiner Dame allen anderen den Kampf angesagt habe. Nach Stosch mußte Wolfram gegen Reinmar polemisieren, weil die aufgebrachte Damenwelt ihm diesen als Vorbild vorgehalten habe. Wolfram jedoch wolle jede tugendhafte Frau loben und nicht wie Reinmar eine "auf Kosten aller anderen". Im Gegensatz zu Bartsch sieht er in den Versen 115, 21 - 116, 4 keine "spitze gegen Hartmann von Aue".[104] Da die allgemeine Forschungsmeinung, von der Meier ausgeht, von solchen Phantasieprodukten abhängt, besteht keine Veranlassung zu übertriebenem Optimismus hinsichtlich der Frage, welche neuen Gesichtspunkte gefunden worden sind, um Hartmann, Reinmar und Gottfried in diesem 'Parzival'-Text zu lokalisieren. Er selbst bringt keine neuen Gesichtspunkte.

Auch das Kyot-Problem ist von Meier gesehen worden, er kontaminiert es geschickt mit dem Fehde-Problem: "Gottfried hat offenbar bemerkt, daß Wolframs Erzählung über Chrestien hinausgeht und zum Teil freie Erfindung darstellt. Es scheint mir dies ein nicht unwichtiges Argument gegen die Existenz Kyots zu sein."[105] Die Antwort schon im Voraus wissend, fragt er dann, ob nicht die "Art, in der Wolfram von Kyot und der Auffindung der Graldichtung spricht, direkt unter dem Einfluß Gottfrieds zu

---

103) Johannes Stosch, Wolframs Selbstverteidigung, Parzival 114, 5 bis 116, 4. Leipzig 1883, S.3.

104) Stosch, S.10.

105) Meier, S.516.

stande gekommen ist".[106] Kyot-Problem und Fehde-Problem sind, nach forschungsgeschichtlichen Gesichtspunkten betrachtet, miteinander verzahnt. Durch die Arbeit von John Meier wird deutlich, in welch zweifelhafter Weise dies geschehen ist. Er setzt das durch den Text erst noch zu Beweisende als schon bewiesen voraus. Den Worten Wolframs zufolge hat es einen Meister Kyot gegeben, der die Geschichte von Parzival anders als Chrétien erzählt hat (827, 1-4). Die Zweifel, die er an dieser Aussage hat, legt er Gottfried in den Mund. Damit wird eine neuzeitliche Betrachtungsweise zu einer mittelalterlichen erhoben, und die bloße Negation eines verbal existierenden Faktums wird zu einem Argument erhoben.
Kyot - das ist für Meier (angeblich als Sprachrohr Gottfrieds!) lediglich "eine ironische Verspottung Gottfrieds" und "eine Beschwichtigung des großen Publikums", "das auf die durch eine Quelle bezeugte Authentizität Wert legte".[107] Machen wir uns Meiers Vorschlag einmal zu eigen: Er hätte die Konsequenz, daß Wolfram in den Teilen, die von Chrétien abweichen, keiner anderen Quelle gefolgt ist, sondern frei schaffend und nur dem Ingenium lauschend "erfunden" hat. "Indem er die ganze tolle Geschichte über das Gralbuch ausheckt", sei er nur darauf aus, Gottfrieds übertriebene Quellentreue zu brandmarken.[108] Allein mit der Gegenüberstellung zweier Textstücke ist für Meier der Nachweis erbracht, daß beide aufeinander bezogen sind. Es ist nicht außergewöhnlich, das sei an dieser Stelle schon gesagt, wenn ein mittelalterlicher Dichter von einer lateinischen Vorlage berichtet, die er beziehungsweise ein literarischer Vorgänger benutzt hat. Auf einige der recht zahlreichen Fälle, in denen auf lateinische Vorlagen hingewiesen wird, gehe ich im zweiten Kapitel dieser Arbeit ein.
Meier geht kurz auf den 'Parzival'-Prolog ein, dessen Verse 3, 11-14 ihm wie "eine direkte Bekämpfung von Gottfrieds Heldin und ein Rechtfertigen seines eigenen Verfahrens" anmuten.[109] Da er über Behauptungen und Mutmaßungen nicht hinausgelangt, werde ich bei der Übersetzung und Interpretation dieser Stellen Meiers Vorschläge überprüfen.

Abschließend präsentiert sich ein durch die eigene Publikation belehrter Forscher, dem

---

106) ebd. 107) ebd.

108) S.516.

109) S.515.

ein kritischer Leser nicht annähernd so viel Zustimmung zuteil werden lassen kann, wie er sich selbst zumißt:

> Daß der Geschmack der Zeit vielfach auseinander ging, zeigen uns die bald mehr, bald minder deutlich hervortretenden Fehden der Dichter, und daß gerade eine als Mensch und Künstler so extrem und individualistisch angelegte Persönlichkeit wie Wolfram von Eschenbach aktiv und passiv eine entschiedene Stellungnahme in künstlerischen Fragen ganz besonders herausforderte, das ist leicht verständlich, und das haben uns auch die vorstehenden Seiten gelehrt. (110)

Der von Meier zustimmend zitierte Konrad Burdach hat mit dem Aufsatz "Der mythische und der geschichtliche Walther" weiteres Material über die persönlichen Beziehungen zwischen den mittelhochdeutschen Dichtern bereitgestellt. Walther von der Vogelweide habe, schreibt Burdach, "Jahre hindurch auf der Wartburg bei Eisenach mit dem größten deutschen Epiker zusammengelebt, mit demjenigen, der ihm die Krone des Genies streitig macht: W o l f r a m v o n E s c h e n b a c h ."[111]. Auf Grund der souveränen Art der Mitteilung entsteht der Eindruck, daß dies ein gesichertes Faktum sei. Burdach äußert hier jedoch nur eine ganz persönliche Ansicht, die sich weder auf historische Daten noch auf eindeutige Textstellen stützen kann. Er kritisiert eine Bewußtseinsstufe, auf der er selbst steht, wenn er wenig später belustigt und mit überlegener Geste abwinkt angesichts der "mythenbildenden Phantasie des Forschers und der Halbgelehrten".[112]
Verallgemeinernd bemerkt Burdach, daß "bei den meisten literarischen Fehden, die sich auf dem Boden Deutschlands abgespielt haben, ... die instinktive, blinde, grundlose landschaftliche Eifersüchtelei" gewirkt habe und "die alten Stammesgegensätze" mitgewirkt hätten.[113] Nadler führt diesen Gedanken aus, indem er ihn an Wolfram und Walther einerseits, Goethe und Schiller andererseits expliziert:

---

110) S.520.

111) Konrad Burdach, Der mythische und der geschichtliche Walther. In: Konrad Burdach. Vorspiel. Gesammelte Schriften zur Geschichte des deutschen Geistes. 1. Band: Mittelalter. Halle 1926, S.334-400. Zur Stelle s. S.382.
Vgl. aber Gustav Ehrismann, Geschichte der deutschen Literatur bis zum Ausgang des Mittelalters. 2. Teil. Die mittelhochdeutsche Literatur. II. Blütezeit. 1.Hälfte. München 1927, S.221: "Mit Walther v.d.Vogelweide verbanden Wolfram bei seinem Aufenthalt in Thüringen kollegialische Beziehungen."

112) Burdach, S.382.

113) S.385.

> Wer möchte in schwachem Vergleiche an den Schwaben Schiller neben dem Rheinfranken Goethe denken, die sich sechshundert Jahre später fast an gleicher Stätte fanden. Vielleicht ist es nur das hellere Licht der nahen Vergangenheit, das Allzumenschliches aus dem Bild heraushebt, während Wolfram und Walther halbversunken nur als zwei große Symbole in unserm Bewußtsein stehn. (114)

Nur wenige Jahre nach Burdachs Walther-Aufsatz schreibt Nadler über die Begegnung Wolframs mit Walther in Eisenach und kommt zu einer so grundlegend anderen Einschätzung des Vorganges, daß dies nur durch neu aufgefundenes Material erklärt werden kann. Doch kein Textstück, keine Urkunde ist zum Zeugnis angeführt: es wird lediglich eine ganz persönliche Ansicht geäußert, die jedoch den Anspruch auf Faktizität erhebt:

> Auf der Höhe des Lebens traf er [Walther] auf den einzigen Dichter, der wert war, neben ihm zu stehen, dessen Freundschaft er, der einzige, würdig war: Wolfram von Eschenbach. Es war um 1203 am Thüringer Hofe. Und wie er sich vor ihm neigte, wie Wolframs Wesen ihn erfrischend und wandelnd überströmte! In Walthers Gedichten leuchtet es auf. Nicht im Siegen und wuchtigen Niederschreiten steigt die Größe der Großen auf, im überwundenen Beugen, im Lernen, im Anerkennen öffnet sich ihre ganze Herrlichkeit. Walther, die scharfe, weithintönende Stimme des Tages, und Wolfram, das weltverlorene Rauschen der Ewigkeit. (115)

Einerseits wird ein persönliches Verhältnis Walthers zu Wolfram konstruiert, das nicht frei ist von kleinlichem Konkurrenzdenken (Burdach), andererseits ist die Rede von selbstlosem Geben und freudigem Nehmen (Nadler und Ehrismann), so daß die große Variationsbreite der Forschung in diesem Punkt nur mit Verwunderung zur Kenntnis genommen werden kann. Aus einem romantischen Wunschdenken heraus möchten diese Forscher für die mittelalterliche Zeit persönliche Beziehungen der Dichter untereinander sichtbar machen und greifen deshalb zu Erklärungsmöglichkeiten der Neuzeit – etwa zu stammesphysiologischen Klischees oder dem Dioskurenschema. Während sie dem literarischen Hochmittelalter mehr Struktur verleihen wollen, verlassen sie die Ebene philologischen Arbeitens und geraten auf das Feld der Spekulation.

Neben Walther war es noch ein anderer Antipode, der nach dem Urteil Burdachs mit Wolfram kollidierte: "Sein literarischer Hauptwidersacher, G o t t f r i e d von

---

114) Nadler, Lit.gesch. d.dt.Stämme u.Landsch. 1.Bd. Die Altstämme (800-1600), S.140.

115) ebd.

S t r a ß b u r g, hatte ihn in seinem Gedicht von Tristan und Isolde so grob wegen seiner Dunkelheit und barocken Einfälle als "hochsprüngigen Hasen" angefahren".[116] Leider kann dies alles aus Gottfrieds Literaturstelle nicht mit Sicherheit geschlossen werden, dennoch bereichert Burdach die Fehdevorstellungen ohne Bedenken um eine weitere Imponderabilie:

> In Wolframs unermüdliches Plänkeln mit Walther verflocht sich, wie bereits hervortrat, auch die Polemik wider seinen großen epischen Rivalen Gottfried von Straßburg. Und in der Tat, Walther und Gottfried ihrerseits trafen zusammen in einem verwandten Gefühl des Widerspruchs der Art Wolframs gegenüber. Die berühmte Karikatur des Wolframschen Stils in dem literarhistorischen Exkurs des Tristan scheint mir noch niemals richtig gedeutet worden zu sein. Gottfried geißelt die bizarre Manier des Parzivaldichters, das liegt ja freilich auf der Hand. (117)

Erst wenn die zwar angekündigte, aber nicht durchgeführte Prüfung des Textes die Stelle des Auf-der-Hand-Liegens eingenommen hat, kann zu dem Versuch einer chronologischen Zuordnung von 'Parzival' - Teilen und 'Tristan' - Teilen übergegangen werden. Was Burdach dazu sagt, ist deshalb nicht fundiert genug:

> Zunächst hätten die Ausleger niemals vergessen sollen: der unvergleichliche Wortkolorist, wenn er dem stürmischen Genie Wolframs dort das Lorbeerreis abspricht, kann die sein Urteil begründenden Vergleiche unmöglich erst durch eine Anleihe aus dem Prolog des Parzival gewonnen haben. Gottfried schöpfte vielmehr aus zusammenhängender Lektüre und Kenntnis des Werkes, aus dem Totaleindruck größerer Abschnitte des Epos selbst, und jener Prolog des Parzival ist, ganz oder doch sicher zu einem beträchtlichen Teil, der vorher schon in einzelnen Büchern oder Gruppen von Büchern veröffentlichten Dichtung erst bei der späteren Gesamtausgabe, nach unseren Begriffen als eine polemisch - apologetische Vorrede des Autors, als 'oratio pro domo' , vorgesetzt worden. Der "hochsprüngige Hase", dies Bild für Wolframs epischen Stil, rührt also aus Gottfrieds eigener Erfindung her. (118)

Burdach bringt hier kaum neue Gesichtspunkte. Abgesehen davon, daß schon Kläden behauptet, aber nicht bewiesen hat, daß nicht Wolfram, sondern Gottfried den Einfall hatte, einen Hasenvergleich zu gebrauchen, wird Stoschs Idee von dem sukzessiven Erscheinen des 'Parzival' erneuert. Diese beiden Vermutungen sind Teil der Hypothese Burdachs, die auf der Annahme beruht, daß Gottfried größere Partien des 'Parzival' gekannt hat, als er die Dichterschau schrieb. Inwieweit moderne Editionsverfahren

---

116) Burdach, S.394.

117) S.395.

118) ebd.

prägend gewirkt haben, ist schwer zu sagen, wegen des verwendeten Begriffs "Gesamtausgabe" ist der Gedanke an Analogie nicht abwegig. Alle Wunschträume, ob im Stillen gehegt, ob laut geäußert, finden sich am Ende von Burdachs Aufsatz zusammen:

> Wolfram, das ist der ritterliche Ministerial, der im vollen, formellen Besitz der Ritterwürde und aller ihrer gesellschaftlichen Privilegien, an die Scholle gebunden, aber Herr über ein, wenn auch bescheidenes Dienstlehen, sich im Sinne der alten germanischen Standesbegriffe als ein Adliger fühlt, weil er mit seinem Arm, weil er mit Schild und Speer seinem Herrn und seiner Dame diente ... Er ist ein seßhafter Mensch. Er schlägt in Thüringen, nachdem er sich in der Welt umgesehen, für Lebenszeit Wurzel. (119)

Aus dem Jahre 1917 stammt ein Aufsatz von Friedrich Ranke, in dem er sich mit der ihm eigenen Genauigkeit mit der Überlieferungssituation des 'Tristan' auseinandersetzt. Von besonderem Interesse für unser Problem ist der Versuch, die erhaltenen 'Tristan'-Handschriften auf ihre Entstehungszeit zu untersuchen. "Bis 1300 geben uns die erhaltenen hss. und fragmente kein sicheres anzeichen dafür, dass Gottfrieds gedicht auch außerhalb des Elsass abgeschrieben worden wäre".[120] Das versucht er so zu erklären: "Halten wir diese einheitlichkeit der äußeren einrichtung mit der des dialects und mit den collationen zusammen, so deutet alles darauf hin, dass die herstellung von handschriften des Gottfriedschen gedichts im xiii jahrhundert, wenn nicht ausschließlich, doch hauptsächlich in einer und derselben schreibstube vor sich gieng."[121] Das sagt natürlich nichts über die spätere regionale Verbreitung aus - danach war auch nicht gefragt - wird aber wichtig, wenn wir daran denken, daß alle uns bekannten 'Tristan'-Handschriften ungefähr 25-30 Jahre nach dem Entstehen der Dichtung entstanden sind.

Diese Bemerkungen Rankes, Ergebnis eingehender graphologischer und mundartgeographischer Studien, hat bisher niemand für die Frage, wie groß die Wahrscheinlichkeit ist, daß Wolfram der 'Tristan' partiell oder in toto bekannt geworden ist, nutzbar gemacht. Hinsichtlich der Entstehungszeit von 'Parzival' und 'Tristan' ist über die Vermutung nicht hinauszugehen, daß beide Epen eine Zeitlang gleichzeitig in Arbeit waren, etwa so, daß der Schluß der 'Parzival'-Geschichte und der Anfang der 'Tri-

---

119) Burdach, S.398 / 399.

120) Friedrich Ranke, Die Überlieferung von Gottfrieds Tristan. In: Zeitschrift für deutsches Altertum, Band 55, 1917, S.157-277 und 381-438. Zur Stelle s. S.404.

121) Ranke, S.405.

stan'-Geschichte parallel entstanden sind. Da wir aber über den Arbeitsplan und die Arbeitsgeschwindigkeit beider Dichter nichts wissen, bleibt alles im Bereich der Spekulation. Mögliche Arbeitsunterbrechungen und die relativ begrenzte Verbreitung der 'Tristan'-Handschriften sowie die langsame Verbreitungsgeschwindigkeit von Dichtung in jener Zeit ergeben ein Bündel von Faktoren, das zu der berechtigten Frage führen muß, ob diese "Dichterfehde" überhaupt stattgefunden hat. Wird noch Rankes und schon Marolds[122] Beobachtung, daß fast alle uns bekannten Handschriften des 'Tristan' erst ca. 25 Jahre nach dessen Abbruch angefertigt worden sind, berücksichtigt, ist die Annahme vertretbar, daß es möglicherweise über längere Zeit nur eine Handschrift von 'Tristan und Isolt', vielleicht im Besitz des auftraggebenden Gönners, gegeben hat. Wenn dies alles bedacht wird, kann die Behauptung eines engen Kommunikationsverhältnisses zwischen Wolfram und Gottfried nicht aufrechterhalten werden.

Ranke fordert zum Widerspruch heraus, wenn er die Ergebnisse seiner Studie wirkungsgeschichtlichen Fragen gegenüberstellt: "Dass der Tristantext bis ca. 1300 ausschließlich in Straßburg vervielfältigt sein soll, könnte auf den ersten blick befremden: Gottfrieds Gedicht hat doch deutlich genug schon in der ersten hälfte des 13 jahrhunderts auch auf Nichtelsässer vorbildlich gewürkt, schon Wolfram hat von ihm gewust".[123] Das aber ist fraglich, ob Wolfram vom 'Tristan' Gottfrieds gewußt hat. Wenn er Namen aus der Tristansage, die Eilhart in einer anderen Lautung als Gottfried hat, verwendet, dann immer in Eilhartscher Version.

Warum die Vervielfältigung von Gottfrieds Roman in engen Grenzen blieb, erklärt Ranke folgendermaßen:

> Die leser und käufer des Tristanepos werden wir uns vorwiegend in den feingebildeten und wohlhabenden kreisen der herren- und städtergesellschaft zu denken haben; ausgesprochen geistlich interessierte kreise hatten keinen anlass, sich des werkes besonders anzunehmen und, etwa in klosterschreibstuben, seine vervielfältigung und verbreitung auf eigenes risico zu betreiben; aber auch für eine beliebige städtische schreibstube konnte das (unvollendete oder nur sehr notdürftig geflickte!) Tristanepos gewis nicht leicht mehr ein lohnender handelsartikel werden, nachdem der kampf der beiden rivalen um die gunst des publicums doch recht bald mit dem siege Wolframs geendet hatte. (124)

---

122) Vgl. die Einleitung zur Tristanausgabe von Karl Marold. Die Hss. M und H werden von Marold ins XIII. Jahrhundert datiert, F und W ins XIV. Jahrhundert.

123) Ranke, S.417.

124) ebd.

Ranke erklärt nicht, auf welchem Wege und unter welchen Umständen um das Jahr 1210 (dies als ungefähre Richtzahl) eine elsässische Tristanhandschrift zu Wolfram gelangt sein könnte, obwohl die Verbreitung über die Grenzen des Elsass erst um 1300 einsetzt.[125] Der Schluß des Zitats zeigt, daß für Ranke dieses Problem gelöst ist. Gegen diese Art der Argumentation wie auch gegen die Vorstellung, Gottfried sei im Kampf (!) "um die gunst des publicums" der Unterlegene gewesen, sind Bedenken anzumelden. Die bisher gegebenen Begründungen der Unvollendetheit des 'Tristan' sind unbefriedigend. Nach dem Zeugnis der beiden Fortsetzer, Heinrich von Freiberg und Ulrich von Türheim, dem nicht zu glauben kein zwingender Grund vorliegt, ist Gottfried gestorben, bevor er seinen Roman vollendet hatte.

Die Literaturgeschichte von Gustav Ehrismann vermittelt eine erstaunlich präzise Darstellung der Streitsituation, in der sich Gottfried und Wolfram befunden haben sollen. Gottfried wende sich als Verteidiger Hartmanns und des Kunstprinzips der Schönheit "gegen den neu heraufgekommenen Umstürzler",[126] und seine "bis zur Tücke übelwollende Kritik" Trist. 4636-88 sei "aus naturhaftem Widerstreben" zu begreifen.[127]

> Er, der ästhetische Feinschmecker, trifft in den Kern von Wolframs Eigenart, wenn er seine knorrige Selbstwilligkeit, sein unbekümmertes Umspringen mit der Überlieferung, seine ungeschminkte Natürlichkeit, seine Geheimnistuerei, seine gesucht geschraubte Sprache tadelt. Wolframs Verteidigung gegen seine Kritik Wh.4,19-24 ist maßvoll und läßt jedem das Seine. Ob er wirklich dabei auf den heftigen Angriff Gotfrids zielte? und gar mit Wh.237,8-14? Das Bild vom aufgescheuchten Hasen ('schellec hase') P.1,19 wird von Gotfrid gehässig aufgegriffen: 'swer nu des hasen geselle si' Trist.4636 und der Seitenhieb Trist.7939-65 ist der Ausfluß einer unangenehmen Empfindung. (128)

Hiermit scheinen alle Probleme gelöst zu sein. Die Idee, einen Hasenvergleich anzubringen, stammt also von Wolfram, Gottfried wende ihn lediglich als Argument gegen Wolfram. Ob Willeh. 4,19-24 als Verteidigung gegen Gottfried aufzufassen sei, wird

---

125) Weiter schreibt Ranke: "Erst im anfang des 14 jahrhunderts sehen wir dann abschriften des Tristantextes auch außerhalb Straßburgs entstehen: eine handschrift der gruppe wandert (mit Hartmanns Iwein zusammen) nach dem östlichen Mitteldeutschland, wird dort abgeschrieben und erhält dort die fortsetzung Heinrichs von Freiberg (F)." (S.417)

126) Ehrismann, Gesch. d. dt. Lit., S.220.

127) Ehrismann, S.220 / 221.

128) S.221.

nur deshalb nicht bejaht, weil es den Vorwurf, ein Querulant zu sein, von Wolfram nimmt. Gar nicht zweifelhaft ist für Ehrismann, ob Gottfrieds 'vindaere wilder maere'-Stelle überhaupt auf Wolfram und nicht auf andere Personen bezogen ist.

1935 erscheint ein Sammelband mit dem Titel "Die Großen Deutschen. Neue Deutsche Biographie" mit einem Beitrag von Wolfgang Goetz über Wolfram von Eschenbach. Es würde sich lohnen, über die Auswahlkriterien, nach denen die Herausgeber vorgegangen sind, einmal intensiver nachzudenken. Wolfram steht stellvertretend für alle hochmittelalterlichen Epiker, Gottfried wird anläßlich der Schilderung der angeblichen Kontroverse marginal berücksichtigt, Hartmann von Aue wird erst in der zweiten Auflage des Werkes in Friedrich Neumanns Wolfram- Aufsatz erwähnt.

Wolfgang Goetz[129)] gibt ein Beispiel dafür, wie leicht Literaturbetrachtung staatspolitischen Zielen untergeordnet werden kann.

Er leitet die zwischen Gottfried und Wolfram angenommene Kontroverse, die für ihn ein Faktum ist, aus rassentheoretischen Ursachen ab und erklärt den literarisch-stilistischen Gegensatz, auf den die Vorgänger neben anderen verwiesen hatten, durch den stammesphysiologischen bedingt. Wenn er sagt: "Am heftigsten wendet er sich gegen Gottfried. Das ist ihm der westlerische Mensch ",[130)] dann ist das die Umsetzung des Gedankens, daß das westlich- jüdische und zugleich oberflächliche Wesen kontradiktorisch zum germanisch- aristokratischen Kulturträger stehe. Diese auf Chamberlain und de Lagarde zurückgehenden Anschauungen sind der Hintergrund für die Darstellung eines Stückes mittelalterlicher Literaturgeschichte, die dem Klischee in dem Maße verpflichtet ist, wie sie sich dagegen zu wehren scheint. So bemängelt Goetz zwar, daß wir Deutschen allzu oft geneigt seien, "die Gestalten unserer Vergangenheit, die miteinander wenig oder sogar nichts zu tun haben, zu Dioskuren oder Zwillingen umzuschaffen, wir erinnern an so gefährliche Zusammenstellungen wie Goethe und Schiller, Bach und Händel, als ob es nicht der ungeheure Vorzug des deutschen Geistes wäre, daß er eigene und scharfe Charaktere schüfe; es ist, als ob wir uns unseres Überreich-

---

129) Goetz war Mitglied des Reichsverbandes deutscher Schriftsteller und ist nicht mit dem Historiker Walter Wilhelm Goetz zu verwechseln.

130) Die Großen Deutschen. Neue Deutsche Biographie. Hg. von Willy Andreas und Wilhelm von Scholz. In vier Bänden. 1.Bd. Mit 126 Bildern, 6 Farbtafeln und 4 Faksimiles. Berlin 1935. Über Wolfram S.182-194. Zur Stelle s. S.190.

tums an Persönlichkeiten schämten".[131]

Dann wird die allgemeine Vorstellung kritisiert, in der "Walther, Wolfram und Gottfried ... selbander durch thüringische Gaue reiten und beim Becherklang hoch oben auf der Wartburg sich an ihren Dichtungen wechselweis begeistern".[132] Die Korrektur dieses Monstrums der Phantasie, das sich kaum in ernstzunehmender Literatur findet, sieht bei Goetz so aus:

> Er [Wolfram] ist ein Deutscher. In seiner fränkischen Natur liegt es, daß sein Gedicht, das an die tiefsten Probleme menschlichen Schicksals hart herantritt und sie zu lösen vermag, von einer unnahbaren, unerschütterlichen Heiterkeit durchzogen ist, wie später die Werke seines Landsmanns Johann Wolfgang Goethe. Wir können nur Don Quichote und den Faust neben dem Parzival nennen. (133)

Es ist frappierend, zu sehen, wie Goetz, der gerade die Geminierungsmanie gerügt hatte, Dichtungen aus verschiedenen Jahrhunderten aufeinander bezieht, ohne deutlich zu machen, auf Grund welcher Qualitäten dies geschieht. Muß der Hesse Goethe vielleicht zu einem Stammesgenossen Wolframs werden, der sich selbst als einen Bayern bezeichnet hat, weil dadurch ein gut Teil des Ruhmes des Klassikers Goethe auf den 'Parzival'-Dichter übertragen wird? Wolframs Dichterportrait wird mit ein paar Pinselstrichen kräftiger konturiert:

> Ein Mann, der so kühn dem größten Gedichte seiner Zeit die Stirne zu bieten wagte, mußte naturgemäß den andern dichterischen Erscheinungen seiner Zeit gegenüber seine Waffen gebrauchen. Am heftigsten wendet er sich gegen Gottfried. Das ist ihm der westlerische Mensch, der Mann der Konvention, der schon langsam erstarrenden Sitte einer höchstbewegten Zeit, einer Sitte, die dem Schlagwort huldigte und aus diesem Grunde tief verlogen sein mußte. (134)

Die Interpretation des 'Tristan' geschieht in ironisch-überheblicher Weise, nachdem die Tiefgründigkeit des 'Parzival' gebührender, doch auch nur allzu oberflächlich hervorgehoben worden war:

> Nun wird sich niemand dem süßen Zauber des frechen Straßburgers und seinem tollen Märlein von Herrn Tristan und seiner Isolde entziehen können, doch werden wir einsehen müssen, daß hier mit den urewigen Gefühlen der Menschheit

---

131) Die großen Deutschen, S.183.

132) ebd.

133) S.188 / 189.

134) S.190.

> nun eben nichts anderes als ein Spiel getrieben wird, ein frivoles Spiel, das uns wohl entzücken kann, aber uns nichts angeht, so zauberhaft Liebe und Liebesnot geschildert sind. Es ist auch ganz selbstverständlich, daß Gottfried in eine sinnlose Wut gerät, als ihm der Geharnischte von Eschenbach entgegentritt. (135)

Der in feuilletonistischer Manier geschriebene Artikel zeigt, welchen Gefahren eine völlig vom Text abgehobene Interpretation, die zudem noch mit Phrasen und stammesphysiologischen Ungereimtheiten befrachtet wurde, ausgesetzt ist. Die inhaltliche Aussage des 'Tristan'-Romans, die Stellungnahmen seines Verfassers zu gesellschaftlichen Problemen jener Zeit werden völlig verkannt. Deutlicher als in der Bewertung Gottfrieds als "Mann der Konvention" ist kaum zu beweisen, wie wenig Goetz den 'Tristan' verstanden hat. Indem Gottfried Tristan und Isolde auf eklatante Weise gegen die starre Norm der höfischen Sitte verstoßen läßt und ihre alle Moralprinzipien des hohen Mittelalters sprengende Liebesbeziehung darstellt, schickt er sich an, das Mittelalter zu überwinden und den Beginn der Neuzeit vorzubereiten.

Ganz undeutlich bleibt, ob Goetz die Probleme zeitlicher und räumlicher Art sieht, wenn er Gottfried und Wolfram in einen privaten Kleinkrieg verwickelt: sinnlose Wut beim Anblick des geharnischten Eschenbachers - steht dahinter nicht doch die Vorstellung des Replizierens à la Jena und Weimar? Wolfram berühre mit unnachahmlicher Eleganz die Gegensätzlichkeit, er höhne seine literarischen Gegner nicht, er lache sie vielmehr mit "gelassener Gebärde" aus, er sei "ein Meister witziger Parodie, daß Jena und Weimar in ihren Xenien verblassen".[136]
Der Sucht der Deutschen, Dioskuren zu schaffen, einer Sucht, die er eingangs mit Ironie bedacht hatte, kann sich Goetz anscheinend auch nicht entziehen: "Im Gegensatz zu Schiller und Goethe, die doch nur Versteck spielen, rennt Wolfram frontal an. Es ist ihm ganz gleichgültig, ob er aneckt. Er sprengt drauf los. Männlich haut er rechts und links: ihr oder ich. Daß sich das deutsche Volk noch nicht entschieden hat, auf welche Seite es sich zu werfen hat, ist eine sehr traurige Tatsache."[137] Er versucht, der Suggestivkraft dieser Vorstellung zu entfliehen, indem er die Person oder Personen, gegen die Wolfram angeblich "anrennt", nicht nennt. Bevor er den Gegner deutlicher bezeichnet, absolviert Goetz noch pflichtgemäß den Kotau vor den Forderungen nationalsozialistischer Kulturpolitik. Noch einmal zu

---

135) Die Großen Deutschen, S.190.

136) ebd. 137) ebd.

den Dioskuren, einem Lieblingsthema von Wolfgang Goetz: Er [Wolfram] ,der die wundervollsten und innigsten Formeln findet, kann wie ein Toller mit Fremdwörtern um sich werfen. Auch hier blinzelt er zu dem Straßburger hinüber: das kann ich auch. Er spielt sich bewußt als Kraftstoffel auf".[138]

> Wolfram wie Goethe wissen um das dumpfe Irren des Menschen. Wir haben schon von der 'staete' gesprochen als dem tiefen Prinzip beider. Und man erstaunt über die Ähnlichkeit der zwei Großen. Es muß gesagt werden, daß Richard Wagner seinen Meister mißverstanden hat. Wolfram ist so wenig Christ wie der Goethe der letzten Szene des zweiten Faust. Es dürfte anzunehmen sein, daß unser Meister fromm wie die andern sein Knie vor den großen hölzernen Schmerzensmännern seiner Tage gebeugt hat. (139)

Goetz macht den Versuch, mit Hilfe der Deduktion über eine Hypothese, die seiner Meinung nach hinreichend verifiziert ist und die das beabsichtigte literarische Gegeneinanderarbeiten Gottfrieds und Wolframs annimmt, zur Beantwortung von Detailfragen, die sich aus dem Text ergeben, zu gelangen. Woher Goetz etwa die Kenntnis von einem so vorzüglichen Kommunikationsverhältnis zwischen Wolfram und Gottfried zugekommen ist, bleibt unerwähnt. Es scheint sich um eine Voraussetzung zu handeln, die nicht mehr nachgeprüft zu werden braucht. Der Leser wird gezwungen, Goetz bedingungslos zu glauben, oder aber, und das schon beim Ansatz, Bedenken zu äußern.

Die Methodik, die Goetz und frühere Autoren anwenden, um die Tatsächlichkeit einer Kontroverse zu untermauern, ist dort zu kritisieren, wo versäumt wird, das Allgemeine am Besonderen, hier dem vorgegebenen literarischen Text, nachzuprüfen. Keine Theorie vermag zu überzeugen, wenn sie nicht an dem Material, aus dem sie abgeleitet worden ist, verifiziert wird.

Friedrich Knorr geht in seinem Buch "Die mittelhochdeutsche Dichtung" nur kurz auf einige Aspekte ein, die er im Zusammenhang der dargestellten Dichterbeziehungen für wichtig hält.

> Gottfried hat in seiner Auseinandersetzung mit Wolfram die "märe" verworfen, die der Auslegungen bedarf, um verstanden zu werden. Er hat dessen eingedenk seinem eigenen Gedicht schlichte, leicht überschaubare Linien gegeben. Das gilt nicht nur für die einzelnen Teile, sondern, was den äußeren Ablauf der

---

138) Die Großen Deutschen, S.192.

139) S.193.

Handlung anbelangt, auch für das ganze Werk. (140)

Allerdings mangele es dem 'Tristan' "an religiöser Tiefe".[141] Zweierlei läßt sich aus diesem Zitat ablesen: 1. hält es Knorr für erwiesen, daß sich Teile des Dichterkataloges, insbesondere die Verse, die über 'vindaere wilder maere' Auskunft geben, Wolfram zum Ziel haben, 2. gesellt er sich dem Lager zu, dessen Vertreter Gottfried nicht das Recht abstreiten, Wolframs Schreibstil zu bemängeln. Auffallend an Knorrs Arbeitsweise ist das ständige Gegenüberstellen, Messen und Abwägen Wolframscher und Gottfriedscher Qualitäten, das in literaturgeschichtlich orientierten Arbeiten schon fast wie ein Topos gebraucht wird. Wo Wolfram "die mächtigen Quadern seines Werkes schichtet, das alles beherbergen soll, was den Menschen angeht, singt Gottfried seine zauberhaften Verse, und als die Macht des Geheimnisses ihn wirklich zu bedrohen beginnt, legt er die Feder aus der Hand".[142]
Ein letztes Zitat aus Knorrs Buch mag deutlich machen, mit welcher Leichtigkeit jedes mehrdeutige Stück Text eindeutig wird, wenn nur der Glaube an eine Kontroverse vorhanden ist: "So wird auch die Art seiner [Gottfrieds] literarischen Kritik durchaus verständlich. Er findet die schönsten Worte für die Sänger des Rittertums - aber er sieht in Wolframs Werk nichts von dem hohen Geist, der es in Wahrheit beseelt."[143]

Julius Schwietering verwendet wieder ein anderes Beweismittel, um die Tatsächlichkeit einer Dichterkontroverse glaubhaft zu machen: Wolframs Einstellung zu schriftlich Überliefertem und die daraus resultierende angebliche "Kyot-Fabelei":

> Wolframs gelehrter Rivale Gottfried von Straßburg, der unter den epischen Dichtern seiner Zeit Hartmanns klarer und anmutiger Wortkunst den Lorbeer zuerkennt, nach dem Wolfram vergeblich greife, sieht in Wolframs Ursprünglichkeit nur Willkür und ungesetzliche Überhebung, die sich dem überlieferten Stoff wie der Sprache gegenüber kundtue. Er schilt ihn einen Erfinder seltsamer Geschichten, einen Wilderer auf Geschichten - 'vindaere wilder maere, der maere wildenaere' - und zieht seine Kunst zu den Schlichen und Betrügereien von Taschenspielern und Gauklern herab. Gottfried durchschaut Wolframs Fabeleien über seine Kyot-Quelle, die Buchstabengläubige und an literarische Überlieferung Gewohnte hinters

---

140) Friedrich Knorr, Die mittelhochdeutsche Dichtung, Jena [1938], S.138.

141) Knorr, S.137.

142) ebd. 143) ebd.

Licht führen sollen, falls sie nicht erst auf die Angriffe des Tristandichters hin ersonnen wurden. (144)

Was auch immer zutreffen mag, ob Gottfrieds Dichterschau die Kyot-Nennung verursacht hat oder die Kyot-Nennung die 'vindaere wilder maere'-Stelle, es ist bei Schwietering austauschbar, Fragen der Chronologie liegen außerhalb seines episch gestalteten Buches über die mittelalterliche Literatur. Nur daß Kyot-Stelle und 'vindaere wilder maere'-Stelle einander bedingen, ist eine Tatsache für ihn.

Sehr ausführlich beschäftigt sich Heinrich Hempel in einem Aufsatz mit dem "Eingang von Wolframs Parzival".[145] Als eines der wichtigsten Ergebnisse teilt er mit, daß die Verse 1,1-4,8 des 'Parzival' (im folgenden E 1 genannt) dem eigentlichen Prolog vorgesetzt seien und die Verse 4,9-4,26 (E 2) den ursprünglichen Eingang darstellten. Die Verse 1,1-4,8 seien "nachträglich in Auseinandersetzung mit Gottfried hinzugedichtet".[146] Zur Begründung führt Hempel an, daß die Aussage beider Teile deutlich mache, daß E 2 "positiver und weltlicher" sei, eine rechte Einleitung für ein Artusepos. Dies wäre ein schöner Gedanke, wenn nicht Hempel selbst eine so treffende Beschreibung von Wolframs Art der Weltperzeption gegeben hätte: "Wolframs Denken ... ist wesentlich intuitiv und sinnbildlich, nicht logisch-diskursiv, er denkt nicht im Fortgang von Begriff zu Begriff, sondern in Bildgestalten".[147] Auch die folgenden Überlegungen sprechen eher gegen eine Abfolge E 1 nach E 2 und für die Reihenfolge, die alle Textausgaben haben: E 2 nach E 1.

> Selbst wo er, wie im Eingang des Parzival (Pz.), sich vorsetzt, etwas von den Grundideen seines Werks explicite auszusagen, spricht er abgerissen und gerät sofort wieder tief ins Bildliche hinein, Vergleich auf Vergleich in abrupter Reihung häufend, daß der Hörer kaum zu folgen vermag. So ist der Eingang des Pz. an vielen einzelnen Stellen dunkel und sprunghaft, wie er auch als Ganzes keinen völlig klaren Aufbau zeigt. (148)

---

144) Julius Schwietering, Die deutsche Dichtung des Mittelalters, Potsdam [1941], S. 160.

145) Heinrich Hempel, Der Eingang von Wolframs Parzival. In: Heinrich Hempel, Kleine Schriften, hg. von Heinrich Matthias Heinrichs, Heidelberg 1966, S.261-276.

146) Hempel, Kleine Schriften, S.261.

147) ebd. 148) ebd.

Beide "Teile" des Prologs weisen die Merkmale auf, die auch in vielen anderen Prologschöpfungen mittelalterlicher Literatur anzutreffen sind, indem sie religiöse und moralische Probleme, die nicht immer im sich anschließenden Epos ausgeführt sein müssen, ansprechen. Die Auseinandersetzung mit Hempels Interpretation einzelner Textstellen wird im zweiten Kapitel dieser Arbeit bei der Interpretation von Text 3 erfolgen.

Am Schluß seines Aufsatzes stellt Hempel allgemeine Betrachtungen über die Art der Kommunikation mittelalterlicher Dichter mit ihrem Publikum an. "Um dieses literarische Florettfechten nach Sinn und Wirkung zu würdigen, muß man bedenken, wie sehr für damalige Dichtung die Öffentlichkeit des Vollzuges galt, das persönliche Einstehen und oft Gegeneinanderstehen der Dichter im Vortrag ihrer Werke vor einem vielzahligen Hörerkreis, der aufs intensivste teilnahm und oft auch Partei nahm."[149)]
Es mag zutreffen, daß in anderen Dichtungen des 12. und 13. Jahrhunderts, doch eher in der Lyrik als in der Epik, deutlichere Anspielungen auf Personen und Werke zu finden sind. Im Fall Wolfram-Gottfried sind die Texte meiner Meinung nach nicht deutlich genug, um zu so weitreichenden Schlüssen hinsichtlich bestimmter Charaktereigenschaften, hier Gottfrieds, zu kommen.[150)]
Das Dioskurenschema, dessen Faszination nun schon Generationen von Germanisten erlegen sind und das sich zu einer Zeit herausbildete, als Goethe und Schiller den Wegbereitern der germanistischen Wissenschaft noch lebhaft in Erinnerung waren, kann auf beliebige Epochen und Bereiche der Kunst angewendet werden. Es verführt dazu, für die mittelalterliche Zeit, die weitgehend im Dunkel liegt, Streitsituationen zu konstruieren, denen Reinmar und Walther, sowie Gottfried und Wolfram zum Opfer fallen.

> Vergleicht man die Haltung beider Gegner, so ist es Wolfram, der mit seinem ruhigen Selbstvertrauen, das ihn nicht zu der Rolle des Empfindlichen herabsteigen läßt, und mit seiner Bereitschaft, auch in Diskussion über eigene Mängel einzutreten, besser abschneidet. Geliebt hat er den ihm innerlich so weltenfremden Rivalen sicherlich auch nicht, aber er wird nicht giftig und den Humor verliert er nicht; Gottfrieds Worte sind ätzend und lieblos, und der Humor war ihm überhaupt versagt. Man kann, ohne von den eigentlich menschlichen Auswirkungen dieses Verhältnisses zu wissen - wir wissen davon nichts -, es nur mit Schmerz feststellen, daß dieses erste Dioskurenpaar unserer Literatur nicht zueinander fand, daß sie auch nicht, wie Bach und Händel, als fremde Gestirne still aneinander vorbeigehen konnten. (151)

---

149) S.269.

150) Vgl. S.275, wo Hempel von Unkollegialität Gottfrieds spricht.

151) Hempel, S.276.

Die Kontinuität im toposhaften Gebrauch nicht verifizierter Thesen und überspannter Einfälle zeigt sich besonders deutlich in der "Bayerischen Literaturgeschichte" von Barthel / Breitenfellner, die vorzugsweise Ergebnisse aus pseudowissenschaftlichem Schrifttum verarbeitet haben:

> Wenn es zutrifft, daß Wolfram in seinem "Parzival" mit der ihm untreu gewordenen Herrin Elisabeth von Vohburg meint, und wenn es weiterhin zutrifft, daß Elisabeth, durch ein ungeschicktes Lob in diesem Gedicht verstimmt, ihre Gunst von Wolfram auf Walther übertrug, dann sind die Goethe und Schiller der ritterlichen Zeit (irgendwie nämlich ist Walther in der Tat "naiv", Wolfram in der Tat "sentimentalisch") in tiefste Tragik verstrickt gewesen. (152)

Eine Reihe von konstitutiven Merkmalen, die insbesondere an der Literaturgeschichtsschreibung zu rügen waren, treten bei Barthel und Breitenfellner gehäuft auf. Bemerkenswert ist die fast schon intim zu nennende Kenntnis der privaten Verhältnisse Walthers und Wolframs und die leichte Hand, mit der das Aufeinanderbezogensein zweier neuzeitlicher Dichter wie mit einer Schablone auf beliebige Vertreter einer lange zurückliegenden literarischen Epoche übertragen wird. Sind es einmal nicht Wolfram und Gottfried, die neben Goethe und Schiller gestellt werden, dann eben Wolfram und Walther oder irgendeine andere Konstellation. Gottfried wird natürlich nicht vergessen, weil er sich vorzüglich für die Strukturierung der hochmittelalterlichen Zeit eignet. Hat er doch mit dem 'Parzival'-Dichter gestritten, der auf die Kritik "an dem 'Vindaere wilder Maere / der Maere Wildenaere'" "teils im 'Willehalm', teils im 'Parzival'" "fehdescharf erwidert" habe.[153)]
Immer wieder sind es 'Parzival' und 'Faust', die nebeneinander- bzw. gegenübergestellt werden: "Wolfram faßt in seinem 'Parzival' das deutsche Mittelalter ebenso zusammen wie Goethe im 'Faust' das aus der Renaissance entsprungene Zeitalter der schöpferischen Persönlichkeit nach Höhe und Tiefe durchmißt."[154)]
Diese Literaturgeschichte mag ein Extremfall sein, was bodenloses Spekulieren und verflachendes Interpretieren betrifft, die meisten Klischees und Scheinergebnisse aber sind den Autoren durch frühere Literaturgeschichten und Einzelstudien zugekommen.

---

152) L.F.Barthel und F.X.Breitenfellner, Bayerische Literaturgeschichte, München [1953] S.77.

153) Barthel / Breitenfellner, S.77 / 78.

154) S.82.

"Die Chronologie der drei großen mittelhochdeutschen Epiker"[155] hat sich in vielen Arbeiten zum Problem einer Dichterkontroverse als wunder Punkt erwiesen. Wer wem vorausgeht beziehungsweise folgt, ist von jedem Forscher anders entschieden worden. Nun scheint es Werner Schröder gelungen zu sein, Indizien dafür zu finden, daß die "Zunftgenossen ... untereinander in reger Kommunikation" gestanden haben. "Sie suchten und fanden Gelegenheiten, die Werke der Gleichstrebenden und Konkurrenten kennenzulernen und sich mit ihnen, zustimmend oder ablehnend, auseinanderzusetzen."[156] Die Suche nach Belegen für diese Annahme Schröders ist vergeblich, bis heute können keine exakten Angaben über Art und Grad der Verständigung oder des Kennenlernens dieser hochmittelalterlichen Dichter gemacht werden. Schröders Diktion ähnelt der John Meiers, der die Informationslücken, die wir für bestimmte Bereiche der mittelalterlichen Zeit haben, mit geschickt plazierten Flickwörtern ohne jede Aussage zu füllen verstand. Ein Beispiel dafür:

> Der mündliche Vortrag der Dichtungen an den höfischen Zentren des literarischen Lebens verschafft ihnen [u. a. den im Titel angesprochenen Dichtern Hartmann, Wolfram und Gottfried] einen (mit den Maßstäben der Zeit gemessen) beachtlichen Grad von Publizität. Auch literarische Fehden wurden wohl [sic!] vielfach an Ort und Stelle ausgetragen und führten zu leidenschaftlichen Parteinahmen der Hörer pro und contra. (157)

Das aus einer größeren Zahl bedeutungsdifferenter Textpartien abgeleitete Problem des kontroversen Verhältnisses einiger Dichter untereinander ist zu zentral,als daß es als gelöst betrachtet werden kann, weil aus der Überlieferung keine genauen Anhaltspunkte für eine Berührung gewonnen werden können. Die Vermutung, daß Dichterfehden wohl oft an Ort und Stelle ausgetragen worden seien, ist kein tragfähiges Fundament für die weitere Forschungsarbeit. Schröder hält es für ausreichend, und er glaubt, es zu verstärken, indem er für den Bereich der Lyrik auf den Parallelfall Reinmar-Walther hinweist.[158] Der Streit zwischen Gottfried und Wolfram sei nicht minder scharf

---

155) Werner Schröder, Die Chronologie der drei großen mittelhochdeutschen Epiker. In: DVjs 31, S.264-302.

156) Schröder, S.268.

157) S.268. Gemeint sind Wörter wie 'wohl', 'in Wahrheit', 'jedenfalls', usw.

158) "Am bekanntesten ist der Streit Walthers von der Vogelweide mit Reinmar am Wiener Hof". (S.268)

gewesen, allerdings "ohne nachweisbare persönliche Berührung".[159] Diese Einschränkung scheint die folgenden Gedankengänge abzudecken. Im Anschluß an John Meier schreibt er ein weiteres Kapitel über die komplizierte Genese der Epen 'Parzival' und 'Tristan'. Er lehnt mit Meier die „Vulgärmeinung ab, daß Gottfried den ganzen 'Parzival' gekannt und daß der in der Dichterschau Geschmähte erst im 'Willehalm' dazu Stellung genommen habe. Meiers recht unzuverlässige Arbeitsergebnisse werden ohne Prüfung zu Tatsachen aufgewertet, etwa die Behauptung, "daß der sagenhafte Kyot und der ganze phantastische Bericht über die Gralquelle eine ironische Verspottung des Quellenfanatikers Gottfried darstellt".[160] Angesichts der Klage Schröders "Erstaunlicherweise sind diese Beobachtungen, die der Forschung manchen Um- und Irrweg - zumal in der Kyot-Frage - hätten ersparen können, lange Zeit so gut wie unbeachtet geblieben"[161] ist man versucht zu sagen: glücklicherweise. Doch da Nichtbeachtung nicht an die Stelle von Auseinandersetzung und Widerlegung treten darf, seien noch einmal die Einwände formuliert: Meiers Kyot-Hypothese hat die Konsequenz, daß alles, was über die bekannte Quelle des 'Parzival', Chrétiens 'Perceval', hinausgeht, durch Wolframs oppositionelle Haltung Gottfried gegenüber motiviert und Produkt der Phantasie sei. Dahinter steht das Bestreben, Wolframs Originalität zu hervorzuheben und ihn zu einem Goethe des Mittelalters zu machen. Weil von Kyot nichts überliefert ist, so Meier weiter, ist seine Nichtexistenz erwiesen. Auch Schröder ist der Meinung, daß Kyot schon deshalb eine Erfindung Wolframs sei, weil die Berufung auf ihn Ähnlichkeit mit Gottfrieds Quellennachweis habe: "Die Parzival-Verse 'Kyot der meister wis diz maere begunde suochen in latinschen buochen' (455,2 ff.) nehmen deutlich auf die Tristan-Verse 'die rihte und die warheit begunde ich sere suochen in beider hande buochen walschen und latinen' (156 ff.) Bezug."[162] Das ist falsch, wenn wir einmal auf die gesamte uns bekannte mittelalterliche Literatur schauen. Die Berufungen auf lateinische Quellen sind überaus zahlreich, was nicht verwundert, weil sich die des Schreibens und Lesens Kundigen im 12. und 13. Jahrhundert des Lateins bedienten, und das sowohl in Deutschland als

---

159) Schröder, S.268.

160) Meier, a.a.O. S.516.

161) Schröder, S.284.

162) ebd.

auch in Frankreich, dessen Nationalsprache zu dieser Zeit schon häufiger für die Darstellung literarischer Stoffe verwendet worden war. Ich will nur drei Beispiele nennen. Am Schluß des 'Rolandsliedes' erzählt der Pfaffe Konrad, daß er die französisch geschriebene Vorlage zuerst ins Lateinische und dann ins Deutsche übersetzt habe.[163]
Als Geistlichem fiel es ihm leichter, nach einem lateinischen Text zu arbeiten.
Der Herausgeber des Buches der Natur von Konrad von Megenberg, Franz Pfeiffer, vermerkt ausdrücklich im Buchtitel: 'Das Buch der Natur von Konrad von Megenberg, die erste Naturgeschichte in deutscher Sprache'. Als Vorlage des um 1350 verfaßten naturkundlichen Werkes diente der 'Liber de natura rerum' des Thomas von Cantimpré, der lateinisch geschrieben war.
Ungefähr ein Menschenalter nach Gottfried von Straßburg hat dessen glühendster Verehrer und Bewahrer seines Stils, Rudolf von Ems, im Prolog zu 'Barlaam und Josaphat' das folgende mitgeteilt:[164]

25 Jôhannes hiez ein herre guot,
der truoc ze gote staeten muot:
van Damascô was er genant,
der diz selbe maere vant
in kriecheschem getihte.
ze latîne erz rihte
durch got und durch alsolhe site,
daz sich die liute bezzern mite.
...
144 ez brâhte her in tiuschiu lant
des ordens von Zîtels ein man,
von dem ichz von êrste gewan:
von Kapelle abbet Wîde.
...
154 ze trôste uns sündaeren
wil ich diz maere tihten,
durch got in tiusche berihten.

Soweit der sehr genaue Bericht über die wechselvolle Geschichte der 'Barlaam'-Vorla-

---

163) Carl Wesle, Das Rolandslied des Pfaffen Konrad. 1928 (=Rheinische Beiträge und Hülfsbücher zur germanischen Philologie und Volkskunde 15). Wichtig sind die Verse 9080 ff.: 'also iz an dem buoche gescribin stat / in franczischer zungen, / so han ich iz in die latine bedwngin'.

164) Rudolf von Ems, Barlaam und Josaphat. Hg. von Franz Pfeiffer. Mit einem Anhang aus Franz Söhns, Das Handschriftenverhältnis in Rudolfs von Ems 'Barlaam', einem Nachwort und einem Register von Heinz Rupp, Berlin 1965. (=Texte des Mittelalters. Deutsche Neudrucke bei de Gruyter, Berlin).

ge. Griechisch, lateinisch und mittelhochdeutsch sind die sprachlichen Etappen dieses legendengaften Stoffes. Die Beispiele, an denen die Abhängigkeit mittelalterlicher deutscher Dichtung von lateinischen Vorlagen deutlich wird, nehmen der Kyotleugnung etwas von ihrer Unumstößlichkeit und schwächt die behauptete Einmaligkeit der Quellenbeschreibung bei Gottfried und Wolfram ab.

Nachdem bereits im VIII. Buch des 'Parzival' auf Kyot hingewiesen worden ist (v.431, 2), nimmt Wolfram im ersten Drittel des IX. Buches mehrmals auf Kyot Bezug, so in den Versen 453,5, 453,11 und 455,2. Der zuletzt genannte Vers ist Teil der Schilderung der komplizierten Genese der Gralsgeschichte. Der Heide Flegetanis, der sich vermutlich eine Zeitlang in Toledo aufhielt, hatte in arabischer Schrift eine Gralsgeschichte geschrieben, die Kyot in jener spanischen Stadt aufspürte. Nach der Lektüre der Geschichte begann er, auch in lateinischen Büchern nachzuforschen, um mehr über die Gralsritter zu erfahren. Er las Chroniken, und in der von Anjou fand er, was er suchte. Soweit unterscheidet sich der Bericht vom Quellenstudium des Autors Kyot kaum von den soeben gegebenen Beispielen. Die Verwendung des Reimes 'suochen' / 'buochen' im 'Tristan' und im 'Parzival' nun soll die bewußte Übernahme beweisen. Doch wer hat von wem "abgeschrieben"? Schröders Erklärung, daß die Stelle bei Wolfram als Antwort auf Gottfrieds übertriebene Quellentreue zu verstehen sei, ist spekulativ. Andererseits könnte jemand behaupten, daß die Stelle bei Gottfried zu den Invektiven gegen Wolfram zu zählen sei, was ebenso spekulativ ist. Der Reim 'suochen'/'buochen' ist viel zu häufig, als daß man an seinen Gebrauch in zwei mittelhochdeutschen Texten derart subtile Interpretationen knüpfen könnte.

Es fällt auf, wie autoritätsgläubig Interpretationen anderer übernommen werden, ohne sie auf ihre Tragfähigkeit geprüft zu haben. Hempels "Nachweis", daß der Hasenvergleich Parz. 1,19 auf Trist. 4638 bezogen sei, arbeitet Schröder in seine Ausführungen ein, obwohl der 'schellec hase' noch immer nicht eindeutig übersetzt werden und Hase nicht einfach gleich Hase gesetzt werden kann. Die Schwierigkeiten bei Trist. 4665 überspringt Schröder auch, wenn er sagt, daß sich Wolfram in Parz. 4,2-8 "selbstbewußt" zu dem 'vindaere wilder maere' bekenne.[165] Vertrauensvoll übernimmt Schröder auch die Deutung Mockenhaupts und Hempels, daß sich die in den beiden Exkursen

---

165) Schröder, S.285. Die Übersetzung Trist. 4665-66 mit dem Singular ist bereits eine Interpretation.

über die 'wîsen' und die 'tumben' enthaltene Kritik auf Gottfrieds und nicht auf Eilharts 'Tristan'-Bearbeitung beziehe. Es ist leider weder "durch Benedikt Mockenhaupt" noch durch "H.Hempel zu unbezweifelbarer Evidenz erhoben worden".[166)]

Das bisher letzte literarhistorisch ausgerichtete Unternehmen, das die ganze Breite der deutschsprachigen Literatur darzustellen versucht, ist die Literaturgeschichte von Helmut de Boor und Richard Newald, deren zweiter Band die höfische Literatur im Zeitraum von 1170 bis 1250 behandelt. Die Frage, ob Gottfried Kenntnis von Wolfram oder Wolfram Kenntnis von Gottfried hatte und ob die möglichen Stufen dieser Bekanntschaft ihren Niederschlag gefunden haben in beider Dichtungen, wird an verschiedenen Stellen zu beantworten versucht. Im Zusammenhang der Erörterung der Kyot-Frage, also des Quellenproblems des 'Parzival', wird von de Boor der Standpunkt vertreten, daß Kyot keine reale Person gewesen sei, sondern seinen Ursprung in Wolframs Phantasie habe. Die Zeit, zu der Wolfram dichtete, verlangte den Nachweis der Quelle, den zu führen Wolfram nicht schuldig geblieben sei:

> Freilich in so Wolframischer Unbekümmertheit und spöttischer Phantastik, daß nicht erst philologische Analyse nötig war, die Maske zu erkennen. Gottfried, der scharfäugige Gegner und schulgelehrte Hüter der Quellenautorität, hat Wolframs ketzerisches Erfindertum durchschaut und ihn "den Finder seltsamer Erzählungen, den Verwilderer der Quelle" genannt, um ihn literarisch zu kompromittieren. Ihn hat keine Kyotfiktion getäuscht. Oder war es umgekehrt? Hat etwa Gottfrieds kritischer Fechterstoß Wolfram, um seinen Gegner zu reizen, erst auf den Einfall einer so offensichtlich fabulierenden Quellenerfindung gebracht, die jeder durchschauen mußte? Das würde erklären, daß die Berufungen auf Kyot erst im VIII. Buch einsetzen. (167)

Im Bereich des Möglichen, ja sogar des sehr Wahrscheinlichen liegt für de Boor nicht nur der einseitige "Angriff" Gottfrieds, repräsentiert durch die 'vindaere wilder maere'-Stelle, sondern auch das dem Vorstellungskomplex "Fehde" zwangsläufig zugrundeliegende wechselseitige Replizieren, indem er Wolframs Kyotnennung als Antwort auf die 'vindaere'-Passage interpretiert. Verdeutlicht wird die Vorstellung einer Fehde und nicht nur einer einseitigen Attacke in de Boors Gottfried-Kapitel, wo er anläßlich der Erörterung des Datierungsproblems schreibt, daß "Gottfrieds heftige Angriffe

---

166) ebd.

167) Helmut de Boor und Richard Newald, Geschichte der deutschen Literatur, 2. Bd., München 1966, S.94.

gegen einen ungenannten Dichter" "nur Wolfram von Eschenbach" meinen können. So seien auch "die wörtlichen Anspielungen auf den dunkeln Prolog des Parzival" "unüberhörbar".[168)]

Damit bleibt de Boor im Rahmen des von der Forschung erarbeiteten Kenntnisstandes, aber es wäre unbillig, ausgerechnet von einer Literaturgeschichte exaktere Ergebnisse zu verlangen. Das Beispiel der bisher untersuchten Literaturgeschichten hat gezeigt, daß diese Gattung der wissenschaftlichen Literatur in den meisten Fällen auf Althergebrachtes oder häufig Beteuertes zurückgreifen muß. Ein Arbeitsprojekt dieser Größenordnung verlangt fast übermenschliches Wissen, so daß der Autor nur aus seinen eigenen Forschungsgebieten Neues beisteuern beziehungsweise das bereits Geschriebene kritisch betrachten kann.

Da Schröder und Wapnewski, auf dessen Beitrag ich noch eingehen werde, stellenweise sehr zustimmend auf Karl Kurt Kleins Forschungen eingehen, möchte ich die Arbeiten des österreichischen Forschers an dieser Stelle im Zusammenhang diskutieren. In vier Aufsätzen hat sich Klein zu dem Fragenkomplex, den die Kontroversenhypothese nach sich zieht, geäußert: 1953 in der Ammann-Festgabe zur Klärung der Beziehungen zwischen Wolfram und Gottfried, 1954 in der Kralik-Festschrift zum Bogengleichnis im 'Parzival' und zu Wolframs "Selbstverteidigung" in der Zeitschrift für deutsches Altertum und schließlich 1961 in einem Sonderband der Beiträge zu Ehren Elisabeth Karg-Gasterstädts zur Entstehungsgeschichte des 'Parzival'.

Der Aufsatz von 1953 untersucht das "Freundschaftsgleichnis" im Prolog des 'Parzival'. Das Gleichnis vom 'valsch gesellecl̂chen muot' (Parz. 2,17 ff.), das in Gestalt einer Fabel vom traurigen Schicksal eines Esels erscheint, möchte Klein nicht im Gesamtzusammenhang des 'Parzival' sehen, sondern erkennt darin vielmehr eine ganz private Anspielung Wolframs auf ein Mitglied seines Freundeskreises, das eine Treulosigkeit an ihm begangen haben soll: Gottfried von Straßburg. Die durch nichts belegte Bemerkung Kleins, daß man "seit langem erkannt [habe], daß der von den Erklärern so hart umstrittene Parzivalprolog von Wolfram der stückweise veröffentlichten Parzival-

168) de Boor, S.128.

dichtung aller Wahrscheinlichkeit nach erst später eingefügt worden"[169] sei, gibt ein Beispiel seiner Arbeitsweise. Die Quelle dieses Gedankens ist Johannes Stosch: "Es ist bekannt dass der Parzival nicht als ein fertiges ganzes, sondern in zeiträumen und stückweise herausgegeben wurde."[170] Sätze dieser Art werden zu wiederholten Malen aufgegriffen und in einer neuen Beweiskette verarbeitet. So geschieht es auch Hempel, den er vereinnahmend zitiert: "Eines seiner [Hempels] Ergebnisse ist, daß der Parzivalprolog gegen Gottfried aufzufassen sei."[171] Hempel hat nur gesagt, daß die Verse 4,9-4,26 den ursprünglichen Eingang darstellten, 1,1-4,8 Ausfluß der Kontroverse mit Gottfried seien.[172] Kaum weniger nachlässig wird an anderen Stellen gearbeitet. Nachdem Klein Gedanken Meiers mit Überlegungen Hempels kontaminiert hat, kommt ihm die Idee, daß der - erst noch nachzuweisende - Gegensatz ein ganz persönlicher gewesen sein müsse, der die literarische Ebene längst verlassen hatte. Er erhärtet diese Idee mit dem Hinweis auf die 'nezzelcrut'-Stelle im 'Tristan'. "Mit dem 'sûren nachgebûr' und dem 'valschen hûsgenoz' bezieht Gottfried sich fraglos auf Wolfram."[173] So fraglos ist das nicht hinzunehmen; ich werde im Interpretationsteil dieser Arbeit noch einmal auf diesen Deutungsversuch zurückkommen.

Der Aufsatz zu Ehren Dietrich Kraliks führt den Gedanken aus, daß Gottfrieds Literaturstelle einem privaten Streit zwischen Gottfried und Wolfram zuzuschreiben sei. Er untermauert diese These mit dem im 'Parzival' ausgeführten Bogengleichnis (241,1-30). Dieses Stück Text berge "deutlich hörbar mehr ... als nur eine einfache Widersage" an Gottfried in sich, es sei vielmehr "eine Warnung, ja eine ausgesprochene Drohung".[174] Die Stelle scheint weit mehr Aufschluß über Charaktereigenschaften

---

169) Karl Kurt Klein, Das Freundschaftsgleichnis im Parzival-Prolog. Ein Beitrag zur Klärung der Beziehungen zwischen Wolfram von Eschenbach und Gottfried von Straßburg. In: Ammann-Festgabe. 1. Teil. (=Innsbrucker Beiträge zur Kulturwissenschaft 1.) Innsbruck 1953, S.75-94. Zur Stelle s. S.79.

170) Stosch, S.1.

171) Klein, S.79.

172) Hempel, Kleine Schriften, S.261.

173) Klein, S.80.

174) Karl Kurt Klein, Gottfried und Wolfram. Zum Bogengleichnis Parzival 241,1-30. In: Festschrift für Dietrich Kralik. Dargebracht von Freunden, Kollegen und Schülern. Horn 1954. S.145-154. Zur Stelle s. S.150/151.

Gottfrieds zu geben, als der um Objektivität bemühte Leser ahnt. Der 'ulmige stoc' (241,30) sei eine "Anspielung auf Gottfrieds reife Lebenszeit (Tr. 41 f. u.ö.)".[175] Der Gebrauch des Wortes 'boc' schließlich sei ebenfalls im Hinblick auf Gottfried erfolgt, die Bedeutung des Wortes reiche vom Sturen über das Geile bis hin zum Stinkenden. Sturheit habe Gottfried "im Streit mit Wolfram unentwegt bezeugt und sie wird ihm durch Kenner unserer Zeit von Burdach bis zu John Meier und Ehrismann neu bestätigt." Wenn diese Kenner behaupten, daß sich Gottfrieds Sturheit allenthalben zeige, werden sie über den 'Tristan' hinaus Materialien gefunden haben, die diese Permanenz beweisen. Denn von Sturheit wird im allgemeinen nur gesprochen, wenn zu wiederholten Malen wider bessere Einsicht auf einer bestimmten Ansicht beharrt wird. Auch intensivstes Suchen konnte bislang von diesen Materialien nichts zu Tage fördern, so daß den von Klein zitierten Forschern und ihm selbst der Vorwurf ungenauen Arbeitens gemacht werden muß.

Der Scheltlied-These, die Haupt und Stosch formuliert hatten, stimmt Klein ebenfalls zu und erweitert sie leichthin um den Zusatz, daß Isolde die Gescholtene sein müsse. Diese Kombination verschiedener Gedanken übernimmt Werner Schröder, er mag auf Grund von Kleins Forscherautorität von der Richtigkeit des Gedankens überzeugt sein. Was auch immer das Movens für Wolframs Verteidigung gewesen sein mag, ob das Verhalten der Gottfriedschen oder der Eilhartschen Isolde oder einer Dame von Fleisch und Blut aus seiner engsten Umgebung, wir wissen es nicht und können bis zum heutigen Tage keine genauen Angaben dazu machen.
Andere, nicht minder fabulöse Forschungsergebnisse Kleins werden von Schröder mit außerordentlicher Nachsicht und insgeheimer Zustimmung zitiert, so etwa die Vorstellung von einer Hausgenossenschaft und Freundschaft zwischen Wolfram und Gottfried, die durch die Schuld des letzteren in die Brüche gegangen sein soll. So etwas Ähnliches wie die Vorstellung vom Gemeinsam-Durch-Die-Gaue-Reiten der hochmittelalterlichen Dichter, wie Wolfgang Goetz ironisch formuliert hatte, scheint in der Mediävistik noch immer lebendig zu sein.

Von früheren Forschungsergebnissen wendet sich Schröder nun zum Kernproblem seiner Studie, der Chronologie. Was er dazu schreibt, ist vage Vermutung, z.B. daß

---

175) Klein, S.151.

das V. Buch des 'Parzival' auf Burg Wildenberg[176] entstanden sei und daß Wolfram am thüringischen Feldzug König Philipps teilgenommen habe.[177] Auch diese Kontamination von Gedanken Meiers, Hempels, Kleins und Schröders wird nicht die Zustimmung kritischer Textleser finden:

> Wir geraten so mit unseren zeitlichen Ansätzen bedenklich ins Gedränge. Für die Vollendung des Parzival einschließlich der Zusätze zum ersten Teil steht uns bestenfalls der Zeitraum von 1203, dem Datum der 'Erstausgabe', bis 1212, dem aus der Erwähnung des 'drîbock' gefolgerten Anfangsjahr des Willehalm zur Verfügung, dessen Prolog 4,20ff. auf das fertige Werk Bezug nimmt. Und in dieser eher zu reichlich als zu knapp bemessenen Spanne - der Feldzug 1203/04 scheidet für die Weiterarbeit weitgehend aus, und der Willehalm kann schon vor 1212 begonnen sein - müssen wir auch noch den gesamten Tristan unterbringen. Das ganze Fragment muß Wolfram mindestens einige Zeit vor dem Abschluß seines ersten Epos zugänglich gewesen sein, und es kann wegen der Gleichung Tr. 7935 ff.~P. 481,6ff. erst im zweiten Jahrfünft des 13. Jhs. begonnen sein. Gottfrieds Schaffenszeit wird dadurch aufs äußerste eingeengt. (178)

Einen Teil der Mutmaßungen, die hier gesammelt sind, habe ich schon erörtert. Neu sind im Zusammenhang mit der Kontroversenhypothese die Jahreszahlen, die die Arbeitsetappen am 'Parzival' bezeichnen sollen, und die Behauptung, daß zwischen 1203 und 1204 die Arbeit stagniert hätte. Dies alles kann nicht aus den Texten abgeleitet werden, es sei denn, daß das erst noch zu Findende schon vor jeder Interpretation in sie hineingelegt worden ist.

Nur ganz Zuversichtliche werden diese Schlußfolgerung akzeptieren: "Jedenfalls wird man die Möglichkeit zugestehen müssen, daß es für Gottfried mancherlei Wege gab, sich über die literarische Produktion des großen Eschenbacher Rivalen auf dem laufen-

---

176) Damit folgt er der These Albert Schreibers, daß 'Wildenberc' (Parz. 230,13) identisch sei mit der Burg der Freiherren von Durne bei Amorbach im Odenwald.

177) Schröder, S.292 und weiter vorn.

178) Schröder, S.294.

den zu halten."[179] Das ist schwer in Einklang zu bringen mit dem weiter vorn geäußerten Gedanken, daß der 'Tristan' in seinem ganzen, wenn auch fragmentarischen Umfang vor Vollendung des 'Parzival' in Wolframs Hand gewesen sein müsse. Nach den Regeln der Vernunft müßte es eigentlich so gewesen sein: Der Eschenbacher setzte alles daran, um über die Arbeit seines elsässischen Rivalen "auf dem laufenden" zu bleiben. Solche Irrtümer bleiben in der Forschung gern unbemerkt, weil sich die Fachkollegen in der Frage der Dichterkontroverse im Prinzip bereits einig sind.

In thematisch anders orientierten Arbeiten wie etwa dem Aufsatz von Fritz Tschirch zum 'Helmbrecht' ist die Fehdevorstellung als fester Bestandteil in die Darstellung von literarischen Verhältnissen im 12. und 13. Jahrhundert integriert:

> Niemand scheint bisher aufgefallen zu sein, daß zu diesen drei entscheidenden Meistern [Wolfram, Neidhart, der Stricker] , an denen sich der Helmbrecht-Dichter geschult hat, von denen er angeregt und tief beeindruckt worden ist, noch ein vierter kommt, dessen dichterische Eigenart sich nicht minder spürbar auf die kompositorische wie die stilistische Gestaltung des kostbaren Kleinkunstwerks ausgewirkt hat: es ist kein geringerer als Wolframs Gegenspieler Gottfried von Straßburg. (180)

Der Gedanke einer Gegnerschaft wird uneingeschränkt vorgetragen und wie ein Stereotyp gebraucht. Es ist ein literaturwissenschaftlicher Topos geworden.

> Zugleich zeigt die Verschmelzung so heterogener Bestandteile zu harmonischer Einheit in diesem Werk, wie zur Zeit seiner Entstehung das Feldgeschrei der ersten Jahrzehnte des 13. Jahrhunderts: Hie Wolfram! Hie Gottfried! und dann: Hie Neidhart! Hie Gottfried! ebenso wie die persönlichen Mißhelligkeiten verstummt waren, die wir nach den ergebnisreichen Untersuchungen Karl Kurt Kleins in Wolframs und Gottfrieds Werk heute deutlicher widertönen hören als bis noch vor kurzem. (181)

Immer neue Assoziationen stellen sich angesichts der "Kontroverse" ein, Kampfesvorstellungen - Mann gegen Mann und Schar gegen Schar - sollen der Zeit, in der Wolfram und Gottfried lebten und arbeiteten, mehr Tiefenschärfe verleihen. Das Stadium der Heranziehung von Textbelegen für bestimmte Annahmen ist längst verlassen.

---

179) S. 300/301.

180) Fritz Tschirch, Wernhers "Helmbrecht" in der Nachfolge von Gottfrieds "Tristan". In: Beiträge zur Geschichte der deutschen Sprache und Literatur, 88. Bd., Tübingen 1958, S.292-314. Zur Stelle s. S.292.

181) Tschirch, S.314.

Ernst Ochs, begeisterter Anhänger und Verfechter der Wildenberg-These Schreibers, bemüht sich mehr um Verklärung als um Erklärung bei der Frage nach dem Aufentshaltsort Wolframs. Von den Höhen bei Straßburg herabblickend wird er nordöstlich von Heidelberg Wolframs "Wohnsitz" Wildenberg bei Amorbach gewahr, mit dem der Dichter des 'Parzival' auf so eitle Weise im V. Buch (230,13) prahle. Dieses ungebührliche Benehmen habe Gottfried nicht ruhig bleiben lassen und ihm die spitze Feder, mit der er die 'wildenaere'-Invektive schrieb, in die Hand gezwungen. Diese Schmährede sei aber nicht deutlich auf eine Person bezogen, sondern verschleiere den Sachverhalt, indem von Gottfried "eine ganze Gattung von Dichterlingen" angegriffen werde, "ihr Führer jedoch nicht genannt wird". Damit diese außerliterarischen Spielereien mehr Gewicht bekommen, werden inhaltliche Gesichtspunkte hinzugezogen, die keinerlei Beziehung zueinander haben: "Die Feinsinnigen aber, die edeln Herzen Gottfrieds wußten mehr: 'der wilden/āre' ist zugleich der 'wildenbergāre'."[182)]

> Gibt man diesen Gedanken ein wenig Muße, so erhält die Reihenfolge Hartmann, eingekeilter Wolfram, Blīggēr eine vernichtende Deutlichkeit: Auf kleinem Raum im Odenwald nebeneinander dichten zwei Männer. Der Wildenberger ist ein Gauner, ist nicht einmal ein Künstler. Der Neckarsteinacher ist der unübertreffliche und vorbildliche Artist. (183)

Hier wird eine Art des Forschens präsentiert, die sich - versunken in Muße und Beschaulichkeit - romantischem Wunschdenken hingibt. Man lebt gleichsam mit den Objekten der Wissenschaft, und da der kritische Abstand fehlt, ist das so Erforschte irrational.

Der englische Germanist Frederick Norman greift mit einem Beitrag zur Feindschaft zwischen Wolfram und Gottfried in die Fehdediskussion ein. Er schreibt, daß Wolfram nicht namentlich bei Gottfried erwähnt sei, auch die in seinem Werk vorkommenden Personen nicht, möglicherweise mit einer Ausnahme:

Parz. 73,14 der minnen gernde Riwalin,
von des sper snite ein niuwe leis.
daz waz der künec von Lohneis,
sine hurte geben kraches schal.

---

182) Ernst Ochs, Gottfrieds wildenāre. In: Archiv für das Studium der neueren Sprachen, 197, 1961, S.126.

183) Ochs, S.126.

Dieser Riwalin, Vater Tristans und Hauptfigur der Vorgeschichte, wird von Gottfried anders vorgestellt:

Trist. 324 genuoge jehent und waenent des,
der selbe herre er waere
ein Lohnoisaere,
künec über daz lant ze Lohnois:
nu tuot uns aber Thomas gewis,
derz an den aventiuren las,
daz er von Parmenie was ...

Dazu bemerkt Norman: "The name Riwalin in 'Parzival' is in fact most likely to go back to Eilhart von Oberg whose version of the 'Tristan' story Wolfram certainly knew."[184] Obwohl er Eilharts Rolle bei der Übermittlung des 'Tristan'-Stoffes an Wolfram für sehr wichtig hält - er weist zum Beispiel auf die Namenform Isalde bei Wolfram (Parz. 187,19f.) hin - sagt er ohne Einschränkung: "The most famous literary quarrel in medieval german literature is that between Wolfram and Gotfried."[185] Obwohl er Meiers Vortrag vor dem Basler Philologenkongreß als ersten ernsthaften Versuch bezeichnet, die Kompliziertheit des Aufeinanderbezogenseins von 'Parzival' und 'Tristan' deutlicher zu machen, macht er Einwände gegen die Interpretation der Kurvenalstelle und der Veldekestelle im 'Parzival'. Die Kenntnis von Curvenal könne Wolfram durch Eilhart zugekommen sein, und der Tadel an Veldeke sei viel zu allgemein gehalten, als daß er als Abschwächung des Gottfriedschen Lobes bezeichnet werden könne: "However, the comparison of the growth of literature and and the growth of a tree is commonplace, and can prove little."[186]
Wolframs Berufung auf Kyot zu Anfang des VIII. Buches, die Meier als ironische Replik auf Gottfrieds Quellentreue interpretiert hatte, enthält einen weiteren Hinweis für Norman: "It would prove the priority of Gotfried".[187] Dies alles wird jedoch - und damit hebt sich Norman von vielen seiner Fachkollegen ab - in Form von vorsichtigen Vermutungen vorgetragen. Auch hinsichtlich der Frage nach der Chronologie

---

184) Frederick Norman, The enmity of Wolfram and Gotfried. In: German Life and Letters, 15. Bd., 1961/62, S.53-67. Zur Stelle s. S.56.

185) Norman, S.59.

186) Norman, S.61.

187) S.62.

von 'Tristan' und 'Parzival' zieht er vorsichtig Bilanz. Zur Zeit sei es lediglich möglich, zu einigen unsicheren Folgerungen zu kommen, da zu wenig Anhaltspunkte für eine "convincing chronology" greifbar seien. Norman schließt mit dem Ausblick, daß auf Grund des in allen Dichtungen Wolframs sichtbar werdenden Temperaments mit vollem Recht nach weiteren Beweisen für diese tödliche Rivalität gesucht werden dürfe.

Acht Jahre später löst Norman in einem Aufsatz zu Ehren Bonaventura Tecchis diese Forderung ein und trägt neues Material zur Frage der Fehde zwischen Gottfried und Wolfram bei. Im ersten Teil des Festschriftbeitrages setzt er sich kritisch mit einer Reihe von Interpretationsversuchen auseinander, die in dieser Arbeit ebenfalls wenig Zustimmung gefunden hatten. Ich fasse Normans Beurteilung als Bestätigung meines eigenen Urteils über diese Interpretationsansätze auf, da mir der Aufsatz erst kurz vor Arbeitsschluß bekannt geworden ist.
Mit großer Unbestechlichkeit beurteilt er die Deutungsversuche der Kollegen und bemerkt dann: "Zu den meisten Theorien, die über das hinausgehen, was man schon vor über hundert Jahren zu wissen glaubte, kann man höchstens sagen: so könnte es gewesen sein."[188)] Aber er wird noch schärfer:

> Die Spitzfindigkeit, mit der man vermeintliche Beziehungen aufdeckte, hat denn auch letzthin dazu geführt, daß berechtigte Zweifel an der Realität der ganzen Dichterfehde geäußert worden sind. (189)

Von der Annahme, daß Gottfrieds Ungenannter in der Dichterschau Wolfram sei, möchte er allerdings nicht abgehen. Mit Bezug auf Hempel und Klein betrachtet er die Verse 2, 17 ff. des 'Parzival'-Prologes, in denen Wolfram vom 'valsch geselleclîchen muot' spricht, und die angeblich korrespondierende 'nezzelcrut'-Stelle im 'Tristan' und kommt zu dem Schluß, daß "Hempel und Klein ... sich mit großer Einfühlungsgabe aber doch wohl mit zweifelhaftem Erfolg bemüht [haben], das Parzival-Zitat zu verbinden mit Tristan 15047 ff."[190)] Vor der Auseinandersetzung mit Peter F. Ganz,

---

188) Frederick Norman, Meinung und Gegenmeinung: Die literarische Fehde zwischen Gottfried von Straßburg und Wolfram von Eschenbach. In: Miscellanea di studi in onore di Bonaventura Tecchi. Bd. 1 [Rom] 1969 , S.67-86. Zur Stelle s. S. 69.

189) Norman, S.69/70.

190) S.73.

dessen Aufsatz ich am Schluß dieses Kapitels bespreche, stellt Norman eine Frage, die in der Tat schwer zu beantworten ist: "Wer soll dieser Anonymus gewesen sein, der nach Hartmann seine Tätigkeit begonnen hat und der am Leben ist. Es muß auch ein Dichter sein, vor dem Gottfried trotz seines Angriffs Respekt hat und dessen Einfluß er mit Recht fürchten muß".[191] Jeder, der die Kontroversenhypothese zu bestätigen oder zu widerlegen versucht, muß sich diese Frage selbstverständlich stellen. Sie wäre leichter zu beantworten, wenn die Literaturstelle im Bereich der 'vindaere' - Verse eindeutig eine Person meinte, was aber nicht der Fall ist. Deshalb ist Normans abschließende Überlegung angreifbar:

> Der Anonymus jedoch bei Gottfried ist ganz bestimmt Wolfram, und wenn auch die Zeitgenossen die verzwickten Auslassungen mancher moderner Gelehrten über vermeintliche Angriffe in Wolframs Parzival kaum begriffen haben würden, was Gottfried sagte, war nicht mißzuverstehen, und von den 'edelen herzen' schon ganz und gar nicht. (192)

Die Position, daß die Zeitgenossen schon verstanden hätten, wen Gottfried meinte, besagt, daß im Stillen die Hoffnung gehegt wird, der Deutungsversuch möge zutreffen. Ich halte es nicht für gut, wenn die Einschätzung der damaligen Verhältnisse aus heutiger Sicht dem literarischem Publikum des späten 12. Jahrhunderts in den Mund gelegt wird.

Die Diskussion der sich diametral verhaltenden Kunstauffassungen Wolframs und Gottfrieds führt Peter Wapnewski zur Frage nach dem Grad ihrer "Verbundenheit im Widerstreit", nach der Art der "Gemeinsamkeit in der Rivalität".[193] Dieses Problem setzt er zu den Vorgängen der Reinmar-Walther-Fehde in Beziehung: "Grundsätzlich liegen die Dinge hinsichtlich der agonalen Beziehungen zwischen Reinmar und Walther sowie zwischen Wolfram und Gottfried nicht ungünstig, da die vier Dichter ihre gegensätzlichen Positionen gelegentlich mit unmißverständlicher Deutlichkeit in ihrer Poesie angezeigt haben."[194] In zahlreichen von mir untersuchten Arbeiten wurde das am Babenberger Hof vermutete Geschehen assoziativ zu den Beziehungen zwischen Wolfram

---

191) S.81.

192) S.86.

193) Wapnewski, a.a.O. S.173.

194) ebd.

und Gottfried gesehen. Bei Wapnewski wird deutlicher, welch prägende Kraft dieser "parallele" Vorgang auf die Konstatierung und Etablierung einer Gottfried-Wolfram-Fehde ausgeübt hat.
Da Wapnewski das Augenmerk besonders auf stilistische Momente lenkt - im Zentrum seines Interesses stehen die Schmerzgebärden der Heldenmütter Herzeloyde und Blancheflur - kommt es nicht zu komplizierten Verknüpfungen von 'Parzival'- und 'Tristan'-Stellen. Wapnewskis Argumentation wird beeinflußt durch seine zustimmende Haltung Karl Kurt Kleins Arbeiten gegenüber, die ihm jedoch den kritischen Satz erlaubt, "daß man leicht einer blinden Fährte nachspürt, mindest jedoch der Vermutung häufig den Platz des angestrebten Beweises einräumen muß".[195] Das ist so wahr, aber es trifft gerade auf Klein nicht zu. Ohne Zweifel ist er einer der Eifrigsten bei der Verdeutlichung des privaten Kleinkrieges Gottfrieds mit Wolfram gewesen; daß er immer ein um Objektivität und Klarheit der Beweisführung bemühter Betrachter der mittelalterlichen Texte war, möchte ich bezweifeln. Für Klein steht vorher bereits fest, was er doch erst herausfinden wollte, etwa, daß Gottfried immer "genannt und ungenannt", der sichtbare und unsichtbare Gesprächspartner Wolframs gewesen sei, "mit dem unter- und oberirdisch die Auseinandersetzung geführt wird".[196]
Wapnewski übernimmt Kleins Ansatz und erweitert ihn, indem er dem Vorgang eine gewisse Reziprozität zuschreibt: "Wolfram seinerseits [war] Gesprächspartner Gottfrieds".[197]
Das ist eine Erweiterung, die Konsequenzen hat: 1. Es wird vorausgesetzt, daß beide Dichter nicht nur zur gleichen Zeit gedichtet haben, sondern auch gegenseitig Kenntnis von den Arbeitsprojekten hatten. 2. Es wird vorausgesetzt, daß ein außerordentlich gut funktionierender Kommunikationskanal vorhanden war. Beide Voraussetzungen entbehren nicht eines hohen Spekulationsgrades.
Wapnewski stimmt auch darin mit Klein überein, "daß Wolfram aus Widerstand gegen Gottfried bewußt von seiner Quelle Chrestien abweicht".[198] Konkreter gesagt:

---

195) Wapnewski, S.173.

196) Karl Kurt Klein, Zur Entstehungsgeschichte des Parzival. In: PBB 82, (Halle) 1961, Sonderband, S.13-28. Zur Stelle s. S.

197) Wapnewski, S.175.

198) Wapnewski, S.175.

> Die Frauen, denen Wolfram gleiche Namen zu geben sich schämte, und denen er, wie wir wissen, verschiedene Namen gegeben hat, sind zunächst die Gestalten der Gattin Parzivals bei Chrestien und in seiner eigenen Dichtung. Der verfemte Name, wegen dessen 'diu maere' geteilt werden müssen, weil die eine Trägerin 'schnell zur Falschheit', die andere 'der Falschheit bar' ist, lautet Blanschefl(e)ur. (199)

Wolfram hat hier zweifellos geändert, ob jedoch aus eigenem Antrieb oder unter dem Zwang einer anderen Vorlage, ist nicht entschieden.[200] Da dieser Namenswechsel nicht so einzigartig ist, halte ich es für möglich, daß diese Namen aus einer anderen Vorlage stammen. Auch Gawans Schwester, bei Chrêtien Clarissanz, erhält bei Wolfram einen anderen Namen: Itonje.[201] Und Gawans Großmutter (Artus' Mutter) heißt bei Chrêtien Yguerne (Conte del Graal v. 8742), im 'Parzival' Arnive.[202] Klein kommt dann auf die angebliche Ähnlichkeit der Vorgeschichten von 'Tristan' und 'Parzival'. Die 'veve dame' (verwitwete Dame) des 'Conte del Graal' müßte im 'Parzival' eigentlich auch Blancheflur heißen, da diese Vorgeschichten deutlich aufeinander bezogen seien. Doch dieser bereits von Gottfried benutzte und damit entehrte Name "konnte für die Idealgestalt der Gattin und Mutter in seiner eigenen Dichtung ... nicht mehr in Frage kommen".[203] Dieser merkwürdige Gedanke wird an der Stelle präzisiert, wo Klein von dem Entstehen der Vorgeschichte des 'Parzival' berichtet.

> Hatte nun Wolfram an dieser Stelle, die im Zusammenhang der Erzählung zwischen Parzivals Geburt und frühester Jugend zu stehen hatte, das Gegenbild der Empfängnis, Geburt und frühen Jugend Tristans vor Augen, so hätte er auch für die Mutter Parzivals den Namen Blanscheflur erwägen müssen. So heißt bei Gottfried die Mutter Tristans. Auch sonst ergeben sich in äußeren Bezügen zwischen den beiden Erzählungen Gleichläufe. (204)

Klein meint, weil dieses Stück keine Entsprechung bei Chrêtien habe, sei es von Wolf-

---

199) Klein, Zur Entstehungsgeschichte des Parzival, S.16.

200) Natürlich hat er nur einmal geändert, wie könnte er an Chrêtiens 'Conte del Graal' noch etwas verändern?

201) Vgl. dazu Hilkas Anmerkung zu v. 8269 seiner 'Conte del Graal'-Ausgabe (S.764): "Ebenso wie in Cligés 467 Christian sich erlaubt hat, entgegen der sonstigen Überlieferung eine Schwester Gauvains=Soredamors einzuführen, tut er es hier für seine Clarissant ... - Bei Wolfram heißt sie Itonjê ... In der Crône 21031: Clarisanz."

202) Vgl. die Chastel-Marveile-Szene.

203) Klein, S.19.

204) Klein, S.17.

ram als bewußtes Dichten gegen Gottfried zu verstehen. Unsinnig ist der Gedanke, daß Wolfram hier eigentlich auch den Namen Blanscheflur hätte verwenden müssen, denn vorher hatte Klein ausdrücklich gesagt, daß Wolfram sich dieses Namens nicht bedienen konnte, da er durch Gottfried entehrt worden war. Diese Spekulationen sind viel zu kompliziert und haltlos, denn nichts spricht dagegen, daß dieses Stück samt dem Namen Herzeloyde aus einer anderen Quelle stammt. Der Blick auf den gesamten 'Parzival' zeigt, daß Wolfram viel mehr Namen hat als Chrêtien und auch öfter von ihm abweicht, so daß es schwierig wird, für all diese Fälle die Antithese, die Gottfried herausgefordert haben soll, verantwortlich zu machen.

Daß Wolfram sich nicht für Chrêtiens Namen Blancheflor, sondern für Herzeloyde entschieden hat, kann auch damit erklärt werden, daß dieser Name bereits an die Zentralfigur eines anderen Sagenkreises, der durch Eilhart bekannt geworden war, vergeben ist. Der 'Tristrant' war zu Wolframs Zeit einigermaßen verbreitet, und er verwendet auch dessen Namenform: Isalde. Schon um Verwechslungen zu vermeiden, hat Wolfram vielleicht der 'veve dame' den Namen Herzeloyde gegeben.

Auf Kleins Vorarbeiten bauend, entwickelt Wapnewski den Gedanken, daß Gottfried die Klageszene mit Blanscheflur "bewußt Punkt um Punkt einer entsprechenden bei Wolfram entgegengearbeitet hat".[205] Ich glaube, daß die Verse, auf die Klein seine Interpretation stützt, das in sie Gelegte nicht hergeben. Der Angelpunkt liegt für Klein in den 'Parzival'-Versen 116,10-12, deren Sinn jedoch erst klar wird, wenn die beiden folgenden Verse hinzugenommen werden. Diese fünf Verse stellen den Anfang des III. 'Parzival'-Buches dar, wo bis v. 116,18 in allgemeinen Worten über das Wesen der Frauen gesprochen wird und erst danach die Lebensumstände einer bestimmten Frau - Herzeloyde - geschildert werden. Es sind Überlegungen, die die Ambiguität im Verhalten der Frauen zum Thema haben: die Frau sei sowohl treu als auch allzuschnell zur Treulosigkeit bereit. Deshalb bekümmere es ihn (Wolfram), daß sich die eine wie die andere 'Frau' nennen dürfe. Danach geht er zur Schilderung des Einsiedlerlebens der Herzeloyde im Wald von Soltane über. Mit keinem Satz konnte Klein überzeugen, daß jener Buchanfang gegen Gottfried gerichtet sei, gegen seine "unkeusche" Heldenmutter Blanscheflur. Wolfram hat mit anderen Menschen zusammengelebt und hat seine Erfahrungen mit ihnen gemacht. Daß nicht diese, sondern eine li-

---

205) Wapnewski, S.176.

terarische Figur Bezugspunkt ist, ist bei Klein nicht deutlich geworden.

Wapnewskis Ansatz - die Parallelisierung zweier Klageszenen - aufgreifend, kritisiert Alois Wolf, daß dadurch die "Rivalitätsperspektive" übermäßig strapaziert würde, so daß die daran anschließende Interpretation isolierend wirke. Es seien drei aufeinander bezogene Klageszenen im 'Tristan', die eine kompositorische Einheit bildeten: "Die enge Verzahnung der drei Klageszenen schließt es aus, daß nur die dritte Szene - wie Wapnewski meint - auf Wolfram bezogen sein könnte."[206] Wenn überhaupt, dann müßten, so Wolf, alle drei Szenen durch Wolfram beeinflußt sein, was aber nicht zutrifft. Was wie grundsätzliche Kritik aussieht, ist jedoch nur punktuelle Korrektur.
Es ist auch Wolf entgangen, daß schon die Ausgangsbasis, die vermeintliche Fehde, angreifbar ist. Sein Vorschlag zeigt, wie beliebig die Standpunkte in dieser Frage gewechselt werden können: "Ließe es sich nicht denken, daß Wolfram es war, der aus der Antithese heraus dichtete, seine Herzeloyde der Blanscheflur der Tristansage entgegenstellte?"[207] Indem Wolf von der "Blanscheflur der Tristansage" spricht, räumt er wieder die Möglichkeit ein, daß Wolfram durch Eilhart zum Widerspruch gereizt worden sein könnte. Doch war das seine Intention?
Trotz aller Verbesserungen zu Wapnewskis Ausführungen scheint dieses für Wolf festzustehen: "Die auffallende Ähnlichkeit der Szenen und ihre Funktion im Ganzen der Werke aber bleibt bestehen, wozu noch kommt, daß die Fehde zwischen Gottfried und Wolfram eine feste Tatsache ist."[208]
Ich hoffe, auf den vorangegangenen Seiten deutlich gemacht zu haben, daß dieser Optimismus unberechtigt ist. Einige der Grundlagen, auf denen die Fehdehypothese aufbaut, haben sich als nicht tragfähig erwiesen, da sie nicht mittels objektiver Forschung gewonnen wurden.

Von der Erörterung sprachgeschichtlicher Probleme führt ein Nebenpfad Hans Eggers zu biographischen Einzelheiten von Dichtern im hohen Mittelalter. Der Satz im 'Parzival' 'ich ne kan deheinen buochstap', der das Bekenntnis des Nicht- Lesen-bzw.

---

206) Wolf, Die Klagen der Blanscheflur, S.73.

207) Wolf, S.

208) Wolf, S.74.

Nicht-Schreiben-Könnens enthält,[209] sei ein Hinweis darauf, daß Wolfram "seiner eigenen, von Gott gnädig gewährten Inspiration vertraut" habe.[210] Obwohl diese Auslegung mittelalterlichem Denken adäquat ist, ich erinnere nur an Gottfrieds Ausführungen anläßlich des Musenanrufs im 'Tristan', suggeriert sie die Vorstellung, daß Wolfram der gesamte 'Parzival'-Stoff durch göttliche Inspiration zugekommen, also Produkt der Phantasie sei. Die Erwähnung Meister Cristjans im Epilog des 'Parzival' und die streckenweise Kongruenz im Handlungsablauf zeugen von Wolframs Quellenabhängigkeit. "Daß Wolframs - unzeitgemäß kühnes - Wagnis, sich bei der Wahrheitsfindung auf die Inspiration verlassen zu wollen, ihm den schärfsten Vorwurf seines großen Widersachers Gottfried von Straßburg einträgt",[211] hätte die Konsequenz, daß Gottfried der Roman eines ungefähr eine Generation vor ihm schaffenden französischen Epikers, Chrêtiens von Troyes, unbekannt geblieben ist. Und dies trotz der ausgezeichneten Französischkenntnisse und der räumlichen Nähe? Nur wenn Gottfried den 'Conte del Graal' nicht gekannt hat, was wir aber nicht wissen, ist das folgende denkbar:

> Dieser [Gottfried] bezichtigt ihn, ein 'vindaere wilder maere', ein 'Erfinder unverbürgter Geschichten' zu sein. Der Tadel trifft Wolfram so hart, daß er später - wie es nach ihm auch andere Dichter taten - eine schriftliche Quelle fingiert, um die erschütterte Autorität seines eigenen Werkes wiederherzustellen. (212)

Zum Schluß möchte ich auf einen der kritischsten Beiträge zur "Dichterkontroverse", auf Peter F. Ganz und seine Titelfrage: "Polemisierte Gottfried gegen Wolfram?" eingehen.

Er bemängelt etwa bei Klein, daß dieser expressis verbis darauf verzichtet, "den Text zum Ausgangspunkt für einen Interpretationsversuch" zu machen.[213] Bei vielen anderen Autoren, die im rezeptionsgeschichtlichen Teil meiner Arbeit vertreten sind, hat dieser Verzicht oft zu falschen Einschätzungen der Textsituation geführt. Ganz betont

---

209) Ein Satz, dessen buchstäbliche Bedeutung verschiedentlich in Frage gestellt und als typisch Wolframsche Übertreibung gewertet worden ist.

210) Hans Eggers, Deutsche Sprachgeschichte, Band II. Das Mittelhochdeutsche. rde 191/192, 1965, S.76.

211) Eggers, S.80. 212) ebd.

213) Peter F. Ganz, Polemisierte Gottfried gegen Wolfram? In: PBB 88 (Tüb.) 1967, S.68-85. Zur Stelle s. S.72.

zu Recht, daß es heute durchaus nicht überflüssig ist, auf den Text zurückzugehen und schwierige Stellen gewissenhaft zu übersetzen. Wohl gibt es zu mehrdeutigen Textabschnitten Deutungsvorschläge, aber keine abschließenden und allseits anerkannten Urteile. Ob Gottfrieds 'vindaere wilder maere' - Stelle gegen Wolfram gerichtet sei oder aber einen anderen Personenkreis meint, sei für die Forschung keine Frage mehr.[214)]
Von der "allgemeinen Meinung" nicht allzu beeindruckt, bemerkt Ganz zur zentralen Stelle Trist. 4621 - 90, daß die Verse als Einheit aufzufassen seien und eigentlich nur der Vers 4638 'swer nu des hasen geselle si' besonders problematisch sei.
Einige widersprüchliche Interpretationen werden dann vorgestellt, z.B. von Hempel, der anläßlich der Prioritätenfrage des Hasenvergleichs geschrieben hatte: "Aber man nahm es in solchen Plänkeleien nicht so genau."[215)] Ganz stellt daraufhin die richtige Frage: "Wenn aber das Bild vom Hasen ... vielleicht doch formelhaft war, und ma man es bei solchen literarischen Polemiken überhaupt nicht so genau nahm, wie sollte dann das Publikum verstehen, wer bei einem derartigen Angriff gemeint war?"[216)]
Für Gqnz ergibt sich "das Bild des Hasen" "ganz natürlich aus dem Topos der Wortheide",[217)] und die anschließenden Verse erklärt er mit Sawicki aus der rhetorischen . Tradition; m.E. sind Bezüge auf die Mittelalterzoologie und besonders die Jagd deutlich genug, um eine Interpretation in dieser Richtung zu versuchen.

> Das, was in dem Excurs als mögliche Polemik gegen Wolfram verstanden werden könnte, bleibt also höchst vage und unpräzis, aber die Germanistik konnte sich über die Schwierigkeiten hinwegsetzen, weil sie ja von vorneherein wußte, daß ein Gegensatz zwischen Gottfried und Wolfram existierte, und daß Gottfried an dieser Stelle den tiefsten und größten Dichter des deutschen Mittelalters nicht auslassen konnte, sondern ihn - wenn auch nur polemisch und anonym - erwähnen mußte. Es stellt sich nun die Frage, ob diese, uns heute so offenbare, Opposition auch die für die Zeitgenossen ebenso selbstverständlich war, ob wir uns also von diesem posthumen 'Wissen' befreien können. (218)

---

214) Auf S.70 schreibt er: "Gerade diese Art der Argumentation, die das noch zu beweisende schon als 'communis opinio' akzeptiert und sich, und dem Leser, die Demonstration erspart, läßt aufhorchen und zum Text zurückgreifen." (S.70)

215) Hempel, Kleine Schriften, S.269.

216) Ganz, S.76.

217) S.75.

218) S.83.

Mit diesen kritischen Bemerkungen zu einer etablierten Forschungsmeinung der Mediävistik wird die Auseinandersetzung mit Ganz vorerst abgebrochen, im zweiten Kapitel an den entsprechenden Textstellen jedoch wieder aufgenommen.

Aus einem Zeitraum von 160 Jahren wurde Literatur zu einem der zentralen Probleme der Altgermanistik zusammengetragen und ihre Ergebnisse wurden daraufhin untersucht, ob sie tragfähiges Material zur Konstituierung einer Kontroversenhypothese, die Gottfried von Straßburg und Wolfram von Eschenbach betrifft, zur Verfügung stellen konnte. Dabei wurde ein Desideratum ganz deutlich: Die Texte, auf die sich diese Hypothese stützt, sind im Laufe der Forschungsgeschichte unproblematisch geworden, da über viele Schwierigkeiten unbekümmert hinweginterpretiert worden ist; darum ist eine erneute Beschäftigung mit ihnen auf Übersetzungs- und Interpretationsebene nötig.

2. Kapitel

DIE TEXTE. ÜBERSETZUNG UND INTERPRETATION

Den Weg der Forschung verfolgend, kristallisierte sich eine Gruppe von Textstükken aus dem 'Tristan' und dem 'Parzival', in geringerem Umfang auch aus dem 'Willehalm' heraus, deren Bedeutung über den Wortsinn hinauszugehen und in den Bereich der allegorischen Auslegung des Wortes hineinzureichen scheint. Das Verfahren der Offenlegung eines hinter dem Wortsinn vermuteten symbolischen Sinnes wurde jedoch häufig durch eine präformierte Meinung bestimmt, denn die mit der Explikation von Texten des hohen Mittelalters beschäftigten Germanisten des 19. und 20. Jahrhunderts untersuchten diese Textstücke fast ausschließlich unter diesem Aspekt: Wo verbergen sich hinter dem Buchstabensinn Verhältnisse, die die These einer wie auch immer strukturierten Kontroverse zwischen Gottfried und Wolfram bestätigen könnten?

Die deutsche Philologie steckte noch in den Anfängen, als B.J.Docen erkannte, daß Teile der Dichterschau im 'Tristan' der Erörterung poetologischer Fragen dienen und auf Gestaltungsprinzipien eingehen, deren Gegensätzlichkeit er am deutlichsten durch die Verse 4673-74 'die bernt uns mit dem stocke schate, / niht mit dem grüenen meienblate' bezeichnet sah. Während die meisten späteren Interpreten glaubten, auf die Klärung des Buchstabensinnes verzichten zu können, macht Docen wenigstens den Versuch dazu. Es widerspricht allen heuristischen Prinzipien, sogleich mit der allegorischen Ausdeutung zu beginnen.

Dieses Kapitel ist so aufgebaut, daß die für die Kontroversenhypothese in Anspruch genommenen Versstücke unter Berücksichtigung der Bedeutungsvielfalt so genau wie möglich übersetzt und erst dann interpretiert werden. Die 'Tristan'-Verse 4621-90 [219] gerieten schon früh in das Kreuzfeuer der Meinungen. Meine Übersetzung entbehrt der Eleganz und Glätte und verzichtet an Stellen, die sich dem heutigen Betrachter nur schwer erschließen, auf Harmonisierung und Problemverschleierung.

---

219) An diese Verse, die Teil der Dichterschau sind, schließen sich das Lob für Bligger und die Minnesänger sowie der Musenanruf an.

TEXT 1

4621 Hartman der Ouwaere
ahi, wie der diu maere
beid uzen unde innen
mit worten und mit sinnen
4625 durchverwet und durchzieret!
wie er mit rede figieret
der aventiure meine!
wie luter und wie reine
siniu cristallinen wortelin
4630 beidiu sint und iemer mÜezen sin!
si koment den man mit siten an,
si tuont sich nahen zuo dem man
und liebent rehtem muote.
swer guote rede ze guote
4635 und ouch ze rehte kan verstan,
der muoz dem Ouwaere lan
sin schapel und sin lorzwi.
swer nu des hasen geselle si
und uf der wortheide
4640 hochsprÜnge und witweide
mit bickelworten welle sin
und uf daz lorschapelekin
wan ane volge welle han,
der laze uns bi dem wane stan;
4645 wir wellen an der kÜr ouch wesen:
wir, die die bluomen helfen lesen,
mit den daz selbe loberis
undervlohten ist in bluomen wis,
wir wellen wizzen, wes er ger:
4650 wan swer es ger, der springe her
und stecke sine bluomen dar.
so nemen wir an den bluomen war,
ob si so wol dar an gezemen,
daz wirz dem Ouwaere nemen
4655 und geben ime daz lorzwi.
sit aber noch nieman komen si,
der ez billicher sÜle han,
so helfe iu got, so lazenz stan.
wirn suln ez nieman lazen tragen,
4660 siniu wort ensin vil wol getwagen,
sin rede ensi ebene unde sleht,
ob ieman schone und ufreht
mit ebenen sinnen dar getrabe,
daz er dar Über iht besnabe.

4665 vindaere wilder maere,
der maere wildenaere,
die mit den ketenen liegent
und stumpfe sinne triegent,
die golt von swachen sachen
4670 den kinden kunnen machen
und uz der bUhsen giezen
stoubine mergriezen:
die bernt uns mit dem stocke schate,
niht mit dem grUenen meienblate,
4675 mit zwigen noch mit esten.
ir schate der tuot den gesten
vil selten in den ougen wol.
ob man der warheit jehen sol,
dan gat niht guotes muotes van,
4680 dan lit niht herzelustes an:
ir rede ist niht also gevar,
daz edele herze iht lache dar.
die selben wildenaere
si mUezen tiutaere
4685 mit ir maeren lazen gan:
wirn mugen ir da niht verstan,
als man si hoeret unde siht;
son han wir ouch der muoze niht,
daz wir die glose suochen
4690 in den swarzen buochen.

"Hartmann von Aue, ja wie der die Erzählungen außen wie auch innen, mit Worten und deren Bedeutungen durch und durch färbt und schmückt! Wie er die Bedeutung eines Geschehens sprachlich zu treffen versteht! Wie klar und makellos rein seine kristallenen Wörter sind und immer sein mögen! Sie sprechen den Menschen in der richtigen Weise an, sie berühren ihn und behagen rechter Gesinnung. Wer eine treffliche Sprache im Guten und im geradlinigen Gedankengang versteht, der soll dem von Aue seinen Dichterkranz und Lorbeer lassen. Wer auch immer der Gefährte des Hasen sei (oder: sich wie ein Hase benimmt) und auf dem Gelände der Sprache (oder: im Umgang mit der Sprache) hohe Sprünge und weite Wege mit Würfelworten (oder: mit Worten, die gleichsam mit einer Hacke aus dem Boden geschlagen wurden, oder: mit Worten, die wie Erdhügel auf dem Boden verstreut sind) machen möchte und vergebens auf Zustimmung wartet, der lasse uns unsere Meinung; auch wir haben vor, an der Auswahl (Prüfung) teilzunehmen: wir, die beim Auswählen der Blumen helfen, mit denen dieser Ehrenzweig nach Gärtnersart geflochten ist, wir möchten wissen, was er begehrt: wer es [das Kränzlein] also begehrt, der eile herbei und hefte seine Blumen daran. Dann können wir an den Blumen erkennen, ob sie so passend sind, daß wir dem von Aue den Lorbeerzweig fortnehmen und ihn demjenigen geben. Da aber noch niemand gekommen ist, der ihn eher besitzen sollte, so stehe euch Gott bei und so wollen wir es lassen. Wir wollen ihn niemand tragen lassen, dessen Worte nicht sorgfältig gewählt sind, dessen Sprache nicht gleichmäßig und gerade ist, so daß, wenn jemand geziemend und aufrichtig, mit ebenmäßigem Verstand (begabt), daherkommt, er nicht darüber stolpere."
Da mehrere Übersetzungen möglich sind, muß das folgende Verspaar ausgespart werden. Weiter heißt es dann:
"Die mit Zauberketten lügen und ungeübte Sinne betrügen, diejenigen, die den Kindern angeblich aus wertlosem Material Gold zu machen verstehen und Perlen von Staub aus der Zauberbüchse schütten, die geben uns den Schatten mit einem Stock und nicht mit dem grünen Lindenblatt, weder mit Zweigen noch mit Ästen. Ein solcher Schatten ist den Gästen kaum angenehm in den Augen: Wenn man die Wahrheit sagen soll: davon geht keine angenehme Gefühlsregung aus, das Herz kann sich daran nicht ergötzen, ihre Rede (d.h. der Inhalt dessen, was sie sagen) ist nicht so beschaffen, daß das edle Herz glücklich darüber sein könnte (sich daran erfreuen könnte). Diese Gehilfen der Jagd müssen ihren Erzählungen Ausdeuter mitgeben: wir sind nicht imstande, sie in der Form, in der man sie hört und wahrnimmt (vielleicht ist hier schon 'lesen'

gemeint); überdies fehlt uns die Muße, die Auslegung in den Zauberbüchern zu suchen."

Und nun zu dem Verspaar 'vindaere wilder maere/der maere wildenaere', Trist. 4665-66, das zu dem Schwierigsten im gesamten 'Tristan'-Roman gehört. Da Artikel fehlen, ist die Abgrenzung der Bedeutung der sinntragenden Wörter gegen andere Bedeutungsbereiche erschwert.

'Vindaere' kann - grammatisch betrachtet - sowohl eine Singular- als auch eine Pluralform sein, deren Bedeutungsbreite durch 'Dichter, Finder, Erfinder, Aufspürer' annähernd bestimmt ist. Auch 'wilder maere' kann singularisch oder pluralisch gebraucht sein, im Sinne von 'fremde, fremdartige, seltsame, unbekannte Kunde bzw. Erzählung(en)'. Eine statistische Erfassung aller 'Tristan'-Stellen, in denen 'maere' substantivisch verwendet wird, erweist sich bei der Genusbestimmung als hilfreich und ergibt, daß 'maere' von Gottfried, wenn durch den Artikel jeder Zweifel am Genus ausgeschlossen ist, immer als Neutrum gebraucht wird.[220)]

Da auch 'wildenaere' artikellos auftritt, kann es einen oder mehrere Jagdgehilfen meinen:[221)] 'Der/Die Jagdgehilfen der Erzählungen' müßte es heißen. Nun hilft aber bei der Klärung des Numerus von 'vindaere' und 'wildenaere' der Kontext weiter. Durch die Verbformen 'liegent' und 'triegent', 3. Person Plural, wird deutlich, daß der an das Verspaar anschließende Passus auf einen größeren Personenkreis bezogen ist. Da die Verse 4665-75 eine satzmäßige Einheit bilden, deren artikelloses Subjekt in den Versen 4665-66 liegt, deren Prädikat jedoch erst in Vers 4673 nachgetragen wird, kann 'vindaere' nur eine Pluralform sein.

Folgender Gedankengang scheint vorzuliegen: "Diese Finder, Aufspürer fremdartiger, seltsamer Geschichten, diese Jagdgehilfen der Erzählungen, die mit Zauberketten lügen ..., die geben uns den Schatten mit einem Stock."

Ich gehe nun zur Interpretation über. Die Anfangsverse der Dichterschau im 'Tristan', in denen Gottfried von Straßburg die künstlerischen Fähigkeiten Hartmanns von Aue voller Bewunderung hervorhebt, sind, nach dem Buchstabensinn befragt, nicht all-

---

220) In allen 103 Fällen, in denen ein Artikel oder Pronomen das Genus bestimmt, wird 'maere' als Neutrum ausgewiesen. Demzufolge ist 'wilder maere' (v.4665) Gen. Pl.Neutr., 'der maere' (v.4666) ebenfalls.

221) Vgl. dazu die Auseinandersetzung mit David Dalby, dessen Übersetzungsvorschlag ich aufgenommen habe.

zu schwierig. Sie betonen die Fähigkeiten dieses 'künsterichen' Epikers, die Mittel der Sprache so zu handhaben, daß das Höchstmaß an Kongruenz von Bezeichnendem ('worte') und Bezeichnetem ('sinne')[222] erreicht wird oder, anders gesagt, daß den mit dem Medium Sprache zu fassenden Ereignissen die am meisten entsprechenden sprachlichen Zeichen zugeordnet werden. Es trifft sicher zu, doch es ist zu einseitig, wenn Sawicki[223] und, ihm folgend Mosselman,[224] Wörter wie 'sin', 'durchverwen' und 'durchzieren', 'uzen' und 'innen' nur mit Hilfe der Regeln der antiken Rhetorik erklären. Die Begriffspaare 'uzen'/'worte' und 'innen' / 'sinne' weisen nicht nur "auf die gehaltvolle Symmetrie der Darstellung", das Formale also, bzw. "auf die Reichhaltigkeit des Inhalts",[225] sondern auch auf eine Unterscheidung, die das Mittelalter grundsätzlich bei jeder Art von Textdeutung zu machen pflegte: die sorgfältige Trennung von 'sensus litteralis'('worte') und 'sensus spiritualis'('sinne'). Die einzelnen Stufen dieser Textauslegung und ihre Anwendung durch große Theologen des Mittelalters wie Hugo von St. Viktor, Rupert von Deutz oder Guibert von Nogent hat Friedrich Ohly in seiner Kieler Antrittsvorlesung aufgezeigt.[226] Dort bekennt er auch: "Daß der den Drachen besiegende und Iwein nach seinem Einstehen für ihn begleitende Löwe, der den Helden zum Löwenritter macht, das Recht bedeutet, in dessen Namen und mit dessen Hilfe Iwein seine Abenteuer als Ritter besteht, das haben mich ... erst die allegorischen Wörterbücher erkennen lassen. Gottfried

---

222) Dazu auch Friedrich Ohly, Vom geistigen Sinn des Wortes im Mittelalter. (=Sonderausgabe der Wissenschaftlichen Buchgesellschaft) Darmstadt 1966, S.11: "Das vermeintlich perspektivelose Mittelalter hat die eigene, ihm gemäße Art der Perspektive in der spirituellen Transparenz des Seienden. Sie ergibt sich in dem vom Irdischen sich lösenden Aufblick und Durchblick zur spirituellen Bedeutungswirklichkeit des im Kreatürlichen vorhandenen Zeichens. Sie ist Perspektive im wahrsten Sinne, indem sie durch das Sichtbare auf das Unsichtbare, durch das Significans auf das Significatum hindurchschaut." Vgl. bes. H. Fromm, Tristans Schwertleite. In: DVjs 41, 1967. S.333-350.

223) S. Sawicki, Gottfried von Straßburg und die Poetik des Mittelalters. (=Germanistische Studien, Heft 124) Berlin 1932.

224) Frederik Mosselman, Der Wortschatz Gottfrieds von Straßburg, s'-Gravenhage 1953.

225) Mosselman, S.34.

226) s. Anm. 222. Diese Antrittsvorlesung, gehalten 1958, ist zuerst in: ZfdA 89, 1958/59, S.1-23, abgedruckt.

von Straßburg hat in seinem Lobpreis Hartmanns ... solches wohl anklingen lassen."[227] Auf die 'Tristan'-Verse 4621-27 eingehend, stellt Ohly eine Verbindung zu den in der Germanistik zuerst von Julius Schwietering berücksichtigten Methoden der geistlichen Schriftauslegung her und verweist auf die Gedanken, die Schwietering "anläßlich des Gedichts von der Hochzeit und des Artusromans"[228] geäußert hat:

> Chrestien scheidet ausdrücklich zwischen 'matière' und 'san' - Stoff und Idee -, und das Publikum des Dichters ist so sehr in geistlich symbolischer Auffassung erzogen, daß es auch im Bereich w e l t l i c h e r Erzählung über ihren wörtlichen Inhalt hinaus nach beispielhafter Bedeutung fragt, auch wenn sich Erzählung und Sinn ebensowenig restlos decken, wie etwa im geistlichen Gedicht von der Hochzeit. (229)

In Max Wehrlis Buch "Formen mittelalterlicher Erzählung" wird dieser Gedanke weiterentwickelt und das Folgende bemerkt:

> Die neuere Forschung hat sich mit Recht gefragt, ob die mittelalterlichen Grundsätze der Bibelinterpretation, bewußt oder unbewußt, nicht auch andere, insbesondere weltliche Texte vorgeprägt haben und somit eine gewisse Vieldeutigkeit und Mehrschichtigkeit zum Wesen einer christlich bestimmten Dichtung selber gehören könnten. Die mittelalterliche Interpretation nach dem mehrfachen, meistens vierfachen Schriftsinn brachte schon durch die volkstümliche Verwendung in Predigt und Traktat und geistlicher Dichtung jedermann zum geschriebenen Wort in ein Verhältnis, das sich vom modernen wesentlich unterschied. Der Hörer und Leser war geschult, auf einen möglichen versteckten Sinn zu achten. Dies um so mehr, als unter den zentralsten Werken von Schule und Bildung sich allegorische Bücher befanden wie die von Martianus Capella, Boethius, Prudentius. Für die weltliche Dichtung war ihrerseits allegorische Komposition und vor allem Interpretation feste Überlieferung - von der antiken Homerallegorie bis zu den Ovid- und Vergilkommentaren des Hochmittelalters. (230)

Diese Überlegungen zur Rezeptionshaltung des an Literatur interessierten Menschen

Diese Überlegungen zur Rezeptionshaltung des an Literatur interessierten Menschen
zur Zeit Wolframs und Gottfrieds waren nötig geworden, weil bei der Auslegung der Literatur des 12. und 13. Jahrhunderts der Blick allzu sehr auf die lateinische Rheto-

---

227) Ohly, S.18/19.

228) Ebd.

229) Julius Schwietering, Die deutsche Dichtung des Mittelalters, S.149.

230) Max Wehrli, Formen mittelalterlicher Erzählung. Aufsätze. Zürich u. Freiburg i.Br. [1969], S.28.

rik und Stilistik gerichtet war.

Bevor Gottfried die Auseinandersetzung mit Hartmanns Dichtstil beendet, lenkt er die Aufmerksamkeit der Zuhörer noch auf ein Attribut des vorzüglichen Dichters in antiker Zeit, den Lorbeerzweig, den zu tragen der Ouwaere die volle Legitimation habe.[231] Wer Schärfe der Gedanken und Klarheit des sprachlichen Ausdrucks für unerläßliche Fertigkeiten eines Dichters hält, wird nicht auf die Idee kommen, Hartmann zu entkränzen. Mit dieser Überlegung leitet der Dichter über zu einem wie es scheint ganz anders gearteten Themenbereich, so daß der Leser versucht ist, Gottfried hier einen Sprung in seinen sonst so folgerichtigen Gedankengängen anzukreiden.
Das Interesse wendet sich von der konkret benannten und auch heute noch bekannten Gestalt Hartmanns von Aue zu einem Objekt der Zoologie, deren Vertreter im Mittelalter die Erforschung der physiologischen Bedingungen und des Verhaltens der Tiere bekanntlich unter anderen Aspekten als moderne Biologen und Verhaltensforscher betrieben haben. Die Bestiarien, Lapidarien und Herbarien, lateinisch oder deutsch geschrieben, geben Zeugnis von jener Art Naturauslegung, deren einen Leitsatz Ohly so wiedergibt: "Das Ding hat so viele Bedeutungen wieviele Eigenschaften es hat."[232] Und an anderer Stelle schreibt er: "Das Ding ... hat eine Bedeutungswelt, die von Gott bis zum Teufel reicht und potentiell in jedem mit einem Wort bezeichneten Dinge vorliegt."[233] In unserem Textstück ist das zoologische Objekt 'lepus', der Hase, dessen Beziehung zu dem Subjekt des Satzes, zu 'geselle', auf den ersten Blick unklar ist.
Und 'lepus' ist es auch, der von Vers 4638 bis Vers 4651 die Erzählung bestimmt. Die Wörter 'hase' und 'geselle' (v. 4638), 'wortheide' (v. 4639), 'hochsprünge' und

---

231) Zu diesen Versen vgl. insbesondere Ursula Schulze, Literarkritische Äußerungen im Tristan Gottfrieds von Straßburg. In: PBB 88, (Tüb.) 1966, S.285-310.

232) Ohly, S.4.

233) Ohly, S.7. Zur Verdeutlichung führt er das Exempel vom Löwen an: "Der Löwe kann Christus bedeuten, weil er nach seiner Natur mit offenen Augen schläft: wie Christus, als Mensch gestorben, als Gott doch lebte (III, 54). Er kann nach seiner Natur den Teufel bedeuten seiner Blutgier wegen, denn er geht brüllend umher und sucht, wen er verschlinge (1. Petr. 5,8; III, 54). Er bedeutet den Gerechten, der getrost ist 'wie ein junger Löwe' (Prov. 28,1; III, 53). Er bedeutet den Häretiker wegen des Geruchs seiner Zähne, der aus dem Munde geht wie dem Häretiker das Wort der Blasphemie (III, 55)." Die Zahlen (III) beziehen sich auf Band III des 'Spicilegium Solesmense'.

'witweide' (v. 4640) und 'springen' (v. 4650) weisen darauf hin, daß Gottfried seine Aussage mit Hilfe bestimmter Vorstellungen aus dem Bereich der Jagd umschreibt. Das Verbum 'springen' meint in diesem Kontext die besondere Fortbewegungsart des Hasen; zu 'bickelwort' verweise ich auf S. 89 dieser Arbeit. Die Frage, wen Gottfried mit dem Gefährten des Hasen gemeint haben könnte, ist noch nicht zu beantworten, denn bisher ist es noch nicht einmal gelungen, den vordergründigen Wortsinn dieser Stelle einwandfrei zu bestimmen.

Ich will versuchen, die unklaren Stellen zu verdeutlichen, indem ich Bezeichnungen der Jägersprache zu Hilfe nehme. Diese Erklärungsmöglichkeit liegt nahe, weil Gottfried bei der Verwendung weidmännischer Begriffe Fachkenntnis verrät. Die Darstellung der Verhaltensweisen von Jagdhund und gejagtem Wild deutet sogar auf den aktiven Jäger hin.[234] Mosselmans Eindruck ist, daß Gottfried "selbst ein außerordentlich guter Jäger gewesen zu sein"[235] scheint. Besondere Beweiskraft haben für ihn die Stellen Trist. 17100 ff., 284 ff., 839 ff., 2203 ff., 4927 ff., 6855 ff. und 10994 ff.[236]

Das Lexikon der 'Jägersprache', Subsystem des sprachlichen Systems 'Mittelhochdeutsche Sprache', unterlag über größere Zeiträume auf Grund der traditionsbewußten und damit konservierenden Haltung seiner Benutzer kaum Veränderungen. Die Belege aus neuzeitlichen Wörterbüchern sind durchaus noch beweiskräftig: 'des hasen geselle' läßt den Praktiker erkennen, denn 'Gesell' ist ein weidmännischer Fachausdruck, wie bei Ernst Ritter von Dombrowski nachzulesen ist.[237] Im Wörterbuch der Weidmannssprache für Jagd- und Sprachfreunde ist auch dieser Jägerspruch aufgezeichnet: "Der Jäger soll mit seinem Leithund also reden: G e s e l l, G e s e l l, was heut Gott wöll, hin trauwt gut G e s e l l m a n hin, hin!".[238] Zuletzt sei noch Ernst Graf

---

234) Vgl. v. 2766 f. 'da liez er sich ergahen/und stuont alda ze bile:'. "Der Hirsch stand still und setzte sich zur Wehr gegen die ihn umringenden bellenden Hunde". Mosselman, S. 22.

235) Mosselman, S. 26.

236) ebd.

237) Gesell: "Ansprache für den Leit- oder Schweißhund". Ernst Ritter von Dombrowski, Deutsche Waidmannssprache. Mit Zugrundelegung des gesamten Quellenmaterials für den praktischen Jäger bearbeitet. Neudamm 1897, S. 65.

238) Wörterbuch der Weidmannssprache für Jagd- und Sprachfreunde aus den Quellen bearbeitet von Joseph und Franz Kehrein, Wiesbaden 1969. (Genehmigter Nachdruck der Ausgabe von 1898).

von Harrach genannt, der "schona geselle" als beruhigendes Zureden des Führers an den Hund erklärt.[239] Doch schon im Nibelungenlied dient 'geselle' zur Bezeichnung von Jagdteilnehmern mit dienender Funktion oder bedeutet 'Jagdgefährte', 'Jagdteilnehmer'.[240]

Dies alles legt die Vermutung nahe, daß hinter dem naturwissenschaftlichen Bedeutungsbereich des Wortes 'hase' ein Mensch verborgen worden ist, zu dem der 'geselle' in einem bestimmten Abhängigkeitsverhältnis steht, das durch das Verhältnis Jäger-Jagdhund bzw. Jäger-Jagdbursche angedeutet ist. Ohne die Berücksichtigung des Kontextes wäre auch die Übersetzung "wer auch immer sich wie ein Hase benimmt" denkbar. Die Annahme, daß mit dem Gefährten des Hasen ein Mensch gemeint ist, dem typische Verhaltensweisen dieses Tieres eigen sind, hat auch deshalb seine Berechtigung, weil Gottfried es im Rahmen der Dichterschau bei der schlichten Nennung des Hasen unmöglich bewenden lassen konnte. Der metaphorische Sprachgebrauch hat an dieser Stelle die Funktion, den historischen Wortsinn zu erweitern, indem der zu erwartende Personenname durch einen zoologischen Gattungsnamen ersetzt wird, vergrößert sich der in Frage kommende Personenkreis. Die Bedeutung wird doppelsinnig.

Zwei große, wortgewaltige Prediger, Berthold von Regensburg (um 1210-1272) und Geiler von Kaisersberg (1445-1510), haben an zahlreichen Stellen ihrer Predigten, von den Eigenschaften der Tiere ausgehend, Exempel für ein gottgefälliges Leben statuiert. Geiler hat "Predigtreihen über den Has im Pfeffer (der Hase ist das vierzehnfache Abbild eines braven Klostermenschen)" oder über "einen Löwen auf dem Jahrmarkt" gehalten.[241] Eine der Haupteigenschaften des Hasen, ständig auf der Flucht vor Gefahren zu sein, wird in der geistlichen Auslegung zur positiven Verhaltenswei-

---

239) Ernst Graf von Harrach, Die Jagd im deutschen Sprachgut. Wörterbuch der deutschen Weidmannssprache. Stuttgart 1953, S.118.

240) Str. 933 'Dô nam ein alter jägere einen guoten spürehunt:/er brâhte den herren in einer kurzen stunt/dâ si vil tiere funden. swaz der von lägere stuont,/die erjageten die gesellen, sô noch guote jägere tuont.' Das Nibelungenlied. Schul-Ausgabe. Mit einem Wörterbuche von Karl Bartsch. 4.Aufl. Leipzig 1895.

241) Hans Rupprich, Die deutsche Literatur vom späten Mittelalter bis zum Barock. Erster Teil: Das ausgehende Mittelalter, Humanismus und Renaissance. 1370-1520. München 1970, S.489/490.

se des gläubigen Menschen, nämlich allzeit die Sünde zu fliehen.

Diese Möglichkeit der geistlichen Auslegung einmal in Beziehung gesetzt zu 'des hasen geselle', wirft etwas Licht auf die obskure Stelle, die aus einer gewissen Ratlosigkeit heraus auf den nirgends genannten Wolfram von Eschenbach bezogen worden ist. Die Stelle, die von den Laudationes für Hartmann und Bligger eingerahmt ist, zwingt allerdings dazu, hinter der Umschreibung eine Person festzumachen. 'des hasen geselle' - Gefährte eines Klosterbruders, also ein Geistlicher niederen Standes - diese Deutung ist unter den gegebenen Umständen wohl genauso realistisch oder auch unrealistisch wie die Festlegung auf Wolfram.[242)]

Das hohe Bildungsniveau Gottfrieds, nie ernsthaft in Frage gestellt, gestattet die Annahme, daß dem 'Tristan'-Dichter, wenn nicht die in der vorangegangenen Anmerkung genannten, so doch Werke mit ähnlicher Zielsetzung bekannt waren. Gottfrieds Gebrauch des Hasen, einmal in diesen Zusammenhang gestellt, läßt die Interpretation zu, daß die dem gebildeten mittelalterlichen Menschen geläufige Zuordnung 'Hase - Geistlicher' die Funktion hat, in subtile Auseinandersetzung mit einem Dichterkollegen die-

---

242) Besonders apodiktisch bei A.T.Hatto, Gottfried von Straßburg. Tristan. Translated entire for the first time. With the surviving fragment of the Tristran of Thomas. Newly translated. With an introduction by A.T.Hatto. Penguin Classics (1970), repr. S.105.
Zur Rechtfertigung des anläßlich der Interpretation von Trist. 4638 eingeschlagenen Weges, über die sprichwörtliche Bedeutung von 'swer nu des hasen geselle si' (wer auch immer sich wie ein Hase benimmt) den Hasenvergleich in Richtung auf einen Klostergeistlichen zu interpretieren, möchte ich einige Überlegungen aus Dietrich Schmidtkes Arbeit "Geistliche Tierinterpretation in der deutschsprachigen Literatur des Mittelalters (1150-1500)", Teil I: Text, Teil II: Anmerkungen. Berlin (Phil. Diss.) 1968, mitteilen. Die in der Tradition des 'Physiologus' und der patristischen Bibelexegese stehenden Bestiarien des 11. und 12. Jahrhunderts thematisieren die Bereiche Naturkunde, Natursymbolik und christliche Tierauslegung und behandeln sie unterschiedlich intensiv. Einer besonderen Gattung 'Bestiar' gehört das Werk des Petrus Damiani "De bono religiosi status et variarum animantium" an, das "anknüpfend an Tiereigenschaften, Verhaltensregeln für Mönche" gibt. (S.64) Weiter schreibt Schmidtke: "Selbstverständlich lebten diese Anwendungen [Zordnungen bestimmter Wertkategorien zu Tieren, die die Bibel nennt] auch unmittelbar über die patristischen Schriften, die, wie die handschriftliche Überlieferung beweist, eifrig benutzt wurden, weiter. Aus den patristischen Schriften wurden im Mittelalter übrigens auch Exzerpte hergestellt." (S.77) Besonderen Wert mißt Schmidtke der "Glossa ordinaria" bei, einem Werk mehrerer Verfasser, deren einer wahrscheinlich Anselm von Laon, gestorben 1117, gewesen ist. Diese "Glossa" faßt das weite Gebiet der Tierauslegungen zusammen, es galt im 12. Jahrhundert als eine der wichtigsten Quellen für das Bibelstudium und war eine "Übermittlungsstelle für Tierauslegungen". (S.77)

ses Standes zu treten, den er nicht benennen konnte, da er ebenfalls in Straßburg lebte und arbeitete.

Der 'geselle' des Hasen agiert innerhalb des durch die Jagdbezeichnungen abgegrenzten Bereiches. Durch den Terminus 'wortheide' ist ein Tätigkeitsmerkmal gegeben: der Umgang mit Sprache. Nach Mosselman ist die 'wortheide' "der Tummelplatz der Worte, der dichterischen Ausdrücke". Das Wort entspräche "dem lateinischen 'campus verborum' in einem Brief des 12. Jahrhunderts aus Tegernsee".[243] Da Gottfried in der Tradition der antiken Rhetorik stand, vermittelt das Wort sicher auch die Vorstellung von der Sprache als dem Arsenal der Wörter, das die sprachlichen Zeichen zur Verfügung stellt, die erst durch die Kunst der Dichter - syntaktischen und semantischen Gesetzen folgend - auf angenehme und nicht alltägliche Weise angeordnet werden. Gleichberechtigt scheint mir bei diesem Begriff der Vorstellungsbereich der Jagd zu sein, die 'heide' ist im weidmännischen Sprachgebrauch ein ebenes, mit etwas Buschwerk bestandenes Gelände, das der Äsung des Wildes dient. Auf diesem Terrain soll sich der Leser die Wörter denken.

Schließlich wird die Art des Umgangs mit sprachlichem Material bezeichnet: unsystematisch und umständlich. Die semantische Analyse von 'hochsprünge' und 'witweide' ist schwierig, denn die Handschriften sind an dieser Stelle uneinheitlich. Die einzige 'Tristan'-Ausgabe mit einem Lesartenapparat vermerkt, daß von den vier Haupthandschriften (M, F, H und W) drei (M, F und W) die Lesart 'hohe (sprünge)'[244] haben. Ähnlich liegt der Fall bei 'witweide', wo M und F 'wite (weide)' schreiben. Die Schreiber dieser Handschriften haben dem Vers 4640 nicht die Funktion einer Eigenschaftsbestimmung des Subjekts 'geselle' zuerkannt, sondern faßten ihn als Konkretisierung der Tätigkeit auf: er macht hohe Sprünge und weite Wege. Beide Begriffsfügungen bezeichnen - vordergründig betrachtet - Eigenschaften des Hasen. Er wird hochflüchtig,[245] wenn er von seinem natürlichen Feind, dem Fuchs, oder von einem Jagdhund gehetzt wird, und er springt im Gegensatz zu seiner gemächli-

---

243) Mosselman, S.45.

244) Gottfried von Straßburg, Tristan. Hg. von Karl Marold. Dritter Abdruck mit einem durch F.Rankes Kollationen erweiterten und verbesserten Apparat besorgt und mit einem Nachwort versehen von Werner Schröder. Berlin 1969, S.70.

245) Diese Bezeichnung ist im Sprachgebrauch heutiger Jäger üblich.

cheren Fortbewegungsweise, dem Hoppeln. 'Wite weide' macht er, wenn er auf Futtersuche, also auf Weide, ausgeht.[246] Warum sich Marold bei 'hochsprünge' gegen drei Haupthandschriften entschieden hat, bleibt sein Geheimnis.

Durch das außer bei Gottfried nicht belegte 'bickelwort' wird, zumindest durch seinen zweiten Teil, wieder ein Tätigkeitsbezug hergestellt. Über die Bedeutung dieses Neologismus herrscht Unklarheit. Bechstein, von der Hagen und Lexer[247] übersetzen ihn als 'Würfelwort' und meinen, daß Gottfried Wolfram seines exzentrischen Sprachgebrauchs wegen damit habe tadeln wollen. Nach Eberhard von Groote handelt es sich um "spitzfindige Worte",[248] er versteht 'bickel' nicht als Würfel, sondern als Spitzhacke, Pickel.

Der Kontext, in dem das Wort steht, läßt noch eine andere Ausdeutung zu. Im Wörterbuch von J. und F. Kehrein ist als besondere Hirschfährte das Beuchel beschrieben: "Wenn der Hirsch an einem Hang oder am Berge lang hin fliehet, macht er auf einer Seiten einen Hügel, wie ein halb Ey; dieses heißt das Beuchel." Diese aus Heinrich Wilhelm Döbels Jäger=Practica entnommene Beschreibung wird von den beiden Autoren präzisiert: "Richtiger ist der B e u c h e l, d.i. B ü h e l, mhd. 'bühel', ahd. 'puhil', 'buhil' = Hügel." Es kommen auch die Formen Bichel, Biegel, Bühel und Bügel vor.[249] In der von K. Lindner herausgegebenen "Lehre von den Zeichen

---

246) Vergleichbar ist die Vogelweide, die nach von Harrach, S.141, den Fang von kleinen Vögeln am Vogelheerd bezeichnet.

247) L. hat das Wort im Anhang aufgenommen und sich wörtlich der Erklärung Hermann Pauls ("Zur Kritik und Erklärung von Gottfrieds Tristan", Germania 17, S.385-407) angeschlossen: "118,1 'bickelwort' sind wohl solche Worte, die wie Würfel auf's Geratewohl hingeschleudert werden ohne sorgfältige Überlegung." (S.399)

248) bikkelworte (von 'bikken', hacken), scherzhafte, anzügliche Narrenreden. 4640. S.454. Vermutlich hat er das Schweizerische Idiotikon zu Rate gezogen, das zu 'bickeln' schreibt:
"Bickeln v.act. - mit einem Bickel (Karst) hacken, aufbickeln, damit aufhacken, Bickel=hart, oder z. Bickel gefroren, Steinhart gefroren (allg.). In Z. Bickelmeister, Aufseher über das Gassenpflaster, sowohl als über jene, die es verfertigen." Schweizerisches Idiotikon mit etymologischen Bemerkungen untermischt. Samt einer Skizze einer Schweizerischen Dialektologie. Von Franz Stalder. 1. Bd. 1812.

249) J. und F. Kehrein, S.64. Diese Erklärung haben die Autoren übernommen aus: Heinrich Wilhelm Döbels eröffnete Jäger=Practica oder der wohlgeübte und erfahrene Jäger, darinnen eine vollständige Anweisung zur gantzen hohen und niedern Jagd-Wissenschaft in III Theilen enthalten. Leipzig 1746.

des Hirsches", die unter anderen auch in der Wolfskeelschen Handschrift überliefert ist, wird eines von vielen trittgebundenen Zeichen so beschrieben:

> Der hirsch fleühet, gehet oder stehet, so mueß er das zaichen thuen. Erstlich der hirsch dritt hinden und fornen mit den ballen gleich die erde, so zeücht er fornen mit den füeßen die Erdt an sich, und scheüpt sie mit den ballen von sich, und macht mitten in den füeßen ein büchel. wan du den büchel siehest, das er hinden und vornen gleich getretten ist, soltu alsdann keinen zweiffel haben, dz es ein hirsch sey. (250)

Im Niederalemannischen, wozu auch das Gebiet um Straßburg gehört, sind als phonologische Varianten der Tenuis k die Formen ck, ckh und cch möglich.[251] Ich möchte annehmen, daß in 'bickel' und 'bichel' zwei Möglichkeiten der phonologischen Repräsentation von k vorliegen; denn da "der Tristantext bis ca. 1300 ausschließlich in Straßburg vervielfältigt"[252] worden ist, kann diese Regel der alemannischen Grammatik auf den Neologismus 'bickelworte' angewendet werden: er könnte auch 'bichelworte' geschrieben werden und bedeutet dann 'Hügel -oder Erdhäufchenwörter' oder Wörter, die wie kleine Hügel auf der 'wortheide' verstreut sind.

Zu den Versen Trist. 4638 ff. sind Interpretationsvorschläge gemacht worden, die kritikbedürftig sind. In einem kleinen Aufsatz kommt Adalbert Baier auf den von Lachmann erklärten 'Parzival' - Prolog zurück, setzt ihn zur Hasenstelle in der Dichterschau in Bezug und kommt zu dem Ergebnis, daß Wolfram und Gottfried bewußt gegeneinander gearbeitet haben müssen. Der erste Satz, der nichts weiter als eine Vermutung Baiers enthält, wird im Verlauf der weiteren Ausführungen zu einem Faktum:

> Vielleicht will Wolfram schon in den Eingangsversen (V. 1 - 14) auf den Gegensatz hinweisen, der zwischen seiner Dichtung und dem Tristan besteht: Parzival hat nicht die schwarze Farbe, er hält sich auch nicht beständig an die weiße .. Tristan aber wäre dann nach Wolframs Ansicht ganz und gar ein 'Genoße der Untreue', der (allmählich?) 'nah der vinster var' wird. (253)

Bei der Interpretation der Verse Parz. 15 - 20 bemängelt Baier dann, daß der Hasenver-

---

250) Quellen und Studien zur Geschichte der Jagd, hg. von Kurt Lindner. III. Berlin 1956, S.158.

251) Vgl. dazu Otto Mausser, Mittelhochdeutsche Grammatik. 1.Teil Dialektgrammatik. München 1932, S.28. Z.T ist die Variation natürlich nur orthographisch.

252) Ranke, S.417.

253) Adalbert Baier, Der Eingang des Parzival und Gottfrieds Tristan. In: Germania 25, 1880, S.403 - 407. Zur Stelle s. S.403.

gleich im 'Parzival' weit weniger gelungen sei als im 'Tristan', wo von Wolfram gesagt werde, daß er 'des hasen geselle si/und uf der wortheide/hochsprünge und witweide/mit bickelworten welle sin.' Baier glaubt, daß Wolfram diese Verse bei der Abfassung des 'Parzival'-Prologes vorgelegen haben, denn: "Es scheint, Wolfram wollte an unserer Stelle dem Angreifer das Wort 'hase' zurückwerfen; er suchte in seine Polemik auch ein Hasengleichniß hereinzubringen. Der 'schellec hase' sollte "wenken", darum mußte jenes bîspel ein fliegendes oder gar zu schnelles werden."[254] Polemik soll gegen Polemik stehen, Baier erklärt den "Hasenkrieg" und bestimmt dessen Verlauf wie folgt: Die mit 'swer nu des hasen geselle si' beginnende Invektive Gottfrieds hat den Hasenvergleich im 'Parzival'-Prolog evoziert. Was Gottfried zu dieser "Kriegserklärung" veranlaßt haben könnte, wird nicht erklärt. Wolframs Dichtstil kann es nicht gewesen sein, denn wenn wir Baier folgen, hat Gottfried mit einem gewissen zeitlichen Vorsprung gedichtet. Warum Gottfried mit der Hasenstelle auf Wolfram zielt, wird auch nicht begründet, und die sinntragenden Wörter, deren Bedeutung unklar ist, bleiben unübersetzt. Völlig unsinnig ist Baiers Ausdeutung des Spiegel-Traum-Gleichnisses Parz. 1,20-25: "Wie das Feuer im Brunnen und der Thau in der Sonne", schreibt er, "so verschwindet bei Tristan und Isolde die Treue, die sie Marke und auch sich selbst zu halten verpflichtet sind, durch die Macht der Leidenschaft; dafür hat Gottfried einmal das ganz ähnliche Bild gebraucht (Tristan 11885 ff.) 'bekumberet beide/mit dem lieben leide,/daz solhiu wunder stellet:/daz honegende gellet,/daz süezende siuret,/daz touwende fiuret'."[255]

Das von Baier bemühte 'Tristan'-Zitat ist in eine Reihe von Antithesen eingebettet, die vom 'lieben leide' bis 'elliu herze enherzet' reicht. Diese Antithesenreihe ist Teil der großen Szene, die die zwischen Tristan und Isolde aufkeimende Liebe schildert. Diese meisterhafte Darstellung eines Zustandes, den Gottfried auch unter psychologischem Aspekt betrachtet, gelingt auch deshalb, weil ein stilistisches Element verwendet wird, das diesem Gemütszustand adäquat ist, eben die Antithese. Die Form des antithetischen Denkens jedoch ist nicht an ein oder zwei Dichter gebunden,

---

254) ebd.

255) Baier, S.404/405. Die Antithese ist Gottfrieds Dichtstil adäquat, wie die Prologverse 60-63, um nur diese herauszugreifen, zeigen.

sondern findet sich in Dichtungen des 12. und 13. Jahrhunderts, insbesondere solchen, die das Minneproblem thematisieren, sehr häufig.

Es fehlt eine Begründung, warum die beiden Textpartien, in denen Wolfram und Gottfried eine ähnliche Antithese verwenden, so beweiskräftig sind, daß sie sogar eine Gegnerschaft der beiden Dichter erkennen lassen. Nur weil eine Antithese von zwei Epikern benutzt wird, müssen diese einander noch nicht gekannt haben.

In der Dissertation von Albert Nolte, der sich mit den Gründen für die Prolog-"Erweiterungen" des 'Parzival' beschäftigt, finden sich Überlegungen auch zu Gottfrieds 'Tristan':

> Was nun die Beziehungen zwischen der Einleitung des Parz. und Gottfrieds Tristan betrifft, so haben wir in dem Bilde vom Hasen allerdings ein sicheres Kriterium. Durch die Annahme, dass Wolfram in dem Bilde vom Hasen an Gottfrieds Polemik anknüpft, wird gar nichts erklärt. Wie Gottfried auf das Bild (das übrigens gar nicht in seiner Art ist) gekommen sein möchte, bliebe ganz unverständlich, und bei Wolfram wäre das Bild in seiner Beziehung auf die Gottfriedstelle ... nichtssagend. Dagegen scheint es mir unzweifelhaft, dass das Bild Wolfram ureigentümlich angehört. (256)

Es rächt sich bereits jetzt, daß ständig mit dem Begriff "Hasengleichnis" gearbeitet wird, obwohl eine Erklärung fehlt, was darunter zu verstehen ist. Das Wort 'hase' allein ist noch kein Gleichnis, und es steht in zwei ganz verschiedenen Kontexten.
Da Nolte Wolframs Hasen für ursprünglich hält, muß er Klädens Erklärung, daß diese Stelle auf Gottfrieds Hasenvergleich ziele, zurückweisen. In Übereinstimmung mit Kläden begründet er den "Einschub" der Verse 1,15-28 in den 'Parzival'-Prolog damit, daß Wolfram Platz für eine Rechtfertigung brauchte, "nachdem er wegen seines Gedichtes und namentlich des Eingangs zu demselben ähnliche Angriffe erfahren hatte, als der alles Maaß übersteigende in Gottfried von Straßburgs Tristan".[257] Den Aufsatz von Baier, der den gesamten 'Parzival'-Prolog im Licht der Auseinandersetzung Wolframs mit Gottfried sieht, hält er für gänzlich verfehlt.

Lehnte noch Nolte den Aufsatz Baiers insgesamt ab, kann Rieger - zumindest partiell - wieder zustimmen.

> Ich weiß mir und dem dichter an dieser stelle nicht anders zu helfen, als indem ich annehme, er [Wolfr.] führe einen kritiker redend ein, wie er ihn für den

---

256) Albert Nolte, Der Eingang des Parzival. (Diss.) Marburg 1899, S.51.

257) Kläden, S.240.

stückweise bekannt gewordenen Parzival bereits mochte gefunden haben, einen der sich das urteil Gottfrieds von Straßburg angeeignet hatte. denn so weit scheint mir Baier auf der rechten spur zu sein, dass das 'bîspel' von einem vogel, daher geflissentlich ein fliegendes genannt, alsbald mit einem aufgescheuchten hasen verglichen wird, erinnert doch allzu sehr an des nebenbuhlers boshaftes wort 'swer nu des hasen geselle sî', zumal Wolfram noch gegen ende seiner vorrede 4,5 in dem verse 'darzuo gehôrte wilder funt' eine zweite anspielung auf Gottfrieds literarischen excurs zu bringen scheint, wo dieser von einem 'vindaere wilder maere, der maere wildenaere' spricht. (258)

Wieder einmal ist es Gottfried, der den Hasenvergleich zuerst gebraucht haben soll, Wolfram habe es lediglich in der Antwort aufgegriffen. Die weitere Interpretation beruht auf einem falschen Verständnis des Textes. An keiner Stelle steht 'der vindaere wilder maere', Rieger verdreht den Text solange, bis er in das von ihm für richtig gehaltene Interpretationsschema, die Vorstellung einer Kontroverse, paßt. Auch in diesem Aufsatz ist Gottfried der mit einem größeren zeitlichen Vorsprung Dichtende, er muß sogar sehr viel früher gedichtet haben, denn seine Invektive hat Baier zufolge auf einen anderen Dichter gewirkt, der sie dann wiederum gegen Wolfram gerichtet habe. Diese Ideen sind völlig haltlos, weil sie durch den Text nicht mehr gestützt werden. Für angreifbar halte ich auch eine andere von Rieger verarbeitete Annahme, die nirgends stringent nachgewiesen worden ist, die Annahme, daß der 'Parzival' einem größeren Personenkreis stückweise bekannt geworden sei. Daß Wolframs engste Umgebung vom Stand der Arbeit Kenntnis gehabt hat, ist keine Frage. Doch wie sollen wir uns eine "Teilveröffentlichung" vorstellen? Es hat den Anschein, daß die von Johannes Stosch zur sogenannten Selbstverteidigung im 'Parzival' souverän vorgetragenen Überlegungen zur Editionsweise des 'Parzival' in der damaligen Germanistik in dem Ansehen eines bündigen Nachweises gestanden haben. Hier der zentrale Passus aus seiner kleinen Habilitationsschrift:

Es ist bekannt dass der Parzival nicht als ein fertiges ganzes, sondern in zeiträumen und stückweise herausgegeben wurde. Sprenger, welcher nachwies (Germ.xx 432ff, nachtrag dazu Litteraturbl. iii sp. 97) dass Wirnt von Gravenberg ungefähr von der mitte seines Wigalois an die ersten sechs bücher des Parzival benützt hat und sie, wie die entlehnungen zeigen, alle zugleich muss erhalten haben, vermutete deshalb, besonders da mit dem sechsten buche ein gewisser abschluss der er-

---

258) M.Rieger, Die Vorrede des Parzival. In: ZfdA 46, 1902, S.175-181. Zur Stelle s. S.178.

zählung gegeben sei, dass buch i-vi zusammen erschienen, das erste war, was Wolfram von seiner dichtung publicierte. (259)

Wieder wird mit bloßen Vermutungen operiert. Die Beobachtung, daß in Wirnts 'Wigalois' Gedanken aus dem 'Parzival' verarbeitet sind, kann nicht als Beweis für eine Teilveröffentlichung gelten, denn Wirnts Schaffenszeit ist nicht genau zu ermitteln. Einzig die heftige Klage über den Tod eines Herzogs von Meran gestattet eine zeitliche und vielleicht auch räumliche Einordnung, die jedoch sehr grob ist, da das Haus Andechs-Meran in einem Zeitraum von etwas mehr als zwanzig Jahren deren zwei zu beklagen hatte, 1204 und 1227 (oder 1228). Ob sich Wirnts Klage nun auf das eine oder das andere Jahr bezieht, ist nicht zu entscheiden. Das Jahr 1204 halten die Forscher für wahrscheinlich, die das Datum als Glied in eine Beweiskette fügten, an deren Ende der Nachweis steht, daß Wirnt die Bücher I-VI des 'Parzival' sogleich nach deren Erscheinen erhalten und in seinem 'Wigalois' verarbeitet habe. 1227 (oder 1228) ist wahrscheinlicher, wenn Wirnts Werk unter literarhistorischen Gesichtspunkten betrachtet wird. Vom literarischen Rang her gesehen "wirkt der Wigalois jünger, nachklanghafter".[260) Diese spärlichen Nachrichten reichen nicht aus, um aus ihnen das stückweise Bekanntwerden des 'Parzival' - Buch I-VI als "Erstausgabe" - abzuleiten. Daß nur auf die ersten sechs Bücher Bezug genommen wird, kann Zufall sein. Wir wissen nicht, ob Wirnt von Gravenberg einen Gönner hatte, der ihn mit dem Handschriftenmaterial, das er brauchte, hinreichend versorgte.

Solange zum Beispiel diese Frage nicht genauer beantwortbar ist, kann auf Ergebnissen, wie Stosch sie bereitgestellt hat, nicht aufgebaut werden. Es ist unbegreiflich, warum der 'Parzival'-Prolog immer wieder nur mit Blick auf Gottfried interpretiert wird, als hätten diese beiden mittelalterlichen Dichter unter einer Glasglocke gelebt und keinerlei soziale Bindungen gehabt. Rieger versucht, zeitpolitische Ereignisse zu bestimmten Aussagen des 'Parzival'-Prologs in Beziehung zu setzen. Damit ist er einer der ganz wenigen Forscher, die über den engen Rahmen der hypothetischen Gottfried-Wolfram-Fehde hinausgelangen.

---

259) Stosch, S.1.

260) H.de Boor, Geschichte der dt. Lit. 2.Bd., S.87.

Heinrich Hempel, der John Meiers Ansatz aufgreift und weiterentwickelt, kommt auf die Hasenstellen im 'Tristan' und im 'Parzival' zurück, der Hase bei Wolfram sei eine gegen Gottfried gerichtete Spitze: 'hase' Parz. 1,19~Trist. 4636 (bei Ranke 4638). Es ist keine gute Arbeitsweise, wenn einzelne Wörter aus dem Kontext herausgenommen und gegenübergestellt werden. Die bildliche Verwendung des Hasen ist in mittelalterlichen Dichtungen viel zu häufig, als daß die schlichte Nennung der Verse, in denen das Wort gebraucht ist, auch nur die geringste Beweiskraft hätte. Eine breit angelegte semantische Studie über den Hasen in mittelalterlicher Epik müßte verfügbar sein, bevor so spezielle Fragen wie bei Hempel in Angriff genommen werden können.[261)]

Werner Schröder übernimmt Hempels "Nachweis", daß der Hasenvergleich Parz. 1,19 auf Trist. 4638 bezogen sei, womit er allen Textproblemen, auch der Erklärung von 'schellec hase', ausweicht.[262)]

Es liegt kein Forschungsbeitrag vor, in dem glaubhaft gemacht werden konnte, daß die Hasenstelle im Dichterkatalog des 'Tristan' die Hasenstelle im Prolog des 'Parzival' oder umgekehrt evoziert hat. Das liegt möglicherweise daran, daß die Interpreten versäumten, die Texte, mit denen sie arbeiteten, zu übersetzen und das Ergebnis mitzuteilen. Sie verließen sich auf die Arbeit der Vorgänger und hegten im Stillen die Hoffnung, daß diese schon das richtige Verständnis des Textes gehabt haben werden. Da die Auseinandersetzung mit dem mittelhochdeutschen Text fehlt, steigt die Interpretation zu schwindelnder Höhe auf. Die Übersetzung, die nicht so unnötig ist, wie oft angenommen, zeigt, daß die auf Gottfried/Wolfram eingeengte Auslegung nicht haltbar ist, weil der Text mit Bedeutungen befrachtet wird, die ihm nicht zukommen.

---

261) Zu dieser "Hasengleichung" vgl. Hempel, S.268.

262) Schröder, S.285

Exkurs: Zur mittelalterlichen Stilistik und Dichtungstheorie

Mit Vers 4645 'wir wellen an der kür ouch wesen' beginnt der Teil von Gottfrieds Literaturstelle, der sich mit Fragen der Stilistik und Gestaltungstheorie auseinandersetzt. Gottfried gesellt sich einem imaginären Kreis von Kritikeraufgaben sehr ernst nehmenden Dichterkollegen zu, deren Kriterien zur Beurteilung von Literatur mit seinen eigenen übereinstimmen. Das den Textabschnitt beherrschende 'wir' hat die Funktion, die persönliche Meinung zu generalisieren.

Zuerst wird von den rhetorischen Figuren gesprochen, den 'flores rhetoricales', die wesentlich den Stil bestimmen und die eine Dichtung in angemessener Weise schmücken sollen. Ihre Funktion darf sich nicht darin erschöpfen, den Dichter als Kenner aller verfügbaren Stilfiguren auszuweisen. Es gehöre zum Wesen der 'ebenen' und 'slehten' Schreibart, daß die passenden Figuren kunstvoll in den Text integriert sind. Damit meint Gottfried nicht oberflächliche Glätte, 'ebene' bezieht sich darauf, die 'bluomen' nicht in kunstgewerblicher Weise nachträglich auf den Text zu applizieren, sondern sie zur Verdeutlichung des Gesagten zu verwenden.

Dann wird davon gesprochen, daß Hartmanns literarisches Opus der Maßstab für Gottfried ist, an dem er jede andere Dichtung mißt. Damit wird das Gebiet der Stilistik verlassen und ein Gebiet, das mit "Quellentreue" und "Quellenfindung" bezeichnet werden kann, betreten. Den Zugang bildet der Vers 'vindaere wilder maere', der zu dem Problem der Vorlagen von Literatur hinführt. Gottfried stimmt nicht nur mit der Art überein, wie Hartmann Ereignisse des menschlichen Lebens sprachlich gestaltet, er hält auch die Wahl der Vorlagen in Verbindung mit der persönlichen Ausformung für unübertroffen. Sowohl die 'vünde' "Gregoriuslegende" und "Armer Heinrich", als auch der 'vunt' des "Erec" sowie des "Iwein"-Stoffes erfüllen die Forderung nach Authentizität des Dargestellten insofern, als der Stoff durch die Historie verbürgt beziehungsweise durch einen französischen Dichter bereits gestaltet worden war. Daß Begriffe wie "geistiges Eigentum" oder "Plagiat" für das Mittelalter nicht so große Bedeutung wie heutzutage haben, braucht kaum erwähnt zu werden. Das Arbeiten nach einer Vorlage und deren mehr oder weniger getreue Wiedergabe galt zu Gottfrieds Zeit als Tugend.

Der Vers 4650 nimmt noch einmal den Bezug zur Jagd auf, durch 'springen' rückt wieder der Gefährte des Hasen in den Blick. Sollten dessen Sprachschöpfungen denen Hartmanns überlegen sein, wäre zu erwägen, ob einem solchen die Dichterehrung nicht eher zustehe. Bis jetzt hat sich dem Kritikerkollegium noch kein Bewerber gestellt, der gleichmäßiger und wohlgefügter schriebe als Hartmann, über dessen Sätze niemand zu stolpern brauche, der mit klarem Verstand begabt ist. Mosselman liest aus dem Passus 4659-64 heraus: "Hier wendet sich Gottfried deutlich gegen Wolframs sprunghaften, barocken Stil."[263] Es kann - gerade wegen der Ambiguität der Stelle - nicht ausgeschlossen werden, daß die Person, auf die die Verse bezogen sind, Wolfram ist. Einspruch ist gegen die Unbekümmertheit zu erheben, mit der dies behauptet wird. Nur allzu wenige zeitgenössische Dichter sind aus dem südwestdeutschen Raum bekannt, so daß die Festlegung auf Wolfram, dessen Name an keiner Stelle auftaucht, zurückzuweisen ist. Was wüßten wir von Bliggers 'Umbehanc', wenn Gottfried ihn nicht erwähnt hätte? Was wissen wir von Literaturprodukten, die zu vervielfältigen das Pergament nicht wert schien und die vielleicht nur am Rande zu erwähnen waren?

Mosselman ist nicht der einzige, der dieses Stück Text ohne Bedenken Wolfram zuordnet; er hütet eine alte Tradition, die durch große Namen der Germanistik begründet ist. An Mosselman anknüpfend, der von den Begriffen 'ebene' und 'sleht', die er als Gegenbegriffe zu Wolframs Dichtstil interpretiert, eine gerade Linie zur antiken Rhetorik zieht,[264] schlage ich einen anderen Weg ein, diese Begriffe zu erklären.

Es liegt näher, die beiden dichtungstheoretischen Begriffe 'ebene' und 'sleht' auf dem Hintergrund einer Stilbeschreibung und -unterscheidung zu sehen, die seit dem frühen 12. Jahrhundert in der Lyrik Südfrankreichs ausgeprägt war: die Unterscheidung von 'trobar clus' und 'trobar leu'. Diese von der romanischen Philolologie verwendeten Termini bedürfen, in einer germanistischen Arbeit verwendet, einer Erklärung, die auch den Konnex mit Gottfried erklären wird.

Die altprovenzalische Lyrik des frühen 12. Jahrhunderts - ein episches Gegengewicht beginnt sich erst später mit Chrêtien von Troyes herauszubilden - zeigt sich dem heutigen Betrachten, von Mischformen abgesehen, in zwei gegensätzlichen Stilformen. In den Liedern des Marcabru,[265] Peire d' Auvergne oder Raimbaut d' Oran-

---

263) Mosselman, S.49.

264) Danach wurde vom Dichter gefordert, 'plane', 'incorrupte', 'pure' und 'perspicue' zu dichten.

265) Er lebte in der ersten Hälfte des 12. Jahrhunderts.

ge wird, je nach Anlaß, das Auszusagende in vieldeutiger Form, im 'trobar clus' oder dunklen, verschlossenen Stil aufgezeichnet, oder leicht verständlich, ohne intellektuelle Umwege, im 'trobar leu' oder durchscheinenden, unkomplizierten Stil dargestellt.

Leo Pollmann hat in einer Studie mit dem Titel "'Trobar clus', Bibelexegese und hispano-arabische Literatur" überzeugend dargestellt, daß, ausgehend von Wilhelm von Aquitanien, durch die Troubadoure Marcabru und Peire d' Auvergne ein Gestaltungsprinzip repräsentiert wird, das sich von dem als höfisch bezeichneten 'trobar leu' klar abhebt. "Das Unkomplizierte ist das Höfische", während im Gegensatz dazu "die Triebfeder des 'trobar clus' der Widerspruch gegen das ist, was 'uzatge' geworden ist".[266] Lieder in der Form des 'trobar clus' klagen die Erscheinungen einer hohl und brüchig gewordenen Gesellschaft an, sind also im höchsten Grade unhöfisch. Dies wird jedoch nur dem deutlich, der den verborgenen Sinn auffinden kann. Zur Erläuterung der sich nur vordergründig als stilistisches Problem darstellenden Frage eine Bemerkung Pollmanns, der in diesem Punkt mit Erich Köhler übereinstimmt: Pollmann glaubt, "daß Marcabru hier [in Lied XVI: D'aisso laus Dieu] nur den Schein des Prahlgedichts wahrt,[267] es in Wirklichkeit aber benutzt, um einer frivolen und dilettantischen Gesellschaft eine Haßliebe ins Gesicht zu sagen, die sie dröhnend belacht, ohne zu ahnen, daß diese Verse ihr eigenes Urteil enthalten".[268] Es sei Mode geworden, im 'trobar leu' zu dichten, klagt ein anderer Troubadour, Giraut de Bornelh: er würde brotlos, "wenn er schwerverständlich dichten wollte".[269] Diesem Problem sah sich Raimbaut d' Orange, ein Angehöriger der Hocharistokratie, nicht gegenüber, denn er konnte aus Neigung dichten und, ohne an die Sicherung der Existenz denken zu müssen, seiner Lyrik die Form geben, die dem Inhalt adäquat war: das 'trobar clus'. Anzeichen einer gespannten sozialen Ordnung: der wohlhabende, jedoch selbst nicht dichtende Adel bevorzugte eine Lyrik, in der sein Lebensideal verherrlicht war. Wer auf den Aufenthalt bei Hofe angewiesen war, mußte sich den Wünschen seines Herrn

---

266) Leo Pollmann, 'Trobar clus', Bibelexegese und hispano-arabische Literatur. Münster o.J. (=Forschungen zur romanischen Philologie. Hg. von Heinrich Lausberg. Heft 16), S.23. 'uzatge'='Brauch', 'Übung', 'Gewohnheit', von lat. 'usus' + 'aticum'.

267) Prahlgedicht=gap.

268) Pollmann, S.35.

269) ebd.

fügen. Das Verhältnis beider Richtungen untereinander war demzufolge außerordentlich gespannt.

Das 'trobar leu' als literarisches Gegenstück zum verschlossenen Dichtstil wurde am konsequentesten von der Schule von Ventadorn verwirklicht, deren Themen aus dem Bereich der höfischen Minne und ihrer kodifizierten Verhaltensformen genommen sind. Deren profilierteste Vertreter, Eble II. und Bernhard von Ventadorn, haben ihren Gedanken eine geradlinige, leicht durchschaubare Sprachform gegeben.

Pollmann stellt die im provenzalischen Minnesang ausgeprägten dichtungstheoretischen Grundsätze den Kategorien der klassischen Rhetorik gegenüber; seine Ergebnisse sind auch für die deutschsprachige Dichtung des 12. und 13. Jahrhunderts von Bedeutung. Er lehnt Köhlers Parallelisierung von 'trobar clus' und 'ornatus difficilis', weil der 'ornatus difficilis' ein Stilmittel, aber keine Stilart ist. Auch die Gleichsetzung von 'ornatus difficilis' mit dem erhabenen Stil ist falsch. "Wenn der 'ornatus difficilis' von Bedeutung sein sollte für die Entwicklung des 'trobar clus', so höchstens hinsichtlich einer technischen Seite desselben, nicht aber in Bezug auf seine Konzeption."[270] Die hinter dem 'trobar clus' stehende Konzeption stellt sich dar als ein Verschließen (clus) des Sinnes, womit eine gewisse 'obscuritas' verbunden ist, die dem auf der sozialen Stufenleiter weit unten stehenden Troubadour die Möglichkeit gibt, trotz Abhängigkeit Kritik an seinen Zuhörern zu üben. Im Gegensatz dazu steht der 'ornatus difficilis', der nach Geoffrei de Vinsauf gerade nicht 'obscurus' sein darf.[271]

Die Frage nach dem Ursprung des 'trobar clus' führt Pollmann in das Gebiet der mittelalterlichen Homiletik, ein Gesichtspunkt, der im Rahmen stiltheoretischer Fragen nicht weiter verfolgt zu werden braucht. Ein Blick auf sein Ergebnis, "daß die Konzeption eines kraft seiner Dunkelheit werthaften Stils mit Sicherheit in bibelexegetische Tradition verweist, vielleicht spezifisch zu den 'Moralia' Gregors des Großen zurückführt",[272] bestätigt, daß die Beschäftigung mit mittelalterlicher Literatur auch die Fragestellungen der geistlichen Textauslegung berücksichtigen muß, wenn sie nicht oberflächlich sein will. Das Zurückführen der sich aus der hochmittelalterlichen Literatur ergebenden Probleme stilistischer und kompositorischer Art allein auf lateinische Vorbilder erfaßt nur einen Teilbereich mittelalterlichen Denkens.

---

270) Pollmann, S.46. 271) ebd.
272) S.53.

So hat auch Herbert Kolb anläßlich einer Interpretation des Musenanrufs im 'Tristan' (vv. 4862-79 und 4896-4907), gestützt auf eine umfangreiche Materialsammlung, gezeigt, welches Verhältnis das Mittelalter, speziell Gottfried von Straßburg, zur Antike hatte, dessen "zweiter Anruf an 'die selben gotes gabe/des waren Elicones' nicht einen Musenanruf im antikischen Sinne darstellt, sondern" der sich "damit an den dreieinigen Gott wendet".[273] Für Kolb wie für Ohly, auf den ich bereits hingewiesen habe, ist der Forschungsansatz von Julius Schwietering richtungweisend. Ein für das Verhältnis Mittelalter - Antike wichtiger, aber viel zu wenig beachteter Satz Ohlys mag das typologische Denken jener Zeit verdeutlichen, die über die Antike weit hinausgelangt war.

> Stellt man die Frage nach der heilsgeschichtlichen Bedeutung des Textes, so antwortet er auf der Stufe des allegorischen Sinnes. Allegorie meint hier dasselbe wie der moderne Begriff der Typologie, also den Bedeutungsbezug zwischen Präfiguration und Erfüllung wie zwischen dem Alten und dem Neuen Testament. Diese in heilsgeschichtlichem Denken verankerte typologische Denkform hat das Geschichtsbewußtsein des Mittelalters stark geprägt, unter anderem, indem sie auf das Verhältnis zwischen Antikem als Präfiguration und Christlichem als Erfüllung übertragen zu werden vermochte und dadurch das Hochgefühl des Bewußtseins, in einer der Antike überlegenen Zeit zu leben in einem Maße gesteigert, daß gerade diesem Bewußtsein tiefe Antriebe zur künstlerischen Überwindung der Antike im Mittelalter verdankt wurden, was Schwietering entdeckte, Auerbach und Glunz weiter ausführten und begründeten. (274)

Gottfrieds Opposition gegen das Stilextrem eines nicht näher bezeichneten Personenkreises ist mit einer Kritik an dessen Haltung den Quellen gegenüber verbunden. Bevor ich diese Stelle untersuche, werde ich die von mir zwischen den beiden Weisen des 'trobar' und Gottfried hergestellte Verbindung begründen. Obwohl die ausdrückliche Hervorhebung des 'ebenen' und 'slehten' Moments in seiner eigenen Dichtweise und die Ablehnung einer Schreibart, die der Erklärung bedarf,[275] schon in der Dichtungstheorie der altprovenzalischen Lyrik im Ansatz vorhanden ist, muß Gottfrieds Standpunkt noch keine Folgeerscheinung oder Weiterentwicklung der provenzalischen Situa-

---

273) Herbert Kolb, Der ware Elicon. In: DVjs 41, 1967, S.1-26. Zur Stelle s. S.22.

274) Ohly, S.10.

275) Vgl. Trist. 4684-85: 'si müezen tiutaere/mit ir maeren lazen gan.'

tion sein. Es gibt aber eine Stelle im 'Tristan', die darauf hindeutet, daß Gottfrieds Dichtweise dem Hauptkriterium des 'trobar leu', dem Aufschließen des Sinnes, verpflichtet ist. In den Versen 16923-27 heißt es: 'Nun sol iuch niht verdriezen,/irn lat iu daz entsliezen,/durch welher slahte meine/diu fossiure in dem steine/betihtet waere, als si was.'[276] Seine Auseinandersetzung mit Leuten, die nicht 'ebene' und 'sleht' dichten, sollte zu der Überlegung Anlaß geben, ob damit nicht der alte Ge gensatz von 'clus' und 'leu' aufgegriffen und weitergeführt wird, in der Weise, daß einem modifizierten Begriff von 'clus' das Recht auf positive Bewertung aberkannt wird. Um welches Element wäre die Auseinandersetzung zwischen 'clus' und 'leu' bei Gottfried erweitert? Es käme das Moment der Quellenfindung und Quellentreue hinzu, jedoch nicht einfach als Anhängsel an schon Bekanntem, sondern als individuelle Ausdeutung ihm vertrauter dichtungstheoretischer Konzepte. Daß Gottfried die Dichtungstheorien des Nachbarlandes bekannt waren, darf auf Grund seiner Fremdsprachenkenntnis und des Gebrauchs einer französischsprachigen Quelle - des 'Tristan' Thomas' von Britanje - als wahrscheinlich gelten. Ich betone aber, daß die in diesem Exkurs vorgetragenen Überlegungen Hypothesencharakter haben und keinen Anspruch erheben, Fakten zu vermitteln.

Die Quellenfrage wird mit dem Vers 'vindaere wilder maere' angeschnitten. Die sich anschließende Passage zielt meiner Meinung nach auf minderwertige Dichter, die nicht nach Vorlagen dichteten, die ihnen ein Mäzen hätte beschaffen müssen, sondern die Quellen nichtliterarischer Herkunft ausschöpften oder ihre Phantasie bemühten. Gottfrieds Gang in die Niederungen des Jahrmarkts könnte dies bestätigen. 'Des hasen geselle' und die 'vindaere wilder maere' beziehen sich nicht auf dieselbe Person beziehungsweise denselben Personenkreis, sondern sind voneinander unabhängige Teile des Dichterkataloges.

Der von Gottfried, aber auch von anderen mittelalterlichen Dichtern verwendete Terminus 'vunt' (mit seinen Ableitungen und Entsprechungen 'vünde', 'vindaere', nfrz. 'trouvère', prov. 'trobar', 'trobador') gehört ebenfalls in den Bereich "Quellenproblematik". Kaum eine Generation nach Gottfried ruft Rudolf von Ems in sei-

---

276) "Nun soll es euch nicht langweilen, wenn ihr euch das aufschließen laßt, um welcher Bedeutung willen die Grotte im Fels so beschrieben war, wie sie war."

ner dem 'Tristan' nachgebildeten Literaturschau, die das II. Buch des 'Alexander'-Romans eröffnet, zum Lobe Gottfrieds aus:[277)]

3156 wie ist sô ebensleht gesat
sîn v u n t, sô rîch, sô sinneclich! ...
3163 wie kunde er sô wol tihten,
getihte krümbe slihten, ...

Rudolf greift die zentralen Begriffe der Gottfriedschen Dichtungslehre auf und kontrahiert sie zu 'ebensleht', einem Adjektiv, das er in Opposition zur 'krümbe' stellt. Es schwer zu entscheiden, ob 'krümbe' einen nicht ebenmäßigen Stil oder die ungeschickte Gliederung der 'materje', also des Stoffes, oder die in den Versen 149-162 des 'Tristan' angesprochene Quellenrevision meint. Vielleicht spielen alle diese Möglichkeiten, besonders aber die dritte, eine Rolle. 'Ebensleht' ist dem Substantiv 'vunt' zugeordnet, dessen Bedeutung in die Richtung Stoff/Gegenstand weist. Nicht E rfundenes, sondern G e fundenes wird damit gemeint.

Auch in Verbindung mit Bligger von Steinach, von dessen Werk sich, bis auf die wenigen Zeilen Lyrik,[278)] nichts bis in unsere Zeit erhalten hat, wird das Wort 'vunt' gebraucht:[279)]

3205 eines v u n d e s hât gedâht
der wirt niemer vollebrâht,
von Steinach her Blickêr.
der v u n t ist lôs und alsô hêr
daz aller tihtaere sin
kan niemer vollebringen in,
daz ist der lôs Umbehanc.

Damit ist etwa folgendes gemeint: "Herr Bligger von Steinach hat eine Entdeckung gemacht (wahrscheinlich im Sinne von Auffinden eines schon einmal bearbeiteten Stoffes), wie es sie niemals wieder geben wird. Dieser literarische Fund ist so anmutig und herrlich verarbeitet, daß so etwas kein Dichter noch einmal schaffen könnte; es ist

---

277) Rudolf von Ems, Alexander. Ein höfischer Versroman des 13. Jahrhunderts. Zum ersten Male herausgegeben von Victor Junk. Erster Teil: Buch 1-3. Leipzig 1928. (=Bibliothek des Literarischen Vereins in Stuttgart. Bd. 272)

278) Vgl. MF, 34. Aufl. 1967, S.156/157.

279) Rudolf von Ems, Alexander, vv. 3205-11. Hervorhebungen von mir.

der herrliche 'Umbehanc'." Es könnte natürlich ein Zufall sein, daß gerade diese verloren gegangene Dichtung mit 'vunt' in Verbindung gebracht wird; da diese Bezeichnung aber auch auf Gottfrieds 'Tristan' angewendet wird, muß sie auf einen grundlegenden literaturtheoretischen Sachverhalt bezogen sein. Hier eine Analyse dieser 'Alexander' - Stelle, in der Gottfrieds Vergleich der Kunst mit einem Baum aufgegriffen wird. Rudolf stimmt Gottfried zu, daß die Epoche der höfischen Literatur mit Heinric van Veldeken begann. Drei kunstfertige Zweige wuchsen heran, die ihn zum Vorbild nahmen und die ihr Können auf verschiedene Weise vor aller Welt ausbreiteten:[280]

3123 daz eine [rîs] ist sleht, süeze und guot,
des vruht den herzen sanfte tuot,
dâ ist niht wurmaeziges an:
daz stiez der wîse H a r t m a n
der künsterîche Ouwaere
mit mangem süezen maere.
daz ander rîs ist drûf gezogn,
3130 starc, in mange wîs gebogn,
wilde, guot und spaehe,
mit vremden sprüchen waehe:
daz hât gebelzet ûf den stam
von Eschenbach her W o l f r a m.
3135 mit wilden âventiuren
kund er die kunst wol stiuren,
des gap sîn âventiure
der kurzwîle stiure.
Ob ich nû prîsen wolde
3140 als ich von rehte solde
daz dritte vollekomen rîs,
sô müeste ich sîn an künsten wîs:
dêst spaehe guot wilde reht,
sîn süeziu bluot ebensleht
3145 waehe reine vollekomn,
daz rîs ist eine und ûz genomn
von künsterîchen sinnen.

3153 daz stiez der wîse Gotfrit
von Strâzburc der nie valschen trit
mit valsche in sîner rede getrat.

---

280) Rudolf von Ems, Alexander, vv. 3123 - 55. Hervorhebungen von mir.

"Das eine (Reis) ist gerade (in Opposition zu 'krump'), angenehm (oder lieblich) und von passender Art, dessen Frucht tut den Herzen wohl, es ist nichts Wurmstichiges daran: dieses (Reis) pfropfte der erfahrene Hartmann, der kunstbegabte von Aue, mit mancher lieblichen Erzählung auf. Das andere Reis ist daraufgezogen, (es ist) kräftig, auf manche Art gekrümmt, fremdartig (seltsam, unbekannt); von passender Art und kunstvoll, mit unbekannten Worten verziert: dies hat Herr Wolfram von Eschenbach auf den Stamm gepfropft. Mit fremdartigen Geschichten vermochte er die Dichtkunst wohl zu bereichern, seine Dichtung zu angenehmer Unterhaltung. Wollte ich nun, wie ich es eigentlich sollte, das dritte vollkommene Reis loben, müßte ich besonders kunstbegabt sein: dieses ist kunstvoll, von passender Art, fremdartig, gerade, seine liebliche Blüte ist ohne Tadel, schön verziert, makellos; dieses Reis ist einzigartig und ausgezeichnet durch einen kunstreichen Verstand. Dieses pfropfte der erfahrene Gottfried von Straßburg auf, der mit seinen Worten niemals etwas Unpassendes begangen hat."

Diese Auseinandersetzung mit bestimmten Dichtstilen und deren Vertretern durch einen nachklassischen Dichter, der sich seiner epigonalen Rolle durchaus bewußt war, ist wichtig für das Verständnis der Gottfriedschen Literaturstelle. Rudolfs Einschätzung Hartmanns stimmt weitgehend mit Gottfrieds Laudatio überein, danach ist Hartmanns Stil 'sleht', 'süeze' und 'guot', also ebenmäßig, sprachlich nicht überspannt, angenehm zu hören. Mehr auf den Inhalt bezieht sich die Bemerkung, daß in seiner Dichtung nichts "wurmstichig" sei, d.h. sich nichts Verderbliches oder Schlechtes befindet. Außerordentlich wichtig sind Beschreibung und Bewertung des dichterischen Könnens Gottfrieds und Wolframs, letzteren charakterisiert er so: Seine Erzählungen sind 'starc', 'in mange wîs gebogn', 'wilde', 'guot' und 'spaehe', also kräftig (wahrscheinlich im Sinne von gewaltig, auf die Länge der Epen und ihr inhaltliches Gewicht bezogen), sie sind kompositionstechnisch kompliziert, nicht 'sleht', sondern 'in mange wîs gebogn', und sie sind 'wilde'. Das läßt sicher jeden Befürworter einer Fehde zwischen Gottfried und Wolfram aufjubeln. Ist es doch dasselbe Adjektiv, das Gottfried in der Literaturschau verwendet hat: 'vindaere wilder maere'. Das könnte ein Beweis dafür sein, daß dieses Wort Gottfrieds auf Wolfram, den er nicht nennen wollte, gezielt war. Daß diese Annahme falsch ist, zeigt sich wenige Verse später.

Die Bedeutung von 'guot', das sich schon im Lob Hartmanns fand, ist nicht klar, im Gegensatz zu 'übel' ist es in diesem Zusammenhang sicher nicht gebraucht.

'Spaehe' bedeutet kunstvoll, mit großer Kunst geschaffen; und schließlich sei alles mit unbekannten, fremdartigen Worten verziert. Es ist schwer zu entscheiden, ob 'mit fremden sprüchen waehe' die vielen seltsamen Begebenheiten im 'Parzival' meint oder fremdsprachliche Elemente (Sachbezeichnungen, Eigennamen) oder noch andere Bereiche. Wolframs Bedeutung liege, so sagt Rudolf abschließend, in dem Verdienst, die Poesie mit unbekannten Geschichten, also mit Stoffen von Autoren, die zu jener Zeit in Deutschland kaum oder gar nicht bekannt waren, bereichert zu haben.

Viele der Bewertungen tauchen in der Charakterisierung Gottfrieds wieder auf: 'spaehe', 'guot', 'wilde', 'reht', 'ebensleht', 'waehe', 'reine' und 'vollekomn' findet Rudolf den 'Tristan'-Roman. Es ist bemerkenswert, daß auch 'wilde' darunter ist, die Annahme, daß 'wildiu maere' ein Tadel Gottfrieds gegen Wolframs "obskure" Quellen sei, ist also nicht haltbar. Wenn 'wilde' Gottfried von dessen intimstem Kenner zugeordnet wird, muß es ein positives Merkmal einer Dichtung bezeichnen. Auf keinen Fall hat es eine pejorative Bedeutung, sondern ist im Sinne von 'fremdartig', 'hierzulande unbekannt' zu übersetzen.

An keiner Stelle wird auch nur angedeutet, daß zwischen Gottfried und Wolfram eine Kontroverse stattgefunden hat. Würde ein Gegensatz welcher Art auch immer bestanden haben, hätte er sich mindestens in Form einer leisen Kritik an Wolfram und in einer Parteinahme für sein Vorbild Gottfried niederschlagen müssen. Denn als Gottfriedbewunderer wäre ihm, zumal er kaum eine Generation nach diesem gelebt hat, eine Spannung oder gar ein Streit nicht entgangen.

Bei der Erwähnung Bliggers hatte Rudolf die Bezeichnung 'vunt' gebraucht, auf Gottfried wird sie ebenfalls angewandt:[281)]

3156 wie ist sô ebensleht gesat
sîn v u n t, sô rîch, sô sinneclich!
wie ist sô gar meisterlich
sîn Tristan! swer den ie gelas, ...

"Wie ebenmäßig ist sein Stoff bearbeitet, wie edel, wie verständig (ist das Ganze)! Wie ist sein Tristan doch so meisterhaft geschaffen!" Bei anderen Dichtern, die etwas über ihre Quelle aussagen, werden, neben 'vunt', auch die Bezeichnungen 'materje' und 'historje' benutzt, so spricht etwa Ulrich von dem Türlin in seiner 'Willehalm'-

281) vv. 3156-59. Hervorhebung von mir.

Fortsetzung davon, daß Herr Wolfram die 'materî' der Dichtung, genauer gesagt ihres Anfangs, sehr klar mitgeteilt habe:[282)]

1 Hân ich nû kunst, die wil ich zeigen,
die mîn herze vil eigen-
lîchen hât beslozzen
der welt gar ungenozzen,
5 durch dis buoches angenge,
des mâterî uns vil enge
her Wolfram hât betiutet:

Und Heinrich von Freiberg, einer der Fortsetzer von Gottfrieds 'Tristan'-Roman, schreibt um 1300:[283)]

23 dise materien er [Gottfr.] hât
gesprenzet in sô lichte wât,
daz ich zwîvele dar an,
ob ich indert vinden kan
in mînes sinnes gehûge
rede, die wol stênde tûge
bî disen sprûchen guldîn.

"Er [Gottfr.] hat den Stoff (in diesem Fall die Sage von Tristan und Isolde) in ein so strahlendes Gewand gekleidet, daß ich daran zweifle, ob ich überhaupt noch eine Sprachform finden werde, die neben diesen goldenen Versen bestehen kann." Heinrich versucht, die Begriffe 'Stoff' und 'Stoffgestaltung' zu umschreiben, bei Gottfried sei für die beiden Bereiche ein Höchstmaß an Kongruenz erreicht. Mit dieser Auffassung gesellt er sich der Partei zu, die der klaren, lichten Darstellungsart den Vorzug vor einer obskuren, mehrdeutigen gibt.

Im 'Rennewart'-Epos Ulrichs von Türheim wird ein anderer, häufiger angesprochner Gesichtspunkt berührt. Der 'Rennewart' ist, was seine Quelle betrifft, eine Bearbeitung und Fortsetzung des Wolframschen 'Willehalm'. Zu Beginn des letzten Drittels dieses Riesenwerkes spricht Ulrich davon, daß nun noch ein hartes Stück Arbeit vor ihm liege, wollte er alle Länder nennen, in die Willehalm und Rennewart verschlagen

---

282) Willehalm. Ein Rittergedicht aus der zweiten Hälfte des dreizehnten Jahrhunderts von Meister Ulrich von dem Türlin. Hg. von Samuel Singer. Prag 1893 (=Bibliothek der mittelhochdeutschen Litteratur in Böhmen. Bd. IV). IV. Abschnitt, vv. 1-7, S.4.

283) Heinrich's von Freiberg Tristan. Hg. von Reinhold Bechstein. Leipzig 1877, vv. 23-29, S.4/5.

wurden.[284)]

21662 ez werdent wildiu maere
die ich nu erst mŭz tihten.

Diese Verse sind mit der Klage über den Tod seines großen Vorbildes Wolfram verbunden. Der Gedanke, daß dieser ein Fragment hinterlassen hat, entlockt Ulrich den Stoßzeufzer, daß er von jetzt ab selbständig dichten müsse, ohne das Vorbild und die Anleitung des berühmten Kollegen. Das kann nur bedeuten, daß 'wildiu maere' in diesem Zusammenhang Erzählungen meinen, die sich nicht eng an ein schon vorhandenes, von einem namhaften Dichter geschaffenes, Werk anschließen. Auf Grund der zahlreichen französischen 'Rennewart' - Dichtungen wird das auf keinen Fall bedeuten, daß Ulrich der Phantasie freien Lauf ließ, sondern er wird einer weniger bekannten Bearbeitung gefolgt sein. Das machte die Umsetzung in deutsche Verse selbstverständlich nicht leichter.

Eine andere Stoffbezeichnung ist 'histôrje', womit ein geschichtlich verankertes Geschehen gemeint ist, das durch Chroniken oder andere zuverlässige Quellen als wahr ausgewiesen ist. Rudolf von Ems kommt anläßlich der Erörterung seiner Darstellung der Lebensgeschichte Alexanders, die von anderen Darstellungen abweicht, auf die Frage nach der 'warheit' seiner 'maere':

15813 ist abr iemen vür mich komn
und hât sich des an genomn
daz er diu maere tihte
nâch der histôrje rihte
als ich sî gelesen hân,
dem wil ich diu maere lân.

"Tritt aber jemand vor mich hin und verbürgt sich dafür, daß er die Erzählung verfertige nach der rechten Weise der Geschichte, wie ich sie gelesen habe, dann will ich demjenigen die Erzählung überlassen."[285)]
Demnach hat er die richtige Darstellung des Geschehenen gelesen. Das war wichtig

284) Ulrich von Türheim. Rennewart. Aus der Berliner und Heidelberger Handschrift hg. von Alfred Hübner. Berlin 1938 (=Deutsche Texte des Mittelalters. Hg. von der Preußischen Akademie der Wissenschaften. Bd. 39). vv. 21662-63, S.317.

285) Rudolf von Ems. Alexander. 2. Teil: Buch 4-6, Anmerkungen und Register. Leipzig 1929, vv. 15813-18, S.546.

zu betonen; auf Gehörtes durfte man sich auch zu Rudolfs Zeit nicht so kategorisch berufen.

'Historje', 'materje' und 'vunt' sind Bezeichnungen, die an programmatischen Stellen mittelalterlicher Dichtungen benutzt werden, um die Art der Quelle zu beschreiben. Es sind dichtungstheoretische Begriffe, die allgemein gebräuchlich waren, so daß z.B. 'vunt' und davon abgeleitete Formen wie 'vindaere' nicht als Indizien für eine Dichterfehde zwischen Gottfried und Wolfram gelten können. Dasselbe gilt für 'wilde', das nicht in abschätziger Weise gebraucht wird.

Ich hoffe, mit diesen Beispielen gezeigt zu haben, wie falsch es ist, einzelne Wörter etwa aus Gottfrieds Dichterkatalog herauszulösen und, ohne ihre Bedeutungsbreite zu kennen, eine isolierende Betrachtung anzustellen, die immer darauf hinaus läuft, Wolfram hinter dem Text zu entdecken. Im Anschluß an diese Überlegungen zu Dichtungstheorien, wie sie in mittelalterlichen Werken andeutungsweise erscheinen, sind Gottfrieds 'vindaere wilder maere' nicht mehr so leicht zu determinieren. Die Einengung auf Wolfram verbietet sich, zumal er weder genannt noch durch ein indirektes Zitat sichtbar wird. Daß er auch gemeint sein könnte, wird jedoch nicht bestritten. Denken wir aber daran, wie wenig wir von mit Gottfried zeitgleichen Dichtern - zum Beispiel einem Konrad von Fußesbrunnen - wissen, oder von Schriftstellern minderer Qualität, ist die Festlegung auf Wolfram kaum noch eine verlockende Idee. Die Überlieferung mittelalterlicher deutscher Dichtung ist besonders im Bereich 'Weltliche Epik' willkürlich und unterliegt dem Geschmack eines nicht immer kritischen Standes, dem die Mäzene angehörten, die Großepen wie den 'Wigalois' des Wirnt von Gravenberg erst möglich machten. Wohl kennen wir den 'Wigalois', diese mehr oder weniger bunte Aneinanderreihung der aufregendsten Abenteuer, doch nicht eine epische Zeile des allseits gelobten Bligger von Steinach. Bei der Überlieferung hängt sicher vieles vom Grad der Beliebtheit eines Autors oder seines Stoffes ab, was dann die Zahl der Abschriften beeinflußt haben wird; daß aber von Bliggers 'Umbehanc' nicht das kleinste Fragment die Zeiten überdauert hat, ist ein Beweis für die Zufälligkeit der Überlieferungsmechanismen.[286)]

---

286) Gerhard Eis ist hinsichtlich der "verlorenen altdeutschen Dichtung" optimistischer. Er vermutet, "daß unter den verlorenen Literaturwerken des Mittelalters keine sehr bedeutenden Arbeiten der weltlichen oder geistlichen Wissenschaften gewesen sind, denn diese waren in Tausenden von Handschriften verbreitet". (S.19) Die durch-

Bevor ich über die letzten Verse des von mir übersetzten Abschnitts der Literaturstelle spreche, will ich mich mit einigen Forschungsergebnissen zum 'vindaere-wildermaere'-Problem auseinandersetzen. Als Lachmann in der Berliner Akademie über den 'Parzival'-Prolog sprach, berief er sich auf eine nicht zu lokalisierende Äußerung Docens, in der dieser eine Verbindung zwischen dem in Gottfrieds Dichterschau beschriebenen Dichtstil, der von seinem eigenen stark abweicht, und Wolfram von Eschenbach hergestellt haben soll. Lachmanns Inhaltsparaphrase läßt aber erkennen, daß er 'vindaere wilder maere' mit dem Plural übersetzt: Gottfried spreche von den Märejägern, "die wie Hasen umherspringen, die ihre Märe müsten von Ausdeutern herumtragen lassen".[287] Ist es wirklich so leicht zu entscheiden, ob der in v. 4636 genannte Hase (oder dessen Gefährte) mit den 'vindaeren' gleichzusetzen ist, und kann diese Gleichsetzung dann auch noch ohne Begründung erfolgen?

Auch Gervinus übersetzt 'vindaere wilder maere' mit dem Plural, er versäumt aber, deutlich zu machen, über welche Stufen der Beweisführung er zur Substitution der 'vindaere' durch Wolfram gelangt und warum dieser einer "feindseligen Stimmung"[288] Gottfrieds ausgesetzt war.

Vilmar hatte die Ansicht vertreten, daß Gottfried seinen Widersacher tadelnd als "einen 'Finder fremder wilder maere'"[289] bezeichne, Heinrich Kurz entscheidet sich für den Plural, da er offenbar eine engere syntaktische Verknüpfung des Verspaares mit dem Vers 'die bernt uns mit dem stocke schate' annimmt, ohne diesen Gedanken jedoch auszuführen.[290]

---

schnittliche Zahl der Hss.-Exemplare mittelalterlicher Texte, die Eis ermittelt, indem er die Verbreitung des Missale Passaviense zu anderen Texten in Beziehung setzt, scheint mir für die schöne Literatur zu hoch gegriffen. Nach seiner Schätzung soll "Wolframs Parzival in etwa 13000 Exemplaren verbreitet" gewesen sein, das Nibelungenlied in 5000 bis 6000, Hartmanns Armer Heinrich in etwa 600 Exemplaren. (S.15) Ich halte es für durchaus möglich, daß mittelmäßige Literatur zu einem gewissen Teil gänzlich verloren gegangen ist. Auf diese könnte sich Gottfried von Straßburg bezogen haben, als er seine Literaturkritik schrieb.
G.Eis, Vom Werden altdeutscher Dichtung. Literarhistorische Proportionen. Berlin 1962.

287) Lachmann, Kleine Schriften, S.481.

288) Gervinus, Geschichte der deutschen Dichtung, S.410.

289) Vilmar, Geschichte der deutschen National-Literatur, S.182/183.

290) Kurz, Geschichte der deutschen Literatur, S.38.

Noch einen Schritt weiter geht Adolf Bartels, der über die Gleichsetzung 'vindaere'-Wolfram zu einer zweiten Gleichsetzung, 'wilde maere'-'Parzival', kommt.[291] Mittlerweile scheint die Frage des Numerus endgültig zugunsten des Singular entschieden worden zu sein, denn John Meier stellt im Jahre 1907 fest: "Gottfried apostrophiert 4663 ff. den bekämpften Ungenannten: vindaere wilder maere".[292] Er gebraucht die Gleichsetzung wie einen Topos.

In einem kleinen Aufsatz bemüht sich David Dalby, mit Hilfe einer mittelaltergerechten und weidmännisch korrekten Inhaltsbestimmung des Wortes 'wildenaere' den Buchstabensinn der Verse Trist. 4665 ff. zu erfassen. Natürlich ist jeder Beitrag wichtig für das richtige Verständnis des Ganzen, auch wenn er nur einen kleinen Teil des Textes erhellt. Doch Forscher wie Dalby und vor ihm schon Mosselman[293] verlieren über der Arbeit am Detail den umfassenderen Sinnzusammenhang aus den Augen. Vermutlich haben ihre Interpretationen das Ziel, die ganze Stelle von 'swer nu des hasen geselle si' bis 'in den swarzen buochen' zu verdeutlichen. Das Hauptproblem scheint für sie gelöst, sie suchen nur die Antwort auf Einzelfragen. Auch Dalby ist in der "glücklichen" Lage, schreiben zu können: "Die beiden anderen Stellen, an denen im Tristan das Wort 'wildenaere' auftritt,. stehen im Zusammenhang mit Gottfrieds Kritik an jenem Dichter, den er zwar nicht nennt, der aber auf jeden Fall Wolfram sein muß."[294] Die Stelle, an der im 'Tristan' von den beiden Liebenden als von 'der minnen wildenaere' (v. 11930) gesprochen wird, habe den Sinn: "die Wildfänger im Dienste der Frau Minne".[295] Dalby versteht 'wildenaere' als 'gemieteter Weidmann', 'Fallensteller', 'Wildfänger'. Wie die Verbindung dieser Bedeutungserklärung, die ich für durchaus zutreffend halte, zu dem Dichter Wolfram von Eschenbach auszusehen hätte, wird von Dalby nicht gesagt.

Seine Auseinandersetzung mit Meiers und Burdachs Interpretationsvorschlägen und deren Beurteilung, der ich zustimme, berührt folgende Punkte. Zu Meiers Erklärung, die

---

291) Bartels, Geschichte der deutschen Literatur, 3./4. Aufl. 1905, S.99.

292) Meier, S.511.

293) Mosselman, S.49 u.ö.

294) David Dalby, 'Der maere wildenaere'. In: Euphorion. Zeitschrift für Literaturgeschichte. 55. Band, 1961, S.77-84. Zur Stelle s. S.82.

295) Dalby, S.81.

sich auf den 'Liber Vagatorum' von 1510 stützt,[296] sagt er, daß sie leichter zu akzeptieren wäre, "wenn der 'Liber Vagatorum' nicht erst drei Jahrhunderte nach dem 'Tristan' geschrieben worden wäre".[297] Darüber hinaus sind Bedenken gegen den Stil, in dem die Argumentation vorgetragen wird, zu äußern. 'Wildenaere' sei mit Hilfe der Gaunersprache zu bestimmen, und dazu bemerkt Meier:

> Das Richtige ist, daß, was auch Burdach hervorhebt, an Gaunerklassen zu denken ist, die im 'Liber Vagatorum' von 1510 ... 'Loßner' genannt und so geschildert werden: 'das sind betler, die sprechenn, sie seien VI oder VII jar gefangen gelegen, und tragen der ketten mit ynen, darin sie gefangen sind gelegen. (298)

Hier wird Vermutetes als schon Bewiesenes ausgegeben. Der Satzanfang 'das richtige ist, daß' ist eine Täuschung, diese Zusammenfassung von früheren, nicht bezeichneten Diskussionsergebnissen überspringt eine Erklärung, wie Meier 'richtig' und 'falsch' in diesem Zusammenhang verwendet. Mit diesem sprachlichen Kunstgriff, einer geschickten Sprachverwendung, wird vorgetäuscht, daß das Gesagte auf objektiver Prüfung des Textes und des zeitgeschichtlichen sowie des forschungsgeschichtlichen Rahmens beruht.

Burdach übersetzt 'wildenaere' im Sinne von 'Wilderer', 'Wilddieb', Bechsteins Übersetzung 'Taschenspieler' lehnt er ab. Zu beidem bemerkt Dalby: "Gleich, ob Taschenspieler oder Gauner hier gemeint sind, so ist es aber schwer zu verstehen, warum Gottfried Wilddiebe mit den unähnlichen Berufen von Taschenspielern und Gaunern absichtlich in Zusammenhang stellen sollte. Die Übersetzung von 'wildenaere' mit "Wilddieb" kann auch nicht belegt werden."[299]

Dalby's Erklärung des Buchstabensinnes von 'wildenaere' ist durchaus akzeptabel, der nächste und wichtigere Schritt aber wäre eine Erklärung dafür, warum Gottfried Wolfram mit einem Fallensteller oder subalternen Jagdgehilfen verglichen haben sollte.

Einer der wenigen, die ihre Interpretation am Text entwickeln und vorführen, ist Frederick Norman. In v. 4667 gehe ein Übergang vom Singular zum Plural vor sich; 'vindaere' und 'wildenaere' seien gänzlich richtige Singularformen und die anschließende, im Plural gehaltene Charakterisierung von unehrlichen Leuten und ihren Tätigkeiten sei sehr schlau ausgedacht. Die Bezeichnung 'wildenaere' schließlich sei ein

---

296) Meier, S.512.

297) Dalby, S.83.

298) Meier, S.512.

299) Dalby, S.83.

Wort, das Wolframs sozialen Status bissig, aber gerecht charakterisiere.[300] Abgesehen davon, daß diese Stelle überhaupt keine Aussagen über Wolframs Status macht - nachfolgende Dichter nennen ihn 'Her Wolfram von Eschenbach' und ich sehe nicht, inwiefern der 'wildenaere' dies verdeutlichen kann - hat Norman hier ein merkwürdiges Textverständnis. Bei der Übersetzung der Literaturstelle habe ich zu zeigen versucht, daß auf Grund der Satzkonstruktion, die Gottfried gebraucht, 'vindaere' und 'wildenaere' nur Pluralformen sein können. Mit dem hypotaktischen Satzbau, der vorliegt, wird eine Subordination verschiedener Gedanken innerhalb einer Satzeinheit erreicht. Gottfried beginnt mit dem Verspaar 'vindaere wilder maere/der maere wildenaere' einen neuen Gedanken. Die handelnden Personen werden im ersten Teil des Satzes genannt und dort für eine gewisse Zeit sozusagen stillgelegt, bis ihnen am Ende des Satzes eine Tätigkeit - mit dem Stock Schatten zu spenden - zugeordnet wird. Die Strekke zwischen Subjekt und Prädikat (bernt) ist zu lang, so daß am Satzende als Gedächtnisstütze für den Hörer das Subjekt in Form des Demonstrativpronomens noch einmal aufgenommen werden muß. Erst beide Teile zusammen ergeben eine sinnvolle Aussage. Worauf sollte 'vindaere wilder maere' bezogen sein, wenn nicht auf 'bernt'?

In diesen Satzrahmen sind Sinneinheiten gefügt, die den literarischen Bereich verlassen und auf Jahrmarkt und Schaustellerei hinweisen. Der erste Relativsatz verweist auf ein Tätigkeitsmerkmal des sogenannten unehrlichen Gewerbes. Vergegenwärtigen wir uns den Anlaß für die Abfassung dieser Dichterschau, die große Festlichkeit am Hofe zu Tintajel anläßlich der Schwertleite Tristans, ist ein loser Zusammenhang mit dieser Art des Vergnügens gegeben, hatten doch Festlichkeiten im Mittelalter eine große Anziehungskraft auf wandernde Unterhaltungs-"Künstler" unterschiedlichster Art. Eine der schönsten Festesschilderungen, die gerade den Jahrmarktsbereich einbezieht, findet sich in 'Morant und Galie', einem niederrheinischen Gedicht, "das die sagenhafte Jugend Karls des Grossen behandelt".[301] Dort wird von 'mynistreren' gespro-

---

300) Norman, The enmity of Wolfram and Gotfried, S.67. Dalbys Bemerkungen zu 'wildenaere' stimmt er zu, darüber hinaus hält er die 'vindaere wilder maere'-Stelle für eine verletzende Invektive, eine schwere Beleidigung Wolframs.

301) Morant und Galie nach der Cölner Handschrift hg. von Erich Kalisch, Bonn/Leipzig 1921, Einleitung S.III.

chen, 'de wir nennen speleman'[302] und von solchen, 'de vele waele sungen/Sulche as sy is begerden/De bucke mit den perden/Daden sy samen stryden/Ind merkatzen ryden/Sulche de ouch konden/Dantzen mit den hunden'.[303] Die Aufzählung ist fünfundsechzig Verse lang. Auf Kirchweihen und Jahrmärkten, schreibt auch W. Hertz, "erscheinen sie mit tanzenden Bären, Hunden und Ziegen, ... liefen auf dem Seil, ... verschlangen Feuer und zerkauten Steine, übten Taschenspielerkünste unter Mantel und Hut, mit Zauberbechern und Ketten"[304] und ergötzten die Leute "durch Singen Musizieren"[305] und Geschichtenerzählen.

Das Ansehen der fahrenden Leute in der mittelalterlichen Gesellschaft war gering. Wohl ließen sich die Menschen von den Fahrenden die Zeit vertreiben, die Aufnahme in die menschliche Gesellschaft jedoch verwehrten sie ihnen. Kirchliche Würdenträger, aber auch gebildete Laien, diese zwar aus anderen Gründen, tadelten das Treiben der Jongleure.[306]

Jahrmarktsgeschichten, wie sie vielleicht in Form von Gruselgeschichten existierten, oder auch Spielmannsepen, die natürlich weit über diesen standen, fehlt das, was Gottfried für unerläßlich hält: eine seriöse Quelle. Neben der von mir herausgearbeiteten Bedeutung von 'wilder maere' als 'hierzulande unbekannter Geschichten' könnte auch der Bereich 'Spielmannsepen' und 'Jahrmarktsgeschichten' eine Rolle spielen.

Es kann m.E. nicht zutreffen, daß dieser Aufwand allein Wolframs wegen getrieben wurde, denn auch von dem Übelwollendsten konnte sein Werk nicht als unbekannte Geschichte ohne nachprüfbare Quelle bezeichnet werden, denn er selbst nennt zwei Gewährsleute, Chrêtien und Kyot. Da Chrêtiens Existenz und Dichtung nicht annulliert werden können, wird Kyot zur Fiktion erklärt und damit die Voraussetzung für eine Interpretation geschaffen, die die 'vindaere wilder maere' gleich Wolfram setzt.

Die Verse 4673-77 der Dichterschau gestatten uns, einen Blick in die naturwissenschaftliche Vorstellungswelt des mittelalterlichen Menschen zu tun.

---

302) v. 5147. 303) vv. 5176-82.

304) W. Hertz, Spielmannsbuch, Stuttgart/Berlin 1905, S. 17.

305) Werner Danckert, Unehrliche Leute. Die verfemten Berufe. Bern/München 1963, S. 215.

306) Vgl. dazu Danckert, S. 230.

4673 die bernt uns mit dem stocke schate
niht mit dem grüenen meienblate,
mit zwigen noch mit esten.
ir schate der tuot den gesten
vil selten in den ougen wol.

Zur Charakterisierung eines Schreibstiles, der nicht der seine ist, verwendet Gottfried einen botanischen Vergleich. Im Anschluß an die Vorstellung von den rhetorischen Figuren als 'bluomen' vergleicht er den blumenarmen, dürren Dichtstil mit einem Stock, der, vom Baum getrennt und verdorrt, keine grünen Triebe mehr besitzt. Dieses vertrocknete Etwas kann schwerlich Schatten spenden. Im Gegensatz dazu spricht Gottfried von dem grünen Meienblatt, das eine Umschreibung für das Laub der Linde ist.[307] Weshalb wird gerade der Schatten der Linde hervorgehoben?

In der Naturgeschichte des Konrad von Megenberg, seinem "Buch der Natur", gibt es ein Kapitel über die Linde, das eine Antwort auf unsere Frage gibt, die den mittelalterlichen Menschen durchaus befriedigt haben wird:

> Von der linden. Tilia oder dilia haizt ain lind. der paum ist gar bekannt pei uns und ist gar lüftiger art. dar umb ist sein holz gar leiht. des paums plüet habent vil honigs und wahses und dar umb sitzent die peinen gern dar auf. daz honig ist pezzer und paz gesmach, daz die peinen dar ab samnent, wan kainerlei ander honig. es ist auch des paums schat den menschen zimleicher wan anderr paum schat. (308)

Gottfrieds botanischer Vergleich, besonders aber die anschließenden Verse 4678-82 'ob man der warheit jehen sol,/dan gat niht guotes muotes van,/dan lit niht herzelustes an:/ir rede ist niht also gevar,/daz edele herze iht lache dar.' sind wegen ihrer Nähe zum 'Tristan'-Prolog von großer Bedeutung. Wer in der Weise dichtet, daß es dürr wie ein Stock aussieht, der wird kaum Zuhörer fesseln, die bereit sind, von großen menschlichen Schicksalen zu erfahren und selbst fähig sind, Leid zu ertragen. Dieser sehr kleine Kreis von lebenserfahrenen, zum Nachdenken bereiten Menschen, Gottfrieds elitäre Gesellschaft der 'edelen herzen', setzte schon im Pro-

---

307) In der Beschreibung von Markes Frühlingsfest in Tintajel klingt ähnliches an: Trist. vv. 555-61 'man vant da, swaz man wolte,/daz der meie bringen solte:/den schate bi der sunnen,/die linden bi dem brunnen,/die senften linden winde,/die Markes ingesinde/sin wesen engegene macheten.'

308) Das Buch der Natur. Von Konrad von Megenberg. Die erste Naturgeschichte in deutscher Sprache, S.350.

log den Maßstab für die Beurteilung von Literatur. Von hier aus könnte ein Weg zur Aufhellung des in der Literaturschau gebrauchten Kollektivums 'wir' führen,[309] das gemeinsam mit den 'edelen herzen' auf ein Kritikergremium mit hohem Anspruch hinweist.[310]

Gottfried berührt noch ein anderes Gebiet mittelalterlicher Gelehrsamkeit. Wer die Werke derer zu lesen gezwungen sei, die er mit 'vindaere' bezeichnet, sei darauf angewiesen, dunkle Stellen mit Hilfe der Nigromantia, der schwarzen Kunst, aufzuhellen. Gottfried kannte demzufolge - wenigstens dem Namen nach - einen Zweig der Wissenschaft, dessen Hochburg im Mittelalter das spanische Toledo war. Helinand von Froidmont weiß zu berichten, daß die Kleriker nach Paris gingen, um die freien Künste zu studieren, nach Bologna, um die Codices kennenzulernen, nach Salerno der medizinischen Kenntnisse wegen, nach Toledo aber, um den Teufel zu studieren.[311] Mit der Erwähnung der 'swarzen buochen' nähert sich die Charakteristik der 'vindaere' wieder dem Bereich, in dem Zauberkünste den Ton angeben. Nun ist Wolfram von einigen Autoren der germanistischen Sekundärliteratur vorgeworfen worden, in seinen Dichtungen von Dingen zu erzählen, die in den schwarzen Büchern aufgezeichnet sind. Bei der Schilderung von Anfortas Krankheit etwa finden sich in der Tat erstaunliche astrologische Kenntnisse besonders zum Planeten Saturn. An dieser Stelle[312] beruft sich Wolfram aber auf seinen Gewährsmann Kyot, von dem er sagt, daß ihm der Stoff zu seinem Gralsepos in Toledo zugänglich gewesen sei. Daß es nicht Wolframs persönliches Wissen war, das er in diesem Zusammenhang ausbreitet, sondern daß er wahrscheinlich "eine Nebenquelle astronomischen

---

309) vv. 4645-46 'wir wellen an der kür ouch wesen:/wir, die wir die bluomen helfen lesen.'

310) So weist auch Fromm auf die Verbindung dieser Stelle der Literaturschau mit dem 'Tristan'-Prolog hin. Er schreibt: "Unser Dichter usurpiert für sich die Rolle des Preisrichters (4652-55), die er freilich - Anführer einer Geschlechterkette von literarkritischen Taschenspielern auch hier! - nur mit dem pluralis 'wir', d.h. zusammen mit den 'edelen herzen' oder vorgestellten Dichterkollegen, zu übernehmen sich bereit findet." (S.338) Mit seiner Interpretation "Wolfram, der Namenlose der Dichterschau, ist auch der 'sin'lose. Bei ihm machen die Worte ihre Hasensprünge auf der 'wortheide'" (S.340) kann ich nicht übereinstimmen.

311) Vgl. dazu H. Kolb, Munsalvaesche. Studien zum Kyotproblem, S.152, Anm.48.

312) Parz. 489,24-28; aber auch 490,11-17.

Charakters oder pseudowissenschaftlichen Inhalts" zur Verfügung hatte, räumt "der größere Teil auch der Forscher ein , die von der Existenz eines Gralautors Kyot nicht überzeugt sind".[313] Auskunft über die Auswirkungen des Saturns gaben sicherlich mehrere Quellen, und wenn Wolfram Parz. 490,11 - 17 schildert, wie Anfortas während der Saturnzeit von Kälte und Frost geplagt wurde, so verbreitet er damit Wissen, das in naturwissenschaftlichen Werken des ausgehenden 12. und 13. Jahrhunderts zu finden war. Konrad von Megenberg, dessen Quelle der 'Liber de natura rerum' des Thomas von Cantimpré aus der Zeit zwischen 1230 bis 1244 ist, schreibt zu Anfang des zweiten Abschnitts 'Von den himeln und von den siben Planêten':

> 1. Des êrsten von dem satjâr.
> der êrst haizt ze latein Saturnus, daz ist der Satjâr, dar umb, daz er den frühten und dem leben wider ist, und sölt er ze reht haizen der Stoerjâr oder der Hungerjâr; so haizt man in spötleichen Satjâr (wann er verderbt wein und korn), reht als der ainen ungestalten menschen engel hieze. der stern ist von seiner kraft kalt und trucken und ist sein lieht tunkel und volpringt seinen lauf in dreizig jârn. Plinius der spricht: alle planêten gênt ir kraiz zuo der lenken hant âne dêr stern, der gêt alle zeit snell zuo der rehten hant. daz verstên ich alsô, daz er alle zeit stêt daz mêrer tail gegen der sunnen underganch über, wan er volgt der sunnen traegleich. (314)

Der Vorwurf, nur schwer nachprüfbares Wissen zu verbreiten, trifft auf Wolfram, zumindest für den Bereich der schwarzen Kunst, nicht zu. Der Vorwurf Gottfrieds, daß manches Geschriebene nur mit Hilfe der schwarzen Kunst zu erklären sei, scheint mir wiederum in die Richtung der minderwertigen Literaturproduktion jener Zeit zu zielen.

---

313) Kolb, S.156.

314) Konrad von Megenberg, S.56.

TEXT 2

Im VI. Buch des 'Parzival' sind fast achtzig Verse einer Minnereflexion gewidmet, für die man in der 'Eneide' des Heinric van Veldeken das Vorbild gesucht hat. Die Betrachtung der drei von einer verletzten Wildgans in den Schnee gefallenen Blutstropfen evoziert bei Parzival einen Zustand extremer Versunkenheit, und es überfällt ihn die Erinnerung an Condwiramurs, die er, auf beschauliche eheliche Zweisamkeit vorerst verzichtend, verlassen hatte, um seiner Mutter Schicksal zu erkunden und um Ritterschaft zu erstreben.[315)]

Diese stellenweise sehr kritische Reflexion nimmt Wolfram zum Anlaß, ein persönliches Erlebnis aus dem Bereich zwischenmenschlicher Beziehungen, genauer gesagt, das für ihn enttäuschend verlaufene Minneverhältnis zu einer Dame zu objektivieren. In diesem mit der allegorischen Figur der Frau Minne geführten Gespräch beklagt sich Wolfram, daß diese ihm etwas vorgetäuscht habe, was in der Wirklichkeit nicht vorhanden war.[316)] Bezogen auf Wolframs Verantwortung, die er als erwachsener Mensch seinen Handlungen gegenüber trägt, heißt das: er hat sich getäuscht, indem er Erwartungen in eine Dame setzte, die sie nicht erfüllen konnte oder wollte. Dadurch, daß er Frau Minne wankelmütig und und unbeständig nennt, unterstellt er ein persönliches Versagen einer nur in der Minneideologie vorhandenen Größe.

Noch an einer anderen Stelle der Minnereflexion spricht Wolfram in eigener Sache, und er kann sich nur schwer hinter dem literarischen Gewand verbergen. Es wird deut-

---

315) Parz. 223,17-23 'ob ir gebietet, frouwe,/mit urloube ich schouwe/wiez umbe mîne muoter stê./ob der wol oder wê/sî, daz ist mir harte unkunt./dar wil ich zeiner kurzen stunt,/und ouch durch âventiure zil.'
"Wenn ihr mir gestatten würdet, fortzugehen, Herrin, sähe ich gern einmal, wie es um meine Mutter bestellt ist. Mir ist gänzlich unbekannt, ob es ihr gut oder schlecht geht. Dahin will ich für kürzere Zeit und auch um Rittertaten willen."

316) Kritisch sind z.B. die Verse Parz. 292,1-4 'Frou minne, sît ir habt gewalt,/daz ir die jugent machet alt,/dar man doch zelt vil kurziu jâr,/iwer werc sint hâlscharlîcher vâr.'
"Frau Minne, da ihr die Macht habt, die Jugend altern zu lassen, obwohl das Leben doch so kurz ist, sind eure Taten von schlechter Art."
Auf Wolfram sind bezogen Parz. 292,5-8 'disiu rede enzaeme keinem man,/wan der nie trôst von iu gewan./het ir mir geholfen baz,/mîn lop waer gein iu niht sô laz.'
"So zu reden käme niemandem zu, außer dem, der von euch niemals Hilfe erhalten hat. Hättet ihr mir mehr beigestanden, lobte ich euch jetzt nicht so lässig."

lich, daß er nach einem Universalrezept für dauerhaftes Minneglück gesucht hat, so zum Beispiel - allerdings vergeblich - bei Veldeke, der sich bei Wolfram sonst großer Wertschätzung erfreute.[317)]

Dieser Teil der Minnereflexion ist als Beweis für die Richtigkeit der Kontroversenhypothese in Anspruch genommen worden:

292,18 hêr Heinrich von Veldeke sînen boum
mit kunst gein iwerm arde maz:
het er uns dô bescheiden baz
wie man iuch süle behalten!
er hât her dan gespalten
wie man iuch sol erwerben.
von tumpheit muoz verderben
maneges tôren hôher funt.

"Herr Heinric van Veldeken hat seinen Baum, d.h. das, was darunter geschehen ist, zwar kunstvoll, aber entgegen eurer (ambivalenten) Wesensart gestaltet. Hätte er uns doch besser darüber belehrt, wie man euch festhalten kann. Er hat davon (vom 'boum') abgespalten, wie man euch gewinnen kann. Durch Einfältigkeit, Unwissenheit wird manches Narren vortrefflicher (Liebes-)Fund zunichte gemacht."

Diese Stelle ist oft übersetzt worden, doch immer anders, als ich es hier getan habe. Die erste Schwierigkeit liegt in der Bedeutung des Wortes 'boum'. Lachmann hat im Lesartenapparat des 'Parzival' auf Vers 1824 des 'Eneas'-Romans verwiesen, der den

---

317) In Parz. 404,28-30 klagt er: 'ôwê daz sô fruo erstarp/von Veldeke der wîse man!/der kunde se baz gelobet hân.'
"Owe, daß der verständige (kluge) Veldeke so früh gestorben ist! Der hätte sie besser loben können."
Dennis H. Green ist, wie schon Schwietering, aufgefallen, "daß er [Wo.] sich an Veldeke gewandt hat, um das Erzählschema von Gahmurets Abenteuerfahrt mit konkreten Einzelheiten auszufüllen, so daß die Gahmuretgeschichte frappierende Ähnlichkeiten mit der des Eneas aufweist". (76) Ferner bedauert er, daß noch niemand ernstlich der Frage nachgegangen sei, "warum Wolfram - bei Ausfall der Chrêtienschen Quelle für die Gahmuretgeschichte - ausgerechnet bei Veldeke Anleihen gemacht hat. Wolframs Bekanntschaft mit Veldeke steht außer Frage; wir wissen ferner, daß er die Kunst des Vorgängers bewundert hat, obwohl er zu dessen mythologischer Liebesauffassung kritisch Stellung genommen hat, vor allem, weil Veldekes übernatürlich verstandene Liebe (nach Wolframs Ansicht) den Liebenden seiner menschlichen Freiheit und damit seiner ethischen Verantwortung beraubte". (S.77) Dennis H. Green, Der Auszug Gahmurets. In: Wolfram-Studien 1970.

Anfang eines Handlungsabschnitts markiert, in dessen Verlauf Eneas und Dido - unter einem Baum Schutz suchend - ihre Liebe zueinander erkennen.[318] Dazu bemerkt Ernst Martin in seinem 'Parzival' - Kommentar: "'boum' bezog Lachmann auf Eneide 1824 (bei Behaghel 1826ff.) 'do gesâgens (Eneas und Dido) einen boum stân/decken ende wale gedaen./dar toe quâmen sî gerant', um auf der Jagd vor dem Unwetter Schutz zu suchen und Minne zu finden. Aber eine Vergleichung des Baumes mit der Minne ist allerdings bei Veldeke nicht zu finden. So hat denn Bartsch vielmehr an das Gespräch der Lavine mit ihrer Mutter (Beh. 9740ff.) gedacht,[319] wo allerdings von dem Wesen der Minne und ihrer ersten Wirkung an die Rede ist, aber nicht von der Vergleichung mit einem Baume, ebensowenig wie bei den späteren Geständnissen der Lavine. So muß an ein verlorenes Gedicht Veldekes gedacht werden."[320] Es ist schade, daß Martin Lachmanns Auffassung ablehnt, obwohl sie den Weg zum besseren Verständnis weist. Da Lachmann den Gedanken jedoch nicht ausgeführt hat, bleibt offen, wie er sich den Bezug auf En. 1824 dachte.

Bartsch hatte 'sînen boum' mit "den Baum der Poesie" übersetzt, also in 'boum' eine Metapher für Veldekes dichterisches Schaffen insgesamt gesehen. San-Marte löste das Problem in seiner 'Parzival' - Übersetzung so: "Herr H e i n r i c h v o n V e l d e c k hat mit Kunst/Recht euer Wesen dargelegt,/Als er A e n e a s D i d o ' s Gunst/Unter jenem Baum gewinnen ließ."[321] Das bringt die Texterklärung keinen Schritt wei-

---

318) Henric van Veldeken. Eneide. I. Hg. von Gabriele Schieb und Theodor Frings, Berlin 1964, vv. 1819-1918.

319) Wolframs von Eschenbach Parzival und Titurel. Hg. von Karl Bartsch, Leipzig 2. Aufl. 1875. I. Theil. (=Deutsche Klassiker des Mittelalters. Mit Wort- und Sachererklärungen. Begründet von Franz Pfeiffer. 9. Band: Wolfram von Eschenbach. Parzival und Titurel). S.313: "378 'sînen boum', den Baum der Poesie. - 379 'mezzen gein', zusammenstellen mit: er hat in kunstvoller Weise in seinem großen Gedichte (der Eneide) eure Art und Weise behandelt. Dies bezieht sich auf das berühmte Gespräch zwischen Lavine und ihrer Mutter (Eneide 260,6-266,18 Ettm.), in welchem diese der Tochter über das Wesen der Minne Aufklärung erteilt."

320) Wolframs von Eschenbach Parzival und Titurel, hg. und erklärt von Ernst Martin. II. Teil: Kommentar (=Germanistische Handbibliothek IX, 2, Halle 1903), S.255.

321) Parcival. Rittergedicht von Wolfram von Eschenbach. Aus dem Mittelhochdeutschen zum ersten Male übersetzt von San-Marte (Albert Schulz). Zweite verbesserte Aufl., 1. Band, Leipzig 1858, S.297/298.

ter. John Meier nun scheint die Auflösung gefunden zu haben: "Man hat bei Veldeke dies Bild vergebens gesucht (Lachmanns Deutung auf En. 1826 ff. ist wohl allgemein abgelehnt), und es steht auch nirgends bei ihm, wohl aber bei Gottfried in der erwähnten litterarischen Erörterung."[322] Es ist typisch für Meiers Arbeitsstil, daß er sich auf die "allgemeine Ablehnung" des Lachmannschen Vorschlages beruft, obwohl sich außer Martin m.W. niemand kritisch dazu geäußert hat. Dieses 'boum' bei Wolfram sei als Anspielung zu verstehen, schreibt Meier. Nachdem er die Verse aus Gottfrieds Dichterkatalog, die sich auf Veldeke beziehen, den 'Parzival' - Versen 292,18-25 gegenübergestellt hat, erklärt er: "Von Gottfried beeinflußt ist wohl der Gebrauch des bei jenem [Gottfr.] an reflektierenden Stellen so beliebten Vierzeilers (eine Minnereflexion Gottfrieds Trist. 12187 ff.) und vor allem die Verwendung des Bildes vom Baum der Kunst. Wolfram erkennt Veldekes Bedeutung an, aber er opponiert doch, mehr scherzhaft, gegen die Art, wie Gottfried Veldeke als Muster aufstellt ... und die Meinung ausgesprochen hatte, daß alle Nachfolger die Feinheit ihrer 'meisterlichen Fünde' von seinem Baum entlehnten. Ohne Gottfried zu nennen macht er Opposition: 'der von dir so gelobte Veldeke, er hat auch nur über das Entstehen der Minne geredet und hat leider einen wichtigen, ja den wichtigsten Punkt fortgelassen, nämlich wie man sie festhalten kann'".[323]

Diese Gedanken sind angreifbar. Erstens wird vorausgesetzt, daß die Erklärung Karl Bartsch, Wolfram meine mit 'boum' Veldekes Baum der Poesie, richtig ist. Es sind noch eine Reihe anderer Deutungen möglich. Zweitens behauptet Meier, Parz. 292,25 'hôher funt' stehe in direktem Bezug zu Gottfrieds Dichterkatalog, mehr noch, es handele sich um "wörtliche Anklänge".[324] Obwohl er weder die Bedeutung von Gottfrieds 'meisterlichen vünde' in v. 4743 (er übersetzt "meisterliche Fünde"), noch von Wolframs 'hôher funt' bestimmt hat, kann er sagen, daß Wolframs 'funt' auf Trist. 4743 bezogen sei. Die Erklärung des von Wolfram verwendeten Vierzeilers durch die Annahme einer Dichterfehde zwischen Gottfried und Wolfram ist ebenfalls ganz textfern. Daß beide Dichter anläßlich einer Reflexion über das Wesen der Minne auf das Stilmittel des Vierzeilers zurückgreifen, ist kein Beweis für eine Kontroverse.

---

322) Meier, S.508.

323) Meier, S.509.

324) Meier, S.508.

Lachmanns Hinweis blieb von der Forschung unbeachtet. Obwohl Meiers apodiktischem Satz "Man hat bei Veldeke dies Bild vergebens gesucht" nicht widersprochen wurde, möchte ich diese Stelle an Lachmann anknüpfend erklären. Die Bezeichnung 'Bild' für Wolframs Vers 'hêr Heinrich von Veldeke sînen boum' ist zu überprüfen. Es handelt sich allenfalls um eine Metapher in dem Sinne, daß sie "anderes meint als sie sprachlich besagt".[325] Da aber das 'tertium comparationis' fehlt, ist auch diese Bezeichnung nur bedingt anwendbar. Erst durch den Kunstgriff Meiers, die 'Tristan'-Verse heranzuziehen, in denen Veldekes Dichtung mit einem 'ris' verglichen wird, wird nachträglich die Zahl der Teile, die ein Bild ausmachen, vervollständigt. In Gottfrieds Veldeke-Laudatio ist von einem Baum expressis verbis überhaupt nicht die Rede, erst die Gesamtheit der von Gottfried erwähnten Dichter gestattet die Vorstellung von einem Baum der Kunst. Doch auch der Vergleich mit einem 'ris' fehlt bei Wolfram.

Die Verse 1819-1918 der 'Eneide' sind die Darstellung dessen, was Wolfram mit 'erwerben' der Minne bezeichnet hat. Diesen Teilbereich der Minne, der, wie er meint, am leichtesten zu bewältigen sei, läßt Veldeke unter einem Baum Wirklichkeit werden, der Schutz gegen das Unwetter und Ort für die Liebeserklärung ist. Die Schilderung des Erwerbens der Minne, ihrer Anfangsphase, endet mit der Darstellung der Hochzeitsfeierlichkeiten. Die folgende Phase, die der Bewährung der Minne im täglichen Umgang, wird nicht mehr ausgestaltet, da in der Quelle, der Veldeke folgte, ein anderer Handlungsstrang in den Vordergrund tritt.

Die beiden ersten Verse des Textstückes hatte ich so übersetzt: "Herr Heinrich von Veldeke hat seinen Baum, d.h. das, was darunter geschehen ist, zwar kunstvoll, aber entgegen eurer (ambivalenten) Wesensart gestaltet." Ich fasse 'boum' als 'pars pro toto' auf, das den Austausch des Handlungsbereiches durch den Gegenstandsbereich ermöglicht: ein Gegenstand tritt an die Stelle des Geschehens, das sich in seinem Umkreis ereignet. 'boum' kann in diesem Zusammenhang nur die Bedeutung 'Liebesbaum' haben, denn in derselben Satzkonstruktion wird Frau Minne angesprochen (iwerm).

---

325) Wolfgang Kaiser, Das sprachliche Kunstwerk. Bern/München, 8. Aufl. 1962, S.124.

Folgte man Martins Vorschlag 'gein iwerm arde maz' ='mit eurer Natur verglich',[326)] würde Wolframs anschließender Vorwurf 'er hât her dan gespalten/wie man iuch süle behalten' überflüssig, denn Veldeke hat gerade nicht die Natur der Minne in ihrer ganzen Breite der Auswirkung erfaßt, sondern nur die eine Seite, die vielen Menschen zuteil wird. Wolfram beklagt sich aber gerade: "Hätte er uns doch besser darüber belehrt, wie man euch festhalten kann. Er hat nur dargestellt, wie man euch gewinnen kann." Es ist erstaunlich, wie viele Gelehrte dieser Stelle ihre Aufmerksamkeit zugewandt haben und wie wenig Verständnis sie für seine "verschlungenen Assoziationen" aufgebracht haben, "die leicht Rätsel aufgeben, deren Lösung sich manchmal erst nach längerem Verweilen einstellt".[327)]

Die beiden letzten Verse des Textstückes lassen wieder etwas von Wolframs Persönlichkeit erkennen. Er hatte bemängelt, daß Veldeke die Ambivalenz der Minne, ihre Unberechenbarkeit, ihren Wankelmut und ihre blindlings gebende und nehmende Art, in seiner Dichtung nicht genügend berücksichtigt habe und deshalb unrealistisch sei. Ob Wolfram ernsthaft glaubte, daß durch die lückenhafte Behandlung des Minneproblems allen, die die 'Eneide' hörten oder lasen, eine Art Lebenshilfe versagt wurde? Wenn der Vorwurf, den er Veldeke macht, nicht eine ironische Übertreibung, sondern die Reaktion auf ein persönliches Erlebnis ist, wäre zu fragen, wie die weiteren an Eneas und Dido exemplifizierten Minneprobleme hätten verhindern können, daß Wolfram von Frau Minne gefoppt wurde. Seinen eigenen Worten zufolge gelang es Wolfram nicht, die Gunst oder Zuneigung einer Dame höheren Standes für längere Zeit zu gewinnen. Der private Bereich muß nicht notwendigerweise im literarischen widergespiegelt werden, aber es ist doch erstaunlich, daß auch im 'Parzival' nichts von dem vorkommt, das die tägliche Bewährung der Liebe heißen könnte und die Veldeke zu beschreiben versäumt hat. Parzival ist viele Jahre fern von seiner Frau Condwiramurs, diese Liebe hat auch keine Bewährungsprobe im 'behalten' zu bestehen, da die Eheleute nicht miteinander leben.

Die Verse 292,24-25, in denen Wolfram feststellt, daß manches Narren vortrefflicher Fund (Liebesfund) durch die Unerfahrenheit wieder wieder verloren ginge, sind

---

326) Martin, S.255.

327) Otto Unger, Bemerkungen zu einer neuen 'Willehalm'-Übersetzung. In: Wolfram-Studien, hg. von Werner Schröder, Berlin 1970, S.194-198. Zur Stelle s.S.194.

ganz klar, wenn der sie umgebende Text berücksichtigt wird. Wolfram benutzt das Gespräch mit Frau Minne, um sentenzenhaft zu bemerken, daß zwar viele die Zuneigung und Liebe eines anderen Menschen gewinnen könnten, ihre Lebensunerfahrenheit sie aber daran hindere, die Liebe festzuhalten. Niemand, auch Veldeke nicht, gebe ihnen Ratschläge, wie sie zu dauerhaftem Glück kommen könnten. Zu diesen Lebensunerfahrenen zählt sich auch Wolfram. Die Übersetzungen von Bartsch und San-Marte betonen ebenfalls den sentenzenhaften Charakter dieser Verse: "Mancher Thor, dem das Liebesglück wohl will, verscherzt es, weil er die Minne nicht zu bewahren weiß",[328] steht bei Karl Bartsch. Er versteht 'funt' als Liebesglück und bleibt damit innerhalb des vom Kontext abgesteckten Bereiches. In San-Martes das Metrum bewahrender 'Parzival'-Übertragung lautet die Stelle: "Manch trefflicher Fund eines Thoren/Ging durch Einfalt wieder verloren".[329] Eine Ähnliche Auffassung vertritt Martin, der 'hôher funt' mit "Glücksfund von hohem Werte"[330] übersetzt.

Meiner Meinung nach ist 'funt' naiv im Zusammenhang mit 'erwerben' von 'minne' zu verstehen. Dann gibt es natürlich überhaupt keine Möglichkeit, die Verse auf Gottfrieds 'vünde'-Stelle zu beziehen. Selbst wenn man 'funt' hier literarisch faßte, wie ich es bei Stellen, die in einem anderen Zusammenhang stehen, getan habe, ist es wegen der Gängigkeit dieses Ausdrucks im literarischen Bereich ausgeschlossen, hier eine Antwort auf eine bestimmte Stelle zu sehen.

---

328) Bartsch, S.313

329) San-Marte, S.298.

330) Martin, S.255.

TEXT 3

"Die im Eingang des 'Parzival' liegende Schwierigkeit ist schon in alter Zeit bemerkt worden, und je nachdem die Dichter des Mittelalters sich zu Wolfram hingezogen fühlten oder ihm abgeneigt waren, haben sie seine Dunkelheit durch Erklärungen aufzuhellen gesucht oder schroff getadelt. Als Gegner tritt Gotfried von Straßburg auf, der geradezu mit höhnischer Benutzung einzelner Ausdrücke Wolframs über ihn aburteilt."[331] Eine Bemerkung dieser Art verlangt nach kritischer Prüfung des Textes schon deshalb, weil sie sich auf Deutungsvorschläge stützt, die zum Teil das Ergebnis einer Arbeitsweise sind, die philologischer Genauigkeit nicht mehr verpflichtet ist.

Die Länge des Prologs macht es nötig, ihn in Gedankeneinheiten zu zerlegen und an die Übersetzung der Abschnitte die Interpretation anzuschließen.

1,1 Ist zwîvel herzen nâchgebûr,
daz muoz der sêle werden sûr.
gesmaehet unde gezieret
ist, swâ sich parrieret
unverzaget mannes muot,
als agelstern varwe tuot.
der mac dennoch wesen geil:
wand an im sint beidiu teil,
des himels und der helle.
der unstaete geselle
hât die swarzen varwe gar,
und wirt och nâch der vinster var:
sô habt sich an die blanken
der mit staeten gedanken.

"Wenn das Schwanken beim Herzen angesiedelt ist, wird es die Seele bitter empfinden. Schmach und Preis sind dort beieinander, wo der sonst unanfechtbare Mannessinn scheckig wird, so wie es bei der Elsternfärbung der Fall ist. Trotz alledem kann ein solcher froh sein: denn an ihm sind beide Teile, Himmel und Hölle. Der unbeständige Geselle, Gefährte besitzt die schwarze Farbe ganz und gar und wird völlig dunkelfarbig werden: andererseits hält sich derjenige mit der beständigen Gesinnung an die weiße (Farbe)."

Hinundhergerissen zu sein zwischen zwischen Gefühlsextremen, Unentschlossenheit und Wankelmut sind menschliche Eigenschaften, die sich über den religiösen Bereich hinaus, auf den diese Verse auf Grund von Parzivals "Abfall von Gott" bezogen wor-

---

331) Martin, Kommentar, S.1.

den sind, in allen Lebensbereichen auswirken können. Der Zweifel, ob dieses zu tun oder jenes zu lassen sei, wird den mittelalterlichen Menschen kaum weniger geplagt haben als den Menschen unserer Tage. Indem Wolfram aber die Farbensymbolik der homiletischen Literatur an dieser Stelle verwendet, erhält der religiöse Bereich jedoch ein stärkeres Gewicht.[332] Die schwarze Farbe bedeutet sowohl das Häßliche als auch, in bestimmten Kontexten, die Sünde. Eine solche Verwendung liegt in Wolframs 'Parzival' nicht vor, so daß eine Interpretation, die in ethisch-moralische Richtung weist, Wolframs Intention am ehesten treffen wird. Auf Grund der allgemein gehaltenen Gedanken über menschliche Verhaltensweisen und Unzulänglichkeiten ist die Einleitung zum 'Parzival' den Prologen der Hartmannschen Epen und der Vorrede zum 'Tristan' sehr ähnlich. Ich pflichte Martin bei, daß es nicht zutreffe, "daß sich die Betrachtungen Wolframs genau mit dem decken müssen, wofür das Schicksal seines Helden als Beispiel dienen kann."[333]

Fern von diesen Überlegungen sind Teile des 'Parzival'-Prologs nur unter dem Gesichtspunkt einer möglichen Kommunikation Wolframs mit Gottfried oder umgekehrt gesehen worden. Den Anfang machte Adalbert Baier, der geschrieben hatte:

> Vielleicht will Wolfram schon in den Eingangsworten (V. 1-14) auf den Gegensatz hinweisen, der zwischen seiner Dichtung und dem Tristan besteht: Parzival hat nicht die schwarze Farbe, er hält sich auch nicht beständig an die weiße, .. Tristan aber wäre dann nach Wolframs Ansicht ganz und gar ein 'Genoße der Untreue', der (allmählich?) 'nah der vinster var' wird. (334)

Diese Interpretation entbehrt jeder Grundlage. Weder wird der Name Tristan in diesen Versen gebraucht oder auf ihn angespielt, noch geht Wolfram auf das Verhalten der schon durch Eilhart bekannt gewordenen Sagengestalt in tadelnder Weise ein. Dennoch ist der Text für Baier so aussagekräftig, daß er abschließend bemerken kann: "Die Fehde begann nicht Wolfram, sondern Gottfried. Der Letztere griff zuerst in seiner literarischen Rundschau Wolframs Parzival an, den er zum Theil oder auch vollständig - bis auf den jetzigen Eingang - kannte. Auf diesen Angriff antwortete dann Wolfram in seinem Parzivaleingang."[335]

---

332) Martin verweist in diesem Zusammenhang noch auf Parz. 463,14ff. (nach Lachmann 463,12ff.), S.5.

333) Martin, S.2.

334) Baier, S.403.

335) Baier, S.407.

Albert Nolte faßt in seiner Dissertation verschiedene Forschungsmeinungen zusammen und berührt einen Punkt, der mir alle Überlegungen hinsichtlich der Reihenfolge von 'Parzival'-Prolog, dessen Teilen und dem anschließenden Werk überflüssig zu machen scheint:

> Baier und Bötticher nehmen ... an, dass die ersten vierzehn Verse erst später, zusammen mit den folgenden hinzugefügt worden seien. Ähnliches hat vielleicht auch schon Lachmann angenommen, wenn man seine Äusserung (Kl. Schr. I 486 u.ö.), dass die Vergleichung des Feirefiz mit der Elster (157,27. XV 784,7) Wolfram die erste Veranlassung zu dem Elsterngleichnisse im Eingang gegeben habe, so verstehen muss, dass die ersten vierzehn Verse des Eingangs, und damit natürlich auch die späteren erst nach dem ersten Buche, wenn nicht noch später, gedichtet sein können. (336)

Diese Überlegungen sind richtig, sie zeugen von einer realistischen Einschätzung der Arbeit eines Dichters: In der Geschichte der mittelalterlichen Literatur gibt es sicher nicht wenige Fälle, in denen der Prolog erst nach Abschluß des ganzen Werkes geschrieben worden ist. Für den 'Parzival' ist diese Annahme noch wahrscheinlicher, wenn man bedenkt, daß Wolfram bei der Länge und inhaltlichen Verwickeltheit zu Arbeitsbeginn kaum das Ganze vor Augen gehabt haben wird.

1,15 diz vliegende bîspel
ist tumben liuten gar ze snel,
sine mugens niht erdenken:
wand ez kan vor in wenken
rehte alsam ein schellec hase.
zin anderhalp ame glase
geleichet, und des blinden troum.
die gebent antlützes roum,
doch mac mit staete niht gesîn
dirre trüebe lîhte schîn:
er machet kurze fröude alwâr.
wer roufet mich dâ nie kein hâr
gewuohs, inne an mîner hant?
der hât vil nahe griffe erkant.

"Dieses fliegende (oder flüchtige) Gleichnis ist für unerfahrene Menschen viel zu rasch (d.h. es enthält für sie zu viele Voraussetzungen). Sie können es nicht zu Ende denken: denn es muß vor ihnen hin und her schwenken wie ein aufgestöberter Hase. Dâs Zinn auf der anderen Seite des Glases betrügt, ebenso wie der Traum eines Blinden. Beide geben nur den Abklatsch eines Gesichtes wieder, doch dieser glanzlose, leichte Schein kann nicht von Dauer sein: er bewirkt nur kurze Freude. Wer will mich da raufen, wo nie ein Haar gewachsen ist, nämlich an meiner inneren Handfläche?

Der hat nahe zuzugreifen gelernt."

Das 'vliegende bîspel' kann entweder im Rückgriff auf die in v. 1,6 genannte Elster oder in Richtung auf die inhaltliche Schwierigkeit des Gleichnisses gedeutet werden.[337] Durch das Partizip 'vliegend' kann aber auch angedeutet sein, daß es sich um ein flüchtiges Gleichnis in dem Sinne handele, daß es nur andeutungsweise ausgeführt ist, nicht mit der Ausführlichkeit, die zu problemlosem Verstehen nötig wäre. Wie ein Gleichnis dieser Art von manchen Hörern aufgenommen worden ist, beschreibt Wolfram aus eigener Erfahrung oder der anderer. Er vergleicht die Denkbahnen der 'tumben liute' mit den planlos anmutenden Haken eines aufgestöberten Hasen. Was für eine Zuhörergruppe wird damit angesprochen?

Forschungsarbeiten, in denen grundsätzliche Überlegungen zum Aufbau von Prologen mittelalterlicher Dichtung angestellt werden, können diese Frage beantworten. Bernd Naumann hat den Prologaufbau auf breiterer Grundlage untersucht. Wichtig für den 'Parzival' ist, was er zum Verhältnis Dichter - Publikum schreibt. Es sei häufig so, daß in Prologen zu mittelhochdeutschen Dichtungen auf den Bildungsstand der Zuhörer eingegangen wird. "Der Autor der Kaiserchronik klagt in seinem Prolog darüber, daß den Törichten alles, was für ihr Seelenheil zuträglich sei, nur widerwillig eingehe."[338] Zwei Gruppen von Zuhörern waren es, denen ein Autor seine Erzählung vortragen konnte:

> Im unbestimmten Falle [d.h. wenn ein Gönner oder Auftraggeber nicht namentlich aufgeführt wird] richten sich die Dichtungen entweder aufgrund ihrer komplizierten Form an ein vom Dichter geschaffenes, esoterisches Publikum oder an ein ungebildetes, das es unterhaltend zu belehren oder belehrend zu unterhalten gilt. (339)

In vielen Fällen wird ein gemischtes Publikum vorhanden gewesen sein, dem sowohl

---

336) Nolte, S.50/51.

337) So Martin, wo es zu 'vliegende' heißt: "Wegen des Bezugs auf die Elster, deren Farbe verglichen worden ist; aber auch, weil die Lehre sich nicht leicht fassen läßt, wie ein zweiter Vergleich noch weiter hervorhebt". S.5.

338) Bernd Naumann, Vorstudien zu einer Darstellung des Prologs in der deutschen Dichtung des 12. und 13. Jahrhunderts. In: Formen mittelalterlicher Literatur. Siegfried Beyschlag zu seinem 65. Geburtstag von Kollegen, Freunden und Schülern. Hg. von Otmar Werner und Bernd Naumann. Göppingen 1970, S.23-37. (= Göppinger Arbeiten zur Germanistik, Nr. 25. Hg. von Ulrich Müller, Franz Hundsnurscher und Cornelius Sommer). Zur Stelle s. S.28.

339) Naumann, S.29.

Gebildete als auch Ungebildete angehörten. Das weist in die Richtung der 'tumben' und 'wîsen', die Auseinandersetzung mit ihnen nimmt einen breiten Raum in Wolframs Prolog ein, insgesamt zweiunddreißig Verse. Anhand von lateinischer Literatur legt Naumann dar, daß die Auseinandersetzung mit Leuten, die willens sind, dem Dichter zuzuhören, und solchen, die nicht verstehen können oder wollen - mit letzteren sind auch uneinsichtige Kritiker gemeint - ein konstituierender Bestandteil des Prologs ist. Oft werden bestimmte Kritikpunkte vorweggenommen, um späterer Kritik zu begegnen. Wie in den Vorreden des Terenz zu seinen Komödien begegnen in dem Teil mittelhochdeutscher Prologe, der mit 'prologus praeter rem' bezeichnet wird, die Gesichtspunkte "Verteidigung gegen Kritiker, Rechtfertigung des Themas, Betonung der guten Absicht";[340] sie finden sich auch im 'Parzival' - Prolog.

In einem etwas anderen Zusammenhang kommt Walther von der Vogelweide in einem Spruch über die Habsucht[341] auf 'wîse' und 'tôre' zu sprechen und verwendet das Gegensatzpaar, um eine bestimmte menschliche Verhaltensweise, das Erwerben von Besitz auf Kosten der Redlichkeit, zu charakterisieren. Der Abstecher zur Lyrik soll zeigen, wie alltäglich der Gebrauch dieses Begriffspaares sein kann und wie gern ein Dichter zur Exemplifizierung des Verhaltens mancher Leute auf das toposartige 'wîse' - 'tumbe' beziehungsweise 'wise' - 'tôre' zurückgreift.

Der 'Parzival' - Prolog ist häufig auf Nahtstellen untersucht worden, die angeblich Einschübe kennzeichnen, die auf eine Kontroverse zwischen Wolfram und Gottfried hindeuten. Ich bezweifle, daß die am Prolog sichtbar werdenden Fugen auf diese Weise erklärt werden können. Wolframs sprunghaft-assoziativer Stil, den besonders Hempel[342] hervorhebt, macht dieses Argument wirkungslos. Hinzu kommt noch, daß, durch die Bauform des Prologs bedingt, an bestimmten Stellen Gliederungszeichen sichtbar werden müssen. Naumann hat sehr schön gezeigt, daß die "in Prologen zu lateinischer und deutscher Dichtung auftretende Zweiteilung auf verschiedene mittellateinische Rhetorikbücher zurückzuführen ist . Am deutlichsten ist die terminologische Unterschei-

---

340) Naumann, S.25.

341) Walther von der Vogelweide. Hg. und erklärt von W.Wilmanns. 4., vollständig umgearbeitete Auflage besorgt von Victor Michels. Halle 1924. S.121. 22,18.

342) Hempel, Kl. Schriften, S.261/62.

dung als 'prologus praeter rem', d.h. ein nicht unmittelbar auf das Gesamtwerk bezogenes Vorwort, und als 'prologus ante rem', d.h. die stoffliche Einleitung in das sich anschließende Werk".[343)]

Wenn der Prolog immer nur auf mögliche Anzeichen für eine Fehde durchgesehen wird und literartheoretische Fragestellungen unberücksichtigt bleiben, wird sich nach entsprechend langem Suchen das einstellen, was man herauszufinden hoffte. So wie die Frage gestellt wird, fällt auch die Antwort aus. Nolte schreibt, obwohl er erkannt hatte, "daß auch die ersten vierzehn Eingangsverse nicht gerade die ersten sind [besser wäre: sein müssen], die Wolfram am Parzival gedichtet hat":[344)]

> Aber unbedingt gewiss ist, wenn sich unsere Interpretation nicht ganz und gar auf dem Holzwege befindet, dass die nächstfolgenden, an 'tumbe' und 'wîse' gerichteten Verse erst nachträglich als eine durch Äusserungen des Publikums über die Eingangsverse und über das Werk selbst veranlasste Interpolation hinter ihnen eingeschoben sind. (345)

Auf den ersten Blick ist nicht einsichtig, warum Nolte sich so bemüht, Wolframs Hinwendung zu den 'tumben' und 'wîsen', und nur diese Stelle, als eine Interpolation zu bestimmen. Im Text spricht nichts dagegen, daß der gesamte Prolog viel später als der Anfang der Erzählung 'ein maere wil i'u niuwen, /daz seit von grôzen triuwen.'[346)] diktiert und niedergeschrieben worden ist. Wo er erklärt, was den Anstoß zu dieser "Prologerweiterung" gegeben haben könnte, bedient er sich eines Arguments, das sich auf den Hasenvergleich stützt:

> Was nun die Beziehungen zwischen der Einleitung des Parz. und Gottfrieds Tristan betrifft, so haben wir in dem Bilde vom Hasen allerdings ein sicheres Kriterium. Durch die Annahme, dass Wolfram in dem Bilde vom Hasen an Gottfrieds Polemik anknüpft, wird gar nichts erklärt. Wie Gottfried auf das Bild (das übrigens gar nicht in seiner Art ist) gekommen sein möchte, bliebe ganz unverständlich, und bei Wolfram wäre das Bild in seiner Beziehung auf die Gottfriedstelle ... nichtssagend. Dagegen scheint es mir unzweifelhaft, dass das Bild Wolfram ureigentümlich angehört. (347)

Obwohl es bis heute keine einheitliche Erklärung für Wolframs 'schellec hase' gibt,

---

343) Naumann, S.24.

344) Nolte, S.51. 345) ebd.

346) Parz. 4,9-10.

347) Nolte, S.51.

aus dem bei Lexer und Martin zusammengetragenen Material ist nur die Bedeutung 'aufgeregter, aus der Ruhe gebrachter Hase' zu ziehen, tut die Forschung so, als kennte sie die Lösung.[348] Wer nun eigentlich der "Urheber" des Hasenvergleichs ist, kann nicht bestimmt werden. Die in der Literatur vorhandene Richtungslosigkeit in dieser Frage zeigt, wie inadäquat der Versuch ist, einem Dichter vor einem anderen den Gebrauch des Hasenvergleichs zuzugestehen. Bemerkungen wie dieser von Baier, der den Eindruck hat, daß "Wolfram ... an unserer Stelle dem Angreifer das Wort 'hase' zurückwerfen"[349] wollte, oder einer anderen von Hempel, daß 'hase' (Parz. 1,19) eine gegen Gottfried (Tristan 4636) gerichtete Spitze sei,[350] ist zu entgegnen, daß im 'Parzival'-Prolog ein Stilmerkmal Wolframs sichtbar wird, das an vielen anderen Stellen seines Epos wiederkehrt. Es ist eine Art des Vergleichs, die in ausführlicher oder verkürzter Weise Tiereigenschaften verwendet, um ein Geschehen oder einen Sachverhalt anschaulicher zu machen. Ich erinnere an den nicht gerade höfischen Vergleich der Taille Antikonies mit der Gestalt einer Ameise:[351]

410,2 irn gesât nie âmeizen,
Diu bezzers gelenkes pflac,
dan si was dâ der gürtel lac.

Die Beschreibung anderer Körperteile dieser Dame läßt an Deutlichkeit auch nichts zu wünschen übrig:[352]

409,25 ir munt, ir ougen, unde ir nasen.
baz geschicт an spizze hasen,
ich waene den gesâht ir nie,
dan si was dort unde hie,
zwischen der hüffe unde ir brust.

---

348) Vgl. Lexer zu 'schellec' und Martin, Kommentar S.6.

349) Baier, S.403.

350) Hempel, S.268.

351) "Ihr habt nie eine Ameise gesehen, die eine schönere Taille besessen hat, als sie an der Stelle, wo der Gürtel saß."

352) "Mund, Augen und Nase (betrachtete Gawan wohlgefällig). Ich glaube, ihr habt noch nie einen Hasen am Spieß gesehen, der besser gestaltet gewesen wäre, als sie hier und dort, nämlich zwischen Hüfte und Brust."

Die schönsten Vergleiche aber gestattet sich Wolfram bei der Darstellung der körperlichen Unzulänglichkeiten der Gralsbotin Cundrîe. Ihr Haar, das in einem Zopf zusammengenommen war, wird ironisch verglichen 'linde als eins swines rückehâr' (313,20). Doch die 'malcreatiure' hat noch andere Mißbildungen:

313,21 si was genaset als ein hunt:
zwên ebers zene ir für den munt
giengen wol spannen lanc.

313,29 Cundrîe truoc ôren als ein ber,
niht nâch friundes minne ger:

Es ist hoffentlich deutlich geworden, daß es nicht ungewöhnlich ist, wenn Wolfram in einer grundsätzlichen Erörterung menschlicher Verhaltensweisen plötzlich zu einem handfesten, aus dem Alltagsleben genommenen Vergleich greift. Auch das Erscheinen Cundrîes ist an einen bedeutsamen Vorgang, den Ausschluß Parzivals aus der Artusrunde und seine Verdammung, geknüpft, doch bei der Beschreibung ihrer Person benutzt Wolfram ohne Bedenken komisch anmutende Vergleiche. Wenn er nun im Prolog sowohl eine Elster als auch einen Hasen für einen Vergleich heranzieht, ist das wohl ein Zeichen für Wolframs bildhaften Stil, aber nicht für einen Streit zwischen ihm und Gottfried. Die anschauliche Beschreibung ist für Wolfram typisch und nicht erst durch Gottfried provoziert.

Bei Hempel wird zu Parz. 1,15 ff. außer über die 'tumben' auch über das 'Spiegel-Traum' - Gleichnis und das 'Haarraufen' gesprochen. In Anlehnung an John Meier, über den er hinausgeht, indem er den Angriff auf die Person, nicht aber die Dichtung Gottfrieds gezielt betrachtet, sieht Heinrich Hempel in dem gesamten Abschnitt über die 'tumben' (1,15-2,4) Kritik an der menschlichen Unzulänglichkeit des 'Tristan' - Dichters:

> Der Abschnitt 1,15-2,4 bietet also in reiner Bildsprache, bindungslos nebeneinandergereiht, folgende Aussagen: 1. Hase: man (d.h. Gottfried) versteht mich nicht. 2. Spiegel, Blindentraum: in Gottfrieds Werk steht der Gehalt zurück gegen die Form. 3. Haarraufen: sein böswilliges Vorgehen trifft mich nicht. 4. Feuer, Tau: Loyalität war von ihm nicht zu erwarten. (353)

Nicht auf Gottfried, sondern dessen Helden Tristan und Isolde bezog Baier diese Verse, sein Vorgehen scheint mir noch willkürlicher als bei Hempel: "Wie das Feuer in

---

353) Hempel, S.271.

dem Brunnen und der Thau in der Sonne", schreibt Baier, "so verschwindet bei Tristan und Isolde die Treue, die sie Marke und auch sich selbst zu halten verpflichtet sind, durch die Macht der Leidenschaft".[354] In Richtung auf Gottfried interpretiert auch Schröder das 'Spiegel-Traum'-Gleichnis. Gottfried habe, so schreibt er, seinen Angriff gut gezielt, so gut, daß Wolfram zum Gegenangriff übergehen mußte; er geißelte "das Mißverhältnis zwischen glänzender Form und trübem Gehalt im Werke Gottfrieds (mit den Bildern vom Spiegel und vom Traum des Blinden=Gottfried, P.1,20 ff.)".[355] Damit kommt ein Interpretationsmoment zur Geltung, das in Literaturgeschichten des 19. Jahrhunderts häufig anzutreffen ist: die Betrachtung von Literatur auf moralisch-ethischer Grundlage. Die moralisierende Einstellung Gottfrieds 'Tristan' gegenüber hatte sich als einer der fehdekonstituierenden Faktoren erwiesen. Wenn Schröder Wolfram in dieser Form interpretiert, tut er es mit den Ansichten des 19. Jahrhunderts. Die Gleichsetzung Gottfried=des Blinden Traum ist meiner Meinung nach nicht richtig. Die Verse 1,20-24 wollen belehren: Das Bild, das wir im Spiegel sehen, ist kein wirkliches, sondern nur ein Scheinbild oder Trugbild. Ebenso täuscht der Traum dem Blinden Bilder vor. Obwohl er blind ist, meint er, sie zu sehen. Das Gleichnis vom nicht Sehenden bezieht sich auf die 'tumben', deren Wahrnehmungsfähigkeit dadurch gekennzeichnet werden soll. Indem Schröder die Gleichsetzung vornimmt, wird Gottfried zu den 'tumben' gestellt. Das hätte zur Konsequenz, daß Gottfried einer ähnlichen Täuschung erlegen war wie der träumende Blinde. Das aber sagt der Text nicht aus.

Hempel hat ausgeführt, daß Gottfried den 'tumben' zuzurechnen sei. Der ganze Abschnitt über die 'tumben' sei, obwohl im Plural gehalten, allein auf Gottfried bezogen. Solange nicht genauer gesagt wird, auf welchem Wege diese Ansicht gewonnen wurde, ist sie Spekulation.[356]

Vielleicht erwogen die Interpreten es, vielleicht hielten sie es auch für zu einfältig, daß Wolfram, während er die Tagelieder und die großen Epen dichtete, inmitten der menschlichen Gesellschaft lebte und von ihr beeinflußt wurde, er natürlich mit der

---

354) Baier, S.404/405.

355) Schröder, S.285.

356) Hempel, S.268.

Umgebung in Verbindung stand und auf Zustimmung oder Widerspruch seiner Ansichten stieß. Er wird Gedanken, die er bei der Aus- und Umformung seiner Quelle zu bewältigen hatte, geäußert haben und vielleicht beim Vortrag einzelner Partien seiner Dichtung vor einem wenig gebildeten Publikum auf Widerstand gestoßen sein. Neben der Erklärung, daß dieser Exkurs versucht, späterer Kritik vorzubeugen, und dem Hinweis, daß die Wendung an 'tumbe' und 'wîse' prologtypisch ist, muß die Einbeziehung der engeren und engsten Umgebung Wolframs stehen.

1,29 sprich ich gein der vorhten och,
daz glîchet mîner witze doch.
2,1 wil ich triwe vinden
aldâ si kan verswinden,
als viur in dem brunnen
unt daz tou in der sunnen?
5 ouch erkante ich nie sô wîsen man,
ern möhte gerne künde hân,
welher stiure disiu maere gernt.
und waz si guoter lêre wernt.
dar an si nimmer des verzagent,
10 beidiu si vliehent unde jagent,
si entwîchent unde kêrent,
si lasternt unde êrent.
swer mit disen schanzen allen kan,
an dem hât witze wol getân,
15 der sich niht versitzet noch vergêt
und sich anders wol verstêt.
valsch geselleclîcher muot
ist zem hellefiure guot,
und ist hôher werdekeit ein hagel.
20 sîn triwe hât sô kurzen zagel,
daz si den dritten biz niht galt,
fuor si mit bremen in den walt.

"Sage ich aus Angst davor 'au', so paßt das durchaus zu meiner Geisteshaltung (d.h. er ist ein Schelm und tut so, als schmerze ihn etwas, das gar nicht schmerzen kann). Will ich etwa dort Treue finden, wo sie zunichte werden kann, wie das Feuer im Brunnen und der Tau in der Sonne? Andererseits habe ich nie einen so klugen, erfahrenen Menschen kennengelernt, der nicht gern Kenntnis gehabt hätte, welche Richtung diese Geschichten nehmen wollen und was an guter Lehre sie gewähren.

Hierin (im Vermitteln guter Lehre) werden sie nicht müde. Sie (diu maere) entfernen sich und jagen wieder heran, sie entweichen und wenden sich zurück (dies könnte die Wiederaufnahme des Fadens sein, der zu Anfang des Prologs mit dem flüchtigen oder fliegenden Gleichnis geknüpft wurde und im Bild des 'schellec hase' weitergeführt), sie beschimpfen und sie zeichnen aus ('maere' steht hier für den Gang der Handlung, der einerseits durch den vorgegebenen Handlungsablauf, andererseits durch den Willen des Bearbeiters, dessen Kompositionstätigkeit gemeint sein könnte, bestimmt wird). Wer es mit all diesen Wechselfällen aufnehmen kann, an dem hat die Vernunft gut getan, der versäumt nichts und gerät nicht ins Verderben. Unredlicher Freundessinn ist gerade gut genug für das Höllenfeuer und gereicht dem Ansehen zum Verderben. Seine (d.h. für einen falschen, unredlichen Menschen charakteristische) Treue hat einen so kurzen Schwanz, daß sie mit ihm, wenn sie mit Bremsen in den Wald liefe, noch nicht einmal den dritten Stich (oder Biß) vergelten könnte (d. h. wo ein Schwanz von normaler Länge schon beim ersten Zuschlagen die Bremse vertreibt oder tötet, ist dieser Schwanz so kurz, daß er noch nicht einmal nach dem dritten Stich etwas ausrichtet)."

Auch dieser Passus ist ein Beispiel für Wolframs unvermittelt-sprunghaften Schreibstil, der hier in die humorvolle und ironische Richtung tendiert. Zu 1,28-29: Er behauptet, daß das Raufen der Haare an der Handinnenseite schmerzhaft sei, obwohl es dort nichts zu raufen gibt. Er ist ein Schelm und leugnet es auch nicht. Die sich anschließenden Verse sind eine rhetorische Frage, in der zwei einander ausschließende Vorstellungsbereiche verbunden werden, die Oxymora Feuer im Brunnen und Tau in der Sonne. Das Ergebnis der Verbindung dieser Naturerscheinungen liegt darin, daß eine die andere aufhebt.

Mit 'ouch' beginnt ein neuer Gedanke, mit dem gesagt wird, daß jedem, wie klug er auch sei, die Wißbegierde wohl anstehe und er auch aus der Literatur Ratschläge für die Gestaltung des eigenen Lebens ziehen könne. Doch niemand solle glauben, daß diese Lehren so leicht zu fassen seien - es liege vielmehr in der Natur der Erzählungen, daß sie, analog den Zufällen und Ungereimtheiten des Alltags, Erstrebenswertes und zu Meidendes gleichgewichtig enthielten und sich von dem anzustrebenden Guten erst einmal weit entfernten, bevor sie es erreichten. 2,17 knüpft an die Oxymora der Verse 1,30-33 an und zeigt ein ähnlich verschobenes Verhältnis von Bezeichnung und Bezeichnetem, wenn gesagt wird, daß der falsche Freundessinn für das Höllenfeuer gerade gut genug sei. Es wird in verallgemeindernder Weise ein Verhalten charakterisiert, das häufiger zu beobachten ist. 'Sîn triwe' bezieht sich auf einen Menschen, der sich wie ein falscher Freund verhält. Mit 'si' wird 'triwe' wieder aufgenommen, 'fuor' kann konjunktivisch übersetzt werden, obwohl Ind. Präs. steht, dazu ist aber die Lesart 'fuore' Gdg. zu vergleichen, die Konj. Prät. ist. Martins Übersetzung zeigt, daß er den konditionalen Charakter nicht verstanden hat; im Neuhochdeutschen ist ja 'wenn' mit Ind. Prät. temporal: "20-22 'Ihre Treue hat so kurzen Schwanz, daß sie noch nicht den dritten Biß strafte, wenn sie in einen bremsenreichen Wald kam.'"[357] Außerdem trifft die Übersetzung 'bremsenreicher Wald' nicht zu, gemeint ist hier, daß das betreffende Tier, das mit Bremsen besetzt oder von Bremsen befallen ist, mit ihnen (behaftet) in den Wald läuft.

Alternativ zu meiner Übersetzung, aber mit gleichem Sinn, ist auch die Auffassung von 'galt' und 'fuor' als gnomische Präterita möglich.[358] Die Stelle wäre dann so zu übersetzen: "Seine Treue hat einen so kurzen Schwanz, daß sie, wenn sie mit den Bremsen in den Wald läuft, noch nicht einmal den dritten Stich vergelten kann." Diese Verse sind ihrem bildhaften Charakter nach deutlich genug als Hinweis auf die dichterische Darstellung der Treulosigkeit zu verstehen. Sie sind zu allgemein gehalten, als daß sie auf eine bestimmte Person bezogen werden könnten.[359]

Karl Kurt Klein geht besonders ausführlich auf dieses "Freundschaftsgleichnis" ein. Er sieht darin eine den privaten Bereich betreffende Anspielung Wolframs, sozusagen die Rache für eine an ihm begangene Treulosigkeit. Jemand aus seinem Freundeskreis, genauer gesagt Gottfried von Straßburg, habe sie begangen. Dieser bezöge sich dann mit der 'nezzelcrut'-Stelle auf den Vorfall. Dann äußert Klein die Ansicht, die bis dahin noch nicht vertreten worden war, daß aus dieser "scharf geführten Auseinander-

---

357) Martin, Kommentar, S.10.

358) Vgl. dazu die Ausführungen zur Syntax in: Hermann Paul, Mittelhochdeutsche Grammatik. 20. Aufl. von Hugo Moser und Ingeborg Schröbler, Tübingen 1969, S.365f.

359) Beachtenswert ist der Versuch M.Riegers (ZfdA 46, 1902, S.175-181), im Zusammenhang mit der Interpretation des 'Parzival'-Prologs, die zu anderen Punkten widersprüchlich ist, an ein Stück mittelalterliche politische Realität anzuknüpfen. Er denkt "bei dieser letzten auslassung an den landgrafen Herman, für dessen 'werdekeit' doch auch im urteil ernstgesinnter zeitgenossen sein politischer wankelmut, d.i. sein wiederholter übergang zu dem jeweilen meistbietenden kronprätendenten, zum 'hagel' werden muste". (S.180) Rieger beansprucht nicht, mit diesem Gedanken die Wahrheit gefunden zu haben, sondern setzt Zeitereignisse zu literarischen Anspielungen in Beziehung, durch die sie evoziert sein könnten: "War der abfall dieses fürsten vom kaiser Otto im sommer 1211 der abschließenden redaction des Parzival und der abfassung der vorrede vorausgegangen, so muste Wolfram darauf gefasst sein, dass man seinen worten 1,18 und 2,17 diese beziehung gab, und dann muste er sie auch gewollt haben." (S.180). Vielleicht wurde Wolfram durch dieses Beispiel zu seiner Überlegung veranlaßt, vielleicht wollte er auch nur auf eine menschliche Verhaltensweise, die ihm tadelnswert war, zu sprechen kommen. Dafür ist der Prolog der richtige Ort.

setzung "nachmals Gottfrieds Dichterschau im Tristan" hervorgegangen sei, die hauptsächlich das Ziel habe, "Wolfram als Dichter, Menschen und sittliche Persönlichkeit an den Pranger zu stellen".[360] Fragen der Chronologie scheinen angesichts eines so schwerwiegenden Streitfalles bedeutungslos zu werden. Es ist nicht leicht, über "Ergebnisse" dieser Art ernsthaft zu berichten und fast unverständlich, daß sie mit Nachsicht, mehr noch insgeheimer Zustimmung[361] zitiert werden.

2,23 Dise manger slahte underbint
iedoch niht gar von manne sint.
für diu wîp stôze ich disiu zil.
swelhiu mîn râten merken wil,
diu sol wizzen war si kêre
ir prîs und ir êre,
und wem si dâ nâch sî bereit
minne und ir werdekeit,
sô daz si niht geriuwe
ir kiusche und ir triuwe.
vor gote ich guoten wîben bite,
daz in rehtiu mâze volge mite.
scham ist ein slôz ob allen siten:
ich endarf in niht mêr heiles biten.
diu valsche erwirbet valschen prîs.
wie staete ist ein dünnez îs,
daz ougestheize sunnen hât?
ir lop vil balde alsus zergât.
manec wîbes schoene an lobe ist breit:
ist dâ daz herze conterfeit,
die lob ich als ich solde
daz safer ime golde.
ich enhân daz niht für lîhtiu dinc,
swer in den kranken messinc
verwurket edeln rubîn
und al die âventiure sîn
(dem glîche ich rehten wîbes muot).
diu ir wîpheit rehte tuot,
dane sol ich varwe prüeven niht,
noch ir herzen dach, daz man siht.
ist si inrehalp der brust bewart,
so ist werder prîs dâ niht verschart.

---

360) Klein, Das Freundschaftsgleichnis im Parzival-Prolog, S.80.

361) Schröder, S.287. Klein habe die biographische Ausdeutung der Exkurse im Parzival und im Tristan noch erheblich weiter vorangetrieben. Außer gelegentlichen Bedenken gibt er Kleins Gedanken kritiklos wieder.

"Diese vielfältigen Gegensätze treffen jedoch nicht nur für den Mann zu. Für die Frauen setze ich folgende Maßstäbe. Welche (Frau) auch immer sich an meine Ratschläge halten will, muß wissen, wohin sie Ansehen und Wert richtet und wem sie fortan ihre Liebe und aufrichtige Gesinnung zuteil werden läßt, damit sie nicht ihre Keuschheit und Treue beklagen muß. Ich bitte die ehrenhaften Frauen vor Gott, daß ihr Verhalten immer maßvoll sei. Die Scham ist das Schloß der guten Sitte: sonst brauche ich für diese (Frauen) nichts zu erbitten. Die Unehrenhafte erwirbt nur unehrenhaftes Lob. Wie beständig ist (wohl) dünnes Eis, das augustheiße Sonne auf sich hat (d.h. auf das die Augustsonne fällt)? Ihr (der Unehrenhaften) Ansehen vergeht auf dieselbe Weise. Die Schönheit mancher Frau wird weit und breit gelobt: ist aber das Herz (ihr H.) falsch, kann ich sie nur so loben wie den (wertlosen) blauen Glasfluß, der in Gold gefaßt ist (nämlich gar nicht). Dagegen erachte ich es nicht für gering, wenn jemand in wertloses Messing einen edlen Rubin und sein persönliches Geschick einarbeitet (damit vergleiche ich die aufrichtige Frauengesinnung). Diejenige, die ihre Weiblichkeit recht bewahrt, wird von mir nicht nach ihrem Aussehen beurteilt, auch nicht nach ihrer äußeren Erscheinung, die sichtbar ist. Ist sie in ihrem Herzen mit allem wohl versehen, so kann ehrendes Lob da nicht verloren gehen."

Wolfram übernimmt in diesen Versen die Rolle des engagierten Verfechters von Moralprinzipien für das weibliche Geschlecht, insbesondere für die Frauen in seiner näheren Umgebung. Sie werden zuerst das Ziel solcher Belehrungen gewesen sein, und an ihnen wird er am ehesten Abweichungen von seiner sittlichen Norm studiert haben. In der Sekundärliteratur sind diese Verse fast ausnahmslos als Bezug auf literarische Frauengestalten und deren Verhalten gedeutet worden, was meiner Meinung nach erst in zweiter Linie zu beachten ist. Obwohl ziemlich allgemein über das moralische Verhalten der Frauen gesprochen wird, erkannte John Meier hinter dem Text eine bestimmte literarische Figur: Gottfrieds Isolde, die Frau König Markes und die Geliebte Tristans. Die Verse 3,11-14 sind für ihn "eine direkte Bekämpfung von Gottfrieds Heldin und ein Rechtfertigen seines eigenen Verfahrens"; anstelle eines Beweises kontrapostiert er zwei Textstücke, die er aus dem 'Parzival' und dem 'Tristan' genommen hat:[362)]

---

362) Meier, S.515.

manec wîbes schoene an lobe ist breit:
ist dâ daz herze conterfeit,
die lob ich als ich solde
daz safer ime golde.

(Parz. 3,11-14)

wir haben ein boese conterfeit
in daz vingerlin geleit
und triegen uns da selbe mite.

(Trist. 12305-07)

Außer dieser Gegenüberstellung und der Hervorhebung des Wortes 'conterfeit' geschieht nichts, so daß die Behauptung, durch den Gebrauch dieses Wortes bei Wolfram werde ein indirekter Bezug auf Isolde sichtbar, ganz unbegründet bleibt.

Zu einem ähnlichen Ergebnis kommt Hempel, der in den Versen Parz. 3,11-24 eine eindeutige "Wendung auf Isolde"[363] zu erkennen glaubt. Beide Forscher haben die zwei Texte vielleicht etwas flüchtig angesehen, denn 'conterfeit' wird dort in zwei verschiedenen Wortklassen gebraucht, nämlich adjektivisch bei Wolfram und nominal bei Gottfried. Als Substantiv hat es im Mittelhochdeutschen die Bedeutung 'unreines, vermischtes, verfälschtes Gold bzw. Metall', in manchen Fällen wird es in übertragener Bedeutung im Sinne von 'das Trügerische, Falsche' gebraucht. Konrad von Megenberg beschreibt unter der Bezeichnung 'Gunderfai' ein Metall, eine Art Legierung, beschrieben und von dem verwandten 'Aurichalcum' geschieden.[364] Wolframs 'conterfeit' ist eine abgeleitete Form des Substantivums, das "kurz nach 1200" aus dem altfranzösischen 'contrefait' gebildet worden ist.[365]

In welchem Kontext stehen die beiden Versstücke, die als Beweis für eine Fehde herangezogen wurden? Die 'Tristan'-Verse sind Teil einer breit angelegten Minnereflexion, die einsetzt, nachdem sich bei Tristan und Isolde, während sie mit dem Schiff nach Cornwall reisen, die ersten Anzeichen der Liebe bemerkbar gemacht haben. Gottfried beklagt, daß die Minne seit einiger Zeit käuflich geworden sei (vv. 12300-03), verwünscht den Verfall ihrer Werte und ihre zunehmende Verflachung. Diese Entwicklung vergleicht er mit dem Tun von Menschen, die sich betrügen, indem sie in einen (goldenen) Fingerring ein unedles Metall einarbeiten. Die 'Parzival'-Verse

---

363) Hempel, S.263.

364) Konrad von Megenberg, Buch der Natur, S.478.

365) Vgl. dazu das 'Etymologische Wörterbuch' von Friedrich Kluge, 20. Aufl. bearbeitet von Walther Mitzka, Berlin 1967, S.393: "Konterfei n. Das Part. zu mlat. 'contrafacere' 'nachbilden' ergibt afrz. 'contrefait' 'verfälschtes Gold, Metall', das kurz nach 1200 als 'conter'-, 'cunter'-, 'gunderfeit' ins Mhd. entlehnt wird. Nachdem frz. -t verstummt ist, begegnet auch mhd. 'kunterfei'."

gehören zum Prolog, genauer zu den Ratschlägen, die Wolfram den Frauen in bezug auf ihr sittliches Verhalten gibt. Warum sollte die Abwendung von falschem Minnegebaren durch eine Frau aus der Literatur motiviert sein, zumal durch Gottfrieds Isolde, obwohl Eilhart viel eher auf Wolfram gewirkt haben wird? Suchte man den Anlaß zu diesem Moralexkurs allein im literarischen Bereich, müßte auch für die weniger anziehende, aber sittlich hochstehende Frau der Verse 3,20- 24 in der Literatur nach einem Beispiel gesucht werden. Als Gegenbild zu Isolde, greifen wir Meiers und Hempels Gedanken einmal auf, käme insbesondere Condwiramurs in Frage, das Urbild einer züchtigen Frau. Doch deren 'varwe' steht der der Isolde nicht nach, mehr noch, sie überragt Jeschute, Enite, Cunneware und 'bêde Isalden' [366] an Schönheit. Der Grund für Wolframs Klage, daß schöne Frauen nicht immer auch ein aufrichtiges Herz hätten, wird im persönlichen Bereich liegen. Andere, autobiographisch anmutende Partien im 'Parzival' verstärken diesen Eindruck. Da ist zunächst der Anfang des II. Buches bis Vers 115,4, wo Wolfram "über die wenige Gunst" klagt, "die ihm bei dem weiblichen Geschlechte geworden" sei. [367] Büsching erklärt diese und die Verse 554,1- 6 so:

> Nach der unten stehenden Stelle scheint er eine Geliebte gehabt zu haben, die seine Liebe mit Undank oder Untreue lohnte. Seinen Unmuth muß er, wer weiß auf welche Art, ausgelassen haben, welches die anderen Frauen auf ihn erzürnt hatte. Dieser Haß geht so weit, daß er sich einmal selbst beklagt, es geschehe ihm selten, daß ein freundliches weibliches Wesen zu ihm geschlichen käme und ihn durch minniglichen Umfang beglücke. (368)

Büsching, der noch in die romantische Periode der Germanistik gehört, hat, noch nicht von den subtilen Konstruktionen späterer Jahre belastet, Wolfram vor allem als einen Teil der menschlichen Gesellschaft, wie sie um 1200 bestand, aufgefaßt. Er denkt zu-

---

366) Parz. 187,12- 19.

367) J.G.Büsching, Wolfram von Eschenbach, sein Leben und seine Werke. In: Museum für altdeutsche Literatur und Kunst, 1.Bd. Berlin 1809, S.1- 36. Zur Stelle s. S.25. Andererseits ist die Untreue der Frauen auch ein Topos.

368) Büsching, S.25/26. Seine Übersetzung der Verse 554,2- 6 'fürz bette ûfen teppech saz/diu clâre juncfrouwe./bî mir ich selten schouwe/daz mir âbents oder fruo/sölch âventiure slîche zuo.' lautet: "Auf dem Teppich vor dem Bett saß die edle junge Herrin. Selten sah ich des Abends oder Morgens zu mir ein so wunderbares Abenteuer heranschleichen."

erst an die Auseinandersetzung mit den Zeitgenossen, mit Wesen aus Fleisch und Blut. Wolframs Kritik an literarischen Gestalten ist unverblümter, so zum Beispiel an Frau Lunete Parz. 436,5 ff.[369)]

Von den vv. 3,25-4,8 werde ich hier nur noch das Verspaar 4,5-6 untersuchen, das zu der Schlußsentenz gehört, in der Wolfram sagt, daß er noch lange über die Verhaltensweisen von Männern und Frauen reden könnte, nun aber zu der eigentlichen Erzählung übergehen wolle. Da diese Erzählung neu sei, also noch unbekannt, (v. 4,9 'ein maere wil i'u niuwen' "eine Geschichte will ich euch neu erzählen"), spricht er in 4,5 von 'dar zuo gehôrte wilder funt', d.h. er kennzeichnet seine Erzählung als fremde, hierzulande noch unbekannte 'maere'. Ich habe im Zusammenhang mit Gottfrieds Literaturstelle deutlich gemacht, daß 'wilde' und auch 'vunt'/'funt' ganz zentrale dichtungstheoretische Begriffe sind, die an Stellen, an denen über die Art der Vorlage und der darauf aufbauenden Dichtung gesprochen wird, verwendet werden. Sie werden im positiven Sinne gebraucht, allenfalls zur Kennzeichnung eines seltenen literarischen Gegenstandes. Das will auch Wolfram sagen. Martin vertritt in seinem Kommentar die Ansicht, daß diese Stelle es gewesen sei, die Gottfried zu seiner 'vindaere wilder maere'-Stelle veranlaßt habe, die Wolfram verhöhne.[370)] John Meier wiederum hatte die Gottfried-Stelle mit Parz. 292,24-25 zusammengesehen, wo der 'hôhe vunt' 'maneges tôren' angesprochen wird. Ich kann nur wiederholen, daß ein Wort, das so oft im hohen Mittelalter in literarhistorischer Absicht verwendet worden ist, nicht als Beweis für eine Bezugnahme Gottfried-Wolfram oder vice versa gelten kann.

---

369) Für ganz absurd halte ich Baiers Interpretation der Wolfram-Stelle "über und für die Frauen": "Hier erscheint das Einzelne verständlicher unter dem Gesichtspunkt des Gegensatzes zwischen Isolde und den Frauengestalten des Parzival. Ja Stellen wie diese: ich enhân daz niht für lihtiu dinc,/swer in den kranken messinc/verwurket edelen rubîn/und al diu aventiure sîn/ vermag ich nur so zu erklären, daß Wolfram damit die kunstvollendete Darstellung einer unsittlichen Liebe, wie sie Gottfried im Tristan gibt, als Leichtfertiges und Verderbliches bezeichnen wollte." (S.406)

370) Martin, Kommentar, S.13.

Den zahlreichen Versuchen, die herausgehobenen 'Parzival' - Prologteile als Erwiderung auf Gottfrieds von Straßburg Dichterschau zu verstehen, ist nur mit großer Skepsis zu begegnen. Keines der Textstücke läßt den Schluß zu, daß hinter dem Buchstabensinn eine Bedeutung verborgen sei, die, wenn man nur lange genug sucht, den Blick auf zwei im Streit miteinander liegende Dichter des Mittelalters freigibt. Jedes Ergebnis, das sich auf die "einschlägigen" Texte gründet und in dem eine Kontroverse nachzuweisen versucht wird, ist das Ergebnis einer Überschätzung unseres Wissens, das wir von den Vorgängen einer Zeit haben, die uns in sehr zufälliger und bruchstückhafter Form bekannt geworden ist.

TEXT 4

In Karl Kurt Kleins Aufsatz über das "Freundschaftsgleichnis im Parzival-Prolog" wird die Stelle über den 'valsch gesellecîchen muot' auf eine Stelle im 'Tristan' bezogen, die sich an die Entdeckung der Liebenden durch Marke, Melot und Marjodo anschließt: die sogenannte 'nezzelcrut'-Stelle.

15047 Ich spriche daz wol überlut,
daz keiner slahte nezzelcrut
nie wart so bitter und so sur
alse der sure nachgebur
noch nie kein angest also groz
alse der valsche husgenoz.

"Ich sage es ganz deutlich, daß keinerlei Nesselkraut so bitter und herbe sein kann wie der böse Nachbar; niemals war je die Bedrängnis größer als durch den treulosen Mitbewohner."

Statt die Verse im Zusammenhang der Entdeckungsszene zu sehen und zu interpretieren, schreibt Klein: "Mit dem 'sûren nachgebûr' und dem 'valschen hûsgenoz' bezieht Gottfried sich fraglos auf Wolfram." [371] Das halte ich weniger für fraglos als für fraglich.

Aus dem Gang der Handlung heraustretend sagt Gottfried seine Meinung zu dem heuchlerischen Verhalten dieser und allgemein der falschen Freunde. Er tritt oft als Kommentator eines Geschehens vor, das er vorher selbst gestaltet hatte. Tristan und Isolde waren von König Marke, dem Zwerg Melot und dem Truchsessen Marjodo, den Gottfried in Vers 13461 absichtsvoll als Tristans 'cumpanjun' bezeichnet hatte, überrascht worden. 'Cumpanjun' bedeutet 'vertrauter Gefährte', 'Genosse', auch 'Schlafgefährte', Marjodo war der Schlafgenosse Tristans, sie vertrieben sich vor dem Einschlafen durch 'rede' und 'maere' die Zeit. Gottfried beschreibt es so:

13476 Ouch was des truhsaezen site,
wan Tristan schoener maere phlac,
daz erm ie nahtes so bi lac,
daz er bereite hin zim sprach.
eines nahtes ez geschach,
do haeter mit Tristande
vil unde maneger hande
rede und maere getriben
und was slafende beliben.

---

371) Klein, Das Freundschaftsgleichnis im Parzival-Prolog, S.80.

"Der Truchseß hatte die Angewohnheit, daß, wenn Tristan schöne Geschichten erzählte, er zur Nachtzeit so neben ihm lag, daß dieser bereitwillig zu ihm hin sprach. Eines nachts geschah es, daß er mit Tristan mancherlei Gespräch und Erzählung gehabt hatte und darüber eingeschlafen war."

In ihm muß zuerst einmal der 'vaische husgenoz' gesehen werden, der das belauschte Stelldichein dazu benutzt, sein Ansehen bei Hofe und seine Position als Truchseß zu festigen. Tristan betrachtete ihn als seinen Freund und glaubte, ihm vertrauen zu können. Dieses Verhalten will Gottfried mit Hilfe des botanischen Vergleichs mit der Brennessel tadeln. Schröder bemerkt zu dieser Stelle, es sei schwer vorstellbar, daß Gottfrieds sonst so klarem Blick die Doppeldeutigkeit dieser Stelle, die das Problem des falschen Freundes thematisiert, entgangen sein sollte: Während er dem in die Brüche gegangenen freundschaftlichen Verhältnis mit Wolfram bitterböse Schmähhrufe nachschicke, träfe er seinen Helden Tristan. Denn dieser habe sich seinem Oheim gegenüber unredlich verhalten. Diese Überlegungen sind von Klein beeinflußt, der eine Hausgenossenschaft zwischen Gottfried und Wolfram angenommen hatte. Spekulationen dieser Art entbehren jeder Grundlage; wie unsinnig die Schlußfolgerungen sind, wendet man Kleins Ergebnisse etwa auf die 'nezzelcrut' - Stelle an, wird an Schröders Reaktion deutlich. Doch er zeigt angesichts dieser Interpretation nur Verwunderung.[372)]

Ob bestimmte Personen über den epischen Rahmen hinaus getadelt werden sollten, Mitmenschen aus der engeren Umgebung oder Dichterkollegen, wissen wir nicht. Solange über Gottfrieds und Wolframs Lebenslauf nichts bekannt ist, was über ihre eigenen spärlichen Angaben und die nachfolgender Dichter hinausgeht, müssen Rekonstruktionsversuche wie der von Klein, daß beide Dichter eine Zeitlang zusammen gewohnt haben, scharf zurückgewiesen werden. Nach allem, was bisher ermittelt werden konnte, liegt die Vermutung nahe, daß beide Dichter einander nicht kannten und daher auch keine Nennung des jeweils anderen in ihren Werken vorkommt. Besonders bei der Auslegung der 'nezzelcrut' - Stelle durch die altgermanistische Forschung zeigt sich die Gefahr, in der die Mediävistik heute, in einer Zeit zunehmenden Desinteresses an Problemstellungen der mittelalterlichen Literatur, ist, wenn in von einem strengen Wissenschaftsstandpunkt aus unzulässiger Weise Mutmaßungen für Fakten ausgegeben werden.

---

372) Schröder, S. 288. Nicht Verwunderung, sondern Ablehnung muß hier ganz deutlich zum Ausdruck gebracht werden.

TEXT 5

Je länger in der Forschung nach Hinweisen auf eine Dichterfehde gesucht wurde, desto umfangreicher wurde die Materialsammlung, mit deren Hilfe man versuchte, den Beweis zu führen. Karl Kurt Klein exponierte sich besonders, indem er von einem Versstück im V. Buch des 'Parzival' auf ein kontroverses Verhältnis nicht nur literarischer, sondern auch privater Natur zwischen Wolfram und Gottfried schloß. Es ist das "Bogengleichnis", dessen grammatische Struktur stellenweise nicht ganz durchsichtig ist.

241,8 ich sage die senewen âne bogen.
diu senewe ist ein bîspel.
10 nu dunket iuch der boge snel:
doch ist sneller daz diu senewe jaget.
ob ich iu rehte hân gesaget,
diu senewe gelîchet maeren sleht:
diu dunkent ouch die liute reht.
15 swer iu saget von der krümbe,
der wil iuch leiten ümbe.
swer den bogen gespannen siht,
der senewen er der slehte giht,
man welle si zer biuge erdenen
20 sô si den schuz muoz menen.
swer aber dem sîn maere schiuzet,
des in durch nôt verdriuzet:
wan daz hât dâ ninder stat,
und vil gerûmeclîchen pfat,
25 zeinem ôren în, zem andern für.
mîn arbeit ich gar verlür,
op den mîn maere drunge:
ich sagte oder sunge,
daz ez noch paz vernaeme ein boc
30 odr ein ulmiger stoc.

"Ich erzähle die Sehne ohne Bogen. Die Sehne ist ein Vergleich (ein Gleichnis). Wenn euch (auch) der Bogen schnell vorkommt, so ist doch das, was die Sehne treibt, noch schneller. Wenn ich es euch recht gesagt habe, dann gleicht die Sehne den geradlinigen Erzählungen. Diese halten die Menschen auch für richtig (im Sinne von 'in Ordnung'). Wer euch die Krummheit als vorbildlich hinstellt (wer euch den krummen Erzählstil lehrt), der will euch irreführen. Wer den Bogen gespannt sieht, der gesteht der Sehne Geradheit zu, wollte man sie auch zur Biegung spannen (vielleicht ist die Beugung des Armes gemeint, die die Verwinkelung der Sehne bewirkt), wenn sie den Pfeil vorwärtstreiben soll. Wer aber jemandem (einem Toren) seine Erzählung zuschießt (mitteilt), der hat davon notwendigerweise Verdruß: denn sie hat dort keine bleibende Stätte, vielmehr nur einen geräumigen Weg, nämlich zum einen Ohr hinein, zum anderen wieder hinaus. Meine Mühe wäre ganz umsonst, wollte sich meine Erzählung an einen solchen andrängen (wenden): ich erzählte oder sänge dann noch lieber für einen Holzbock oder einen fauligen Stock."

Meine Übersetzung ist an folgenden Punkten zu konkretisieren:
In den Versen 241,8-14 sagt Wolfram, daß er die geradlinigen Erzählungen mit der Bogensehne vergleichen wolle und fügt hinzu, daß auch er in der geradlinigen Weise erzähle. Als Warnung an die Zuhörer sind die Verse 241,15-16 zu verstehen: Sollte euch jemand die Erzählart als beste anpreisen, die jeder Schilderung eines Geschehens sogleich eine Erklärung folgen läßt, glaubt ihm nicht. Diese Art zu erzählen habe keinen allzu großen poetischen Wert, denn sie macht Umwege, weicht von dem geraden Weg der Handlung ab, anstatt zügig voranzuschreiten. Die Verse 241,17-20 präzisieren den Vergleich mit der Sehne, indem nicht nur die am Bogen festgeknüpfte Sehne den geradlinigen Erzählungen verglichen wird, sondern auch die einen Winkel bildende, stark gedehnte Sehne, die der Schütze im allgemeinen mit dem rechten Arm, der kurz vor dem Losschnellen extrem gebeugt ist, zu sich heranzieht. Auch im gespannten, ausgedehnten Zustand eignet sich die Sehne zum Vergleich mit den geradeaus erzählenden Geschichten. Jeder der Schenkel des Winkels ist völlig gestreckt, also geradlinig, beide stehen nur in einem bestimmten Winkel zueinander. Es ist möglich, daß Wolfram mit dieser Überlegung einem Einwand hinsichtlich der Treffsicherheit seines Vergleichs begegnen wollte, für wahrscheinlicher halte ich aber, daß er mit Hilfe der Vorstellung von der extrem gedehnten, jedoch immer noch geraden Sehne das für eine gute Erzählung notwendige Spannungselement bezeichnen wollte. Diese Interpretation ist besonders plausibel, wenn der Kontext, in dem das Gleichnis steht, berücksichtigt wird. Das Bogengleichnis wird von Wolfram in einem Stadium der Handlung ausgeführt, wo die Vorgänge in der Burg Munsalvaesche, die das zentrale Geschehen des Romans darstellen, beschrieben werden. Wollte er sofort die Bedeutung dieser Vorgänge erklären, beraubte er sich der Möglichkeit, andere Erzählstränge, zum Beispiel Parzivals Irrfahrten, zu verfolgen, und nähme der Erzählung ihre Spannung. Wovon hatte Wolfram erzählt, bevor er den Gang der Geschichte mit dem Bogengleichnis unterbricht? Die Zuhörer konnten, Parzival über die Schulter blickend, für einen Moment auf eine Gruppe junger Mädchen, die im Rahmen einer feierlichen Handlung bestimmte Tätigkeiten ausübten, und auf den 'schoensten alten man' (v.240,27), der auf

einem Bett ruhte, schauen. Mehr wird vorerst nicht gesagt. Wolfram macht nun deutlich, daß er für die Form, in der die Dichtung vorliegt, verantwortlich ist, und er erklärt sie seinen Zuhörern als Regisseur - so gering seine Selbständigkeit auch gewesen sein mag. Es sei der Dichtung im Augenblick nicht zuträglich, wenn er jetzt eine Deutung gäbe.[373] Natürlich ist Wolfram im Besitz der epischen Allwissenheit, denn er kennt die Vorlage; aber er hält sich an die vorgezeichnete Reihenfolge der Handlungsteile, weil sie aus kompositionstechnischen Gründen am sinnvollsten ist. Diese für den Laien recht komplizierten gestaltungstheoretischen Überlegungen werden durch den Bogensehnenvergleich veranschaulicht.

Es fällt auf, daß an dieser Stelle, die - bezogen auf die Zeitumstände - ein gewisses theoretisches Niveau hat, Bezeichnungen verwendet werden, die sich auch in anderen Texten mit literartheoretischem Anspruch finden. Ich nenne Rudolfs von Ems Literaturstelle im 'Alexander', wo von Gottfried gesagt wird, daß er 'getihte krümbe slihten' könne (v.3164). Das Begriffspaar 'sleht' - 'krump' scheint im 12. und 13. Jahrhundert neben einem stilistischen Gegensatz zwei entgegengesetzte Kompositionsprinzipien zu bezeichnen. 'Swer iu saget von der krümbe' meint "Wer euch im krummen Erzählstil Geschichten erzählt", d.h. wer nichts von der richtigen Komposition versteht. Neben der angemessenen Reihenfolge nennt Wolfram eine weitere Bedingung der geradlinigen 'slehten' Erzählung, die sich aus dem Sehnenvergleich ergibt, gespannt oder spannend zu sein. Dieses Moment ginge verloren, wiche Wolfram vom Erzählgang ab, um zu erklären, was die Burg Munsalvaesche bedeutet. Mit der zum Dreieck geformten gespannten Sehne wird die klug aufgebaute, ausgefeilte Dichtung bezeichnet, nicht die dahinplätschernde, Episode an Episode reihende Aventiurendichtung.

Die Verse 241,21-22 sind in der vorliegenden Textgestalt unverständlich. Der Lesartenapparat läßt erkennen, welche Mühe Lachmann, aber auch schon die mittelalterlichen Schreiber mit ihnen hatten.[374] In den Hss. Ggg fehlt 'aber', das könn-

---

373) Bernard Willson, Wolframs Bogengleichnis, ZfdA 91, 1961/62, vertritt eine ähnliche Ansicht: "Jede Tatsache wird zu dem Zeitpunkt mitgeteilt, wo keine Gefahr besteht, daß sie mit anderen Tatsachen in Konflikt gerate; jede wird gegen andere scharf abgegrenzt und anderen nicht den Vorrang streitig machen". "Nichts wird an einer früheren Stelle erscheinen, als ihm gebührt, und nichts wird länger verschwiegen, als recht und schicklich ist". (S.57)

374) Wie unklar diese Stelle ist, wird indirekt von Wilhelm Hertz bestätigt, dessen Übersetzung das ganze Bogengleichnis überspringt und erst mit v.242,23 wieder einsetzt. W.Hertz, Parzival von Wolfram von Eschenbach, Stuttgart 1898, S.120.

te darauf hindeuten, daß die Schreiber in der Vorlage ein Wort vorfanden, dessen Bedeutung ihnen nicht mehr geläufig war, so daß sie es ausließen. Es könnte die Präposition 'ab', 'abe' oder 'ob' dagestanden haben; die Hss. gg haben statt 'aber dem' ein 'denne', so daß der Vers die Bedeutung "wer aber unter solchen Umständen seine Geschichte losschießt" bekäme. Lachmann gab der Hss.-Gruppe Ddd den Vorzug vor Ggg, da er sie als durchweg besser einschätzte. Lachmann entschied sich für 'swer aber dem', doch befriedigte ihn diese Lesart nicht, denn er fragt, ob 'dem tôrn' intendiert gewesen sein könnte. Dieser Konjektur habe ich mich in der oben gegebenen Übersetzung angeschlossen, weil ohne die vorhergehende Nennung einer Person die Bezüge in den folgenden Versen unklar bleiben. Wird der Vers im Sinne von "wer einem solchen seine Geschichte zuschießt", wie es bei Martin[375)] und Klein[376)] intendiert ist, übersetzt, geschieht es unter dem Einfluß der Fehdevorstellung, die die Interpreten hier an Gottfried denken ließ. So bemerkt Klein zu den Versen 241,20-21: "Auch das ist klar, daß diese Drohung Gottfried gilt. Denn e r ist der Mann, den das 'zugeschossene' 'Maere' unter allen Umständen verdrießt".[377)] Wieder einmal ist an Kleins Arbeitsweise zu bemängeln, daß er ohne Auseinandersetzung mit den zahlreichen Übersetzungsmöglichkeiten dieses Textstückes, die ich vorgeführt habe, sogleich eine Ebene der Textauslegung betritt, die nur den engen Bereich der Kontroverse zwischen Gottfried und Wolfram umfaßt. Es gibt keine Anhaltspunkte dafür, zu sagen, es klinge "in dem Bogengleichnis deutlich hörbar mehr an als nur eine einfache Widersage an Gottfried".[378)] Nicht nur der kontextuale Zusammenhang schließt diese Interpretation völlig aus, sondern auch die Bedeutung des Verses 241,8, in dem Wolfram den geraden, durchdacht aufgebauten Erzählstil für seine Geschichte in Anspruch nimmt. Es wäre widersinnig, wenn er Gottfried beschuldigen wollte, einen 'krummen' Stil zu schreiben.

Ganz ohne Konjekturen kommt die folgende Übersetzung aus, in der 'dem' und 'des' in Vers 241,20 und 21 aufeinander bezogen sind und der 'des'-Satz als Relativsatz zu 'dem' aufgefaßt ist. Auch hier ist nicht auf ein bestimmtes Individuum Bezug genommen, sondern in unbestimmter Weise auf Hörer und Leser, die eine ent-

---

375) Martin, Kommentar, S.222.

376) Klein, Gottfried und Wolfram ..., S.150/151.

377) ebd. 378) ebd.

gegengesetzte Auffassung vom richtigen Geschichtenerzählen haben, insbesondere wohl auf die, die einen 'krummen' Erzählstil bevorzugen. "Wenn aber einer demjenigen seine Erzählung zudenkt, von dem ihm notwendigerweise Verdruß zukommen muß, indem sie dort sowieso keine bleibende Stätte findet, vielmehr nur eine breite Durchgangsstraße, nämlich zum einen Ohr hinein, zum anderen wieder heraus - da erschiene mir meine Mühe als ganz umsonst, wenn meine Geschichte an so einen geriete. Da würde ich noch lieber für einen Bock oder einen fauligen Stock dichten."[379)]
Auch der Vorschlag von Bernard Willson, die Zeilen 15 und 16 nach Zeile 20 zu stellen, ein Verfahren, das den Text erheblich verändert, erübrigt sich, wenn diese Übersetzung akzeptiert wird.[380)]

Kleins Interpretation der Verse 241,22-30 sollte nicht unwidersprochen bleiben. Er sagt, die 'Parzival'-Erzählung errege bei Gottfried nicht nur Langeweile, sie gehe ihm zum einen Ohr hinein, zum anderen wieder heraus. Wolfram vergleiche den 'Tristan'-Dichter mit einem " B o c k oder einem ulmigen S t o c k". Beide seien verständiger als der gelehrte Magister aus Straßburg.[381)] Die Stelle scheint außerordentlich aufschlußreich zu sein, was die Person Gottfrieds betrifft, was der nicht von der Fehdevorstellung belastete Leser allerdings nicht zu erkennen vermag. Die Verbindung des Stockes mit dem Adjektiv 'ulmic' verleitet Klein zu der Idee, daß hier eine "Anspielung auf Gottfrieds reife Lebenszeit (Tr.41 f. u.ö.)" verborgen sei.[382)] Auch das Wort 'boc' weise auf Gottfried, weil es außer dem Stinkenden und Geilen auch das Sture bezeichne. Sturheit habe Gottfried "im Streit mit Wolfram unentwegt bezeugt", was Burdach, Meier und Ehrismann bestätigten.[383)] Seinen Gedanken "Ich habe an anderer Stelle die Vermutung geäußert, wir könnten in Gottfried einen 'homo religiosus', einen Ordensmann, zu suchen haben. Wolframs "Bock" scheint diese Vermutung zu stützen" kann er, falls er nicht akzeptiert werden sollte, sofort durch einen anderen

---

379) Übersetzung von Theo Vennemann, persönliche Mitteilung. Vennemann verdanke ich übrigens auch meine Interpretation, daß Wolfram durch den Sehnenvergleich hier seinen Erzählstil als den direkten, zielstrebig vorwärtsschreitenden, geraden kennzeichnet und ihn vom 'krummen' absetzt.

380) Willson, S.60.

381) Klein, Gottfried und Wolfram ..., S.151.

382) ebd. 383) S.152.

ersetzen: "Selbst wenn sie aber nicht zuträfe und der "Bock" auf Gottfrieds Tristan zielte, kommt der Anzüglichkeit unseres 'bîspels' ungewöhnliche Schärfe zu."[384]. Daß die Beschimpfung "Bock" doch Gottfried gegolten und ihn auch getroffen, mehr noch "wild geschmerzt" habe, sei aus der 'nezzelcrut'-Stelle ersichtlich.[385]
Diese Interpretation ist völlig aus der Luft gegriffen, Wolfram will mit 'boc' vielmehr den Bereich kennzeichnen, in dem es keine sinnliche Wahrnehmung, kein organisches Leben gibt. Holzbock und verfaulter Stock sollen diesen außermenschlichen Bereich anschaulicher machen.[386] Die Verbindung, die Klein zwischen dem Bock des 'Parzival'-Verses 241,29 und Gottfried herstellt, indem er das Wort auf die Zugehörigkeit Gottfrieds zum Klerikerstand und auf sein reifes Lebensalter bezogen wissen will, ist für die höfische Zeit des Mittelalters, besonders aber für das 12. Jahrhundert, sehr unwahrscheinlich. Persönliche Auseinandersetzungen und Anwürfe von dieser Derbheit werden erst für die Literatur des 15. und 16. Jahrhunderts typisch.[387]

Kleins Vorschlägen zur Interpretation des Bogengleichnisses und anderer Textstücke aus dem 'Parzival' und dem 'Tristan' wurde von der Forschung nie ernstlich widersprochen, vielmehr insgeheim zugestimmt, obwohl er eine Grundbedingung philologischen Arbeitens, die Interpretation aus dem vorgegebenen Text vorurteilsfrei abzuleiten, mißachtet. Klein legte schon vorher eine Bedeutung in den Text, die erst durch eine Analyse herausgefunden werden muß, vorausgesetzt, daß sie vorhanden ist. Deshalb ist Bumkes vorsichtiger Einwand gegen Kleins Deutung des Bogengleichnisses hervorzuheben, da er vereinzelt bleibt: "Dieser Interpretation wird man nicht ohne Skepsis begegnen. Auch wenn Wolfram - was sich nicht beweisen läßt - bei dem Mann, der für seine Dichtung kein Verständnis hat, an Gottfried gedacht haben sollte, brauchen die Schluß-

---

384) Klein, S.153. 385) S.152.

386) Ähnlich abweisend auch W.J.Schröder in seinem Aufsatz "Zum Bogengleichnis Wolframs, Parz. 241,1-30." In: PBB 78 (Tüb.) 1956, S.453-457: "Daß mit dem 'boc' Gottfried gemeint sei, bedarf einer Kette von Hypothesen. Ich halte 'boc' und 'stoc' für sachlich eng zusammengehörig; es ist doch wohl der Bock aus Holz gemeint, der hier als Symbol der Verständnislosigkeit steht." (S.457)

387) Den Hinweis auf diesen Aspekt verdanke ich Ingeborg Schröbler.

verse nicht als ein persönlicher Angriff gedeutet zu werden."[388] Bumke nimmt auch daran Anstoß, daß Klein in seiner Übersetzung 'snel' im Sinne von 'schnell' verwendet. Dieser hatte zu den Versen 241,10-11 geschrieben: "Dünkt euch Lesern schon der Bogen 'schnell': um wieviel schneller noch ist das, was die Sehne treibt: der Pfeil, der Schuß".[389] In der Tat ist ein 'schneller' Bogen, mit der noch schnelleren Sehne in Beziehung gesetzt, schwer vorstellbar: "Ist es nicht eine etwas banale Weisheit, daß der Pfeil schneller sei als der Bogen? Man erwartet doch, daß irgendwie die Überlegenheit der 'geraden' Sehne über den krummen Bogen zum Ausdruck kommt; aber zum Schießen braucht man beide, und bevor der Schuß sich löst, sind beide 'krumm'." Damit trifft Bumke[390] eine der Schwierigkeiten, die Wolframs Ausführung des Sehnenvergleichs enthält. In Erweiterung meiner Übersetzung möchte ich vorschlagen, noch andere Bedeutungen von 'snel', zum Beispiel 'stark', 'kräftig' zu berücksichtigen. Ein 'kräftiger' Bogen ist vorstellbar und eine 'kräftige' Sehne auch, wenn außer an ihre Geradheit noch an ihre kurz vor dem Losschnellen besonders starke Gespanntheit gedacht wird. Wolfram versucht, mit Hilfe des Zusammenspiels der Bedeutungen von 'sleht' als 'geradlinig', von 'snel' als 'schnell', 'kräftig' und 'gespannen' als 'gespannt', 'spannend' seine Erzählweise zu charakterisieren. Nichts spricht dafür, daß der mit 'swer aber dem sîn maere schiuzet' beginnende Abschnitt auf eine spezifische Person zielt; in der Wortwahl kommt eher das Bestreben zum Ausdruck, in ganz allgemeiner Weise Zuhörergruppen zu charakterisieren, die Dichtungen bevorzugen, deren Schöpfer eine von Wolfram abweichende Auffassung hinsichtlich der Komposition von erzählender Dichtung haben. Die Stelle kann aber auch auf die Schöpfer dieser Dichtungen selbst bezogen sein. Genauer ist dieser Personenkreis nicht zu bestimmen. Es ist denkbar, aber nicht sicher, daß die Adressaten Wolframs engster Umgebung angehörten oder literarische Vorgänger waren. Vielleicht ist diese Stelle aber auch nur eine Schutzmaßnahme gegen mögliche Kritik, mit der Wolfram gerechnet haben wird.

---

388) Joachim Bumke, Die Wolfram-von-Eschenbach-Forschung seit 1945. Bericht und Bibliographie. München 1970. S.295.

389) Klein, Gottfried und Wolfram ..., S.150.

390) S.295/296.

3. Kapitel

ZUR VERWENDUNG VON NAMENFORMEN DER 'TRISTAN' - SAGE BEI GOTTFRIED UND WOLFRAM

Schon verhältnismäßig früh erkannte Friedrich Heinrich von der Hagen, daß, wenn Personen aus der 'Tristan' - Sage in Wolframs Dichtung erwähnt werden, sie auf Grund ihrer Namenlautung "wohl nur auf den älteren Tristan des Eilhard von Hobergen" zurückzuführen seien, nicht aber auf Gottfrieds 'Tristan' - Version.[391] Als Belege führt er die 'Parzival' - Stellen v.4293 'Curvenal' (nach Lachmanns Verszählung 144,20) und v.5560 'beide Isalden' (187,19) an. Ein weiteres Indiz für Wolframs Kenntnis von Eilharts Werk ist v.d.Hagen zufolge die Stelle mit dem Wangenkissen v.17123 (573,15), die bei Gottfried fehlt. Ähnliche Gedanken hatte Franz Mone schon 1821 geäußert, wo er in einem Vorspann zu Eberhard von Grootes 'Tristan' - Ausgabe auf die Selbständigkeit der 'Tristan' - Sage hinweist und bemerkt: "Weder seine Tristans Person noch Sage ist in die eigentlichen Lieder der Tafelrunde und des Grals eingeflochten oder auch nur erwähnt". "Denn im Iwain, Lancelot und Wigalois kommt nicht einmal sein Name vor, im Parcival (V.4293) spielt Eschenbach spöttisch nur auf seine Sage an".[392] Einige Seiten weiter schreibt er: "Die Anspielung auf die beiden Isolden, Parc. V.5560 ist nicht daher zu rechnen [d.h. sie ist kein Spott], denn das ist gewöhnlich, daß die Dichter ihre Sagen andern vorziehen."[393]

Konsequenzen hinsichtlich einer möglichen Dichterfehde zwischen Gottfried und Wolfram ergeben sich für Mone nicht, weil entweder zu seiner Zeit noch niemand ernsthaft daran glaubte oder seine Meinung über die Ansicht der Forschung, daß die Texte eine Fehde widerspiegelten, gering war. Auch in Grootes Einleitung zur 'Tristan' - Ausgabe erscheint ein wirkungsgeschichtlicher Gesichtspunkt, der an keiner Stelle zu irgendwelchen Fehdevorstellungen in Beziehung gesetzt wird. Über die Erwähnung Curvenals im 'Parzival' gelangt er zu einer Aussage über die Chronologie:

---

391) F.H.v.d.Hagen, Minnesinger IV, S.197.

392) Tristan, hg. von E.v.Groote, Berlin 1821, S.V.

393) S.XVI, Anm. 22. Kannte v.d.Hagen die Grootesche 'Tristan' - Ausgabe nicht, oder hat er deren Vorspann als Quelle seines Wissens unterdrückt?

"Von Parcifal sagt Wolfram von Eschenbach, der sein Gedicht gewiß früher, als Gotfrit den Tristan schrieb, V.4293 'in zoch dehein Curvenal, er chunde Kurtosie niht'."[394] Als Beweis für die Eigenständigkeit der 'Tristan'-Sage, auf die hinzuweisen auch Groote nicht versäumt, führt er den Umstand an, "daß die Heldensage von Tristan schon in der frühesten Zeit auch in allem deutschen Lande volksthümlich war".[395]

Die bei Mone, Groote und v.d.Hagen angemerkte Verbreitung des 'Tristan'-Stoffes schon in vorgottfriedischer Zeit ist in starkem Maße auf Eilhart von Oberg zurückzuführen, dessen 'Tristrant' vermutlich um 1170 fertiggestellt war. Es ist ein wichtiges Argument gegen die Fehdehypothese, daß Wolfram auf Grund des zeitlichen Abstandes und der damaligen Verbreitungsgeschwindigkeit von Literatur leichter Eilhart als Gottfried kennen und die Kenntnis einzelner Sagenteile aus dem 'Tristrant' schöpfen konnte. Drei Handschriftenfragmente des 'Tristrant' aus dem späten 12. sowie dem frühen 13. Jahrhundert sind heute noch bekannt, sie zeugen von einer gewissen Beliebtheit beim Publikum jener Zeit. Eilharts Vorlage, die uns nicht direkt bekannt ist, gehört in den Kreis der 'Tristan'-Bearbeitungen, die sich an Berol anschließen. Dies läßt sich anhand der verwendeten Namenformen, zum Beispiel Tristran, und der Handlungsabfolge feststellen.[396]

In einem Aufsatz untersucht Karl Bartsch die Herkunft der Eigennamen in Wolframs 'Parzival' und 'Titurel'.[397] Daß und wie im 'Parzival' verschiedentlich auf die 'Tristan'-Sage Bezug genommen wird, versucht auch er mit dem Hinweis auf Eilharts 'Tristrant' zu erklären:

> Die dritte deutliche litterarische Beziehung ist die auf Eilharts Tristrant. Mit Namen nennt er allerdings den Dichter nicht, und es ist fraglich, ob ihm [Wolfr.] der Name überhaupt bekannt war, aber das Gedicht kannte er unzweifelhaft. An Gottfrieds Tristan ist schon aus chronologischen Gründen nicht zu denken; man könnte nun annehmen, er habe einen französischen Tristan gekannt, aber die fran-

---

394) E.v.Groote, Tristan, S.XLVII.

395) ebd.

396) Berol, Tristan und Isolde. Übersetzt von Ulrich Mölk. München 1962. (=Klassische Texte des romanischen Mittelalters in zweisprachigen Ausgaben. Hg. von Hans Robert Jauss und Erich Köhler.

397) Karl Bartsch, Die Eigennamen in Wolframs Parzival und Titurel. In: Germanistische Studien. Supplement zur Germania. Hg. von Karl Bartsch. 2.Bd. Wien 1875, S.114-159.

zösischen Texte kennen so wenig wie Gottfried oder seine Fortsetzer die Form 'Isalde', sondern nur 'Isolt', 'Isôt', 'Iseut', 'Iseult'. Jene Form aber ist die herrschende bei Eilhart, sie hat auch Wolfram. (398)

Diese Informationen sind aus nachprüfbarem Material gewonnen und bedürfen keinerlei Zusätze spekulativer Art. Um Anklänge an die 'Tristan'-Sage zu erklären, braucht Bartsch keine umständlichen Rekonstruktionen möglicher Begegnungen Gottfrieds mit Wolfram zu bemühen. Leider wurden die Ergebnisse von Bartsch in der Forschung viel zu wenig berücksichtigt, ich nenne als besonders krassen Fall John Meier, der bei der Curvenal-Stelle im 'Parzival' Eilharts Einfluß ausschließt, ohne zu sagen, auf Grund welcher Überlegungen er so entscheiden konnte, und Gottfried als den die Stelle initiierenden Faktor bezeichnet.

In folgenden Fällen entdeckte Bartsch bei Wolfram eine Namenkongruenz mit Eilhart: Die Titelheldin heißt in Eilharts 'Tristrant' Isalde, bei Wolfram wird sie in Vers 187,19 ebenso genannt, nicht aber Isolde oder Isote, was, wenn die Fehde stattgefunden hätte, zu erwarten wäre. Der Reim 'Isalden/walden' läßt keinen Zweifel daran, daß der Text an dieser Stelle korrekt ist. Gottfried gebraucht die Form 'Isalde' gar nicht, in seiner Dichtung wechseln Isolde, Isote und Isolt ab. Der Vater Tristans heißt bei Eilhart und Wolfram 'Rîwalîn von Lohneis', Gottfried betont, daß er von 'Parmenie' gewesen sei und den Beinamen 'Canelengres' gehabt habe. "Auch 'Tynas' VIII, 948, nach Lachmann Parz. v.429,18 und 'Garschiloye' V 939. XVI,584 Lachmann 255,9 und 806,14 stammen aus derselben Quelle 'Tristrant', letztere heißt bei Eilhart 'Gardiloye'."[399] Bartsch nennt noch Variationen des Namens einer Jungfrau, die bei Wolfram 'Gymêle von Monte Rybêle', bei Eilhart 'Gymelîne von der Schettelîne' heißt. Allerdings gibt es hier kaum Anhaltspunkte für eine mögliche Berührung, so daß dieses Beispiel weniger Beweiskraft als die anderen hat.

Franz Lichtenstein gibt einigermaßen gründlich über Eilhart und sein Werk Auskunft. Seine 'Tristrant'-Ausgabe wird durch eine sehr ausführliche, informative Einleitung eröffnet. Zur Quelle dieser ersten 'Tristan'-Bearbeitung in Deutschland bemerkt er: "Eilhart beruft sich erstens auf ein Buch und zweitens auf mündliche Überlieferung. Im Eingang seines Gedichtes (X 31 ff.) spricht er es deutlich aus, dass er die Kenntnis

---

398) Bartsch, S.126.

399) S.127.

von Tristrants Geschicken aus einer schriftlichen Quelle schöpfte."[400] Eilhart habe für uns nicht nur "den höchsten Werth als Bewahrer einer interessanten, einfacheren Gestalt der Tristansage", sondern auch für das Problem der Namenformen große Bedeutung:

> Für die blosse Bekanntschaft mit dem Tristrant bilden das wichtigste Kriterium die Namenformen, sofern dieselben von denen Gottfrieds und seiner Fortsetzer abweichen. Am werthvollsten ist ihr Zeugnis wenn ihre Lautform durch die Stellung im Reim als Eigenthum des Dichters verbürgt wird. Freilich m u s s darum der betreffende Dichter Eilharts Gedicht noch nicht gelesen oder gehört haben: frühe genug mögen die Namen aus der einfacheren, volksthümlicheren Erzählung Eilharts, vorbildlich geworden und sprichwörtlich gebraucht, in die Rede des Alltagslebens übergegangen sein. Indessen selbst wenn einem Poeten die Eilhartschen Namensformen auf diesem Wege zugekommen wären, dürften sie immer noch als indirecte Zeugen für die Verbreitung und Beliebtheit der Dichtung der sie entstammen angeführt werden. Insofern verdienen auch die Namensformen ausser Reim Berücksichtigung: denn auch die Wahl des Schreibers, falls wir den Namen erst seiner Willkür verdanken, legt für seine Popularität Zeugnis ab. (401)

Am Verhältnis Eilhart-Wolfram konkretisiert Lichtenstein die soeben zitierten Überlegungen und schreibt:

> Der Parzival enthält eine Reihe Beziehungen zum Tristrant. Dieselben hat von der Hagen MS IV,686 Anm.1, S.197 Anm. 5.6 und nach ihm vollständiger Bartsch in den germanistischen Studien 1 26ff. zusammengestellt. Einmal wird auf eine bestimmte Scene angespielt, die uns nur aus Eilharts Gedicht (X 6757 ff.) bekannt ist. L. meint vermutlich die Episode mit dem Wangenkissen. Es erscheint daselbst zunächst 573,15 'Gymêle von Monte Rybêle'. (402)

Es sind die Verse 573,14-19 in Wolframs 'Parzival': 'sîn wankûssen ungelîch/was dem daz Gymêle/von Monte Rybêle,/diu süeze und diu wîse,/legete Kahenîse,/dar ûffe er sînen prîs verslief.' Dieser Fall ist besonders kompliziert, weil selbst die 'Tristrant'-Hss. voneinander abweichen: D hat 'gemeline' und 'genemile', H hat 'gymelin' und B sogar 'Gumele', 'Gumile' und 'Gimilie'. Noch variationsreicher

---

400) Eilhart von Oberge. Hg. von Franz Lichtenstein, Straßburg 1877. (=Nr.XIX der Quellen und Forschungen zur Sprach- und Culturgeschichte der germanischen Völker. Hg. von Bernhard ten Brink, Wilhelm Scherer, Elias Steinmeyer) Zur Stelle s. S. CXV der Einleitung.

401) Lichtenstein, S.CXCII.

402) S.CXCIII.

sind die Hss. hinsichtlich des Beinamens, den diese Dame trägt.[403] Wenn schon in den Eilhart-Hss. mehrere Varianten des Namens auftauchen, die auf Schwerverständlichkeit hindeuten, ist es nicht verwunderlich, daß bei Wolfram noch eine andere Variante erscheint. Ob es sich bei Gymêle von Monte Rybêle um eine für Wolfram typische Assimilierung französischen Sprachgutes handelt,[404] oder ob eine mangelnde Gedächtnisleistung dieses Problem geschaffen hat, ist heute nicht mehr zu entscheiden. Wichtig ist jedoch, daß Wolfram in der 'Gymêle'-Stelle Parz. 573,14ff. auf eine 'Tristan'-Episode anspielt, die zwar Eilhart, nicht aber Gottfried hat.

In Chrêtiens 'Conte del graal' erscheint die Mutter Percevals nur unter der Gattungsbezeichnung 'veve dame' (verwitwete Dame), sie trägt, wie auch der König auf der Gralsburg und dessen Bruder, der Einsiedler, "keinen individuellen Namen".[405] Erst in Wolframs 'Parzival' tritt sie mit dem Namen 'Herzeloyde' auf, zusammen mit einer Reihe anderer Personen, denen Wolfram überhaupt erst Namen gegeben hat. Dadurch, daß der 'Parzival'-Dichter in beschränktem Umfang freie Hand bei der Namengebung hatte, kam Karl Kurt Klein[406] auf den Gedanken, zu sagen, daß wegen der angeblichen Parallelität der 'Parzival'- und der 'Tristan'-Vorgeschichte Parzivals Mutter eigentlich Blancheflor heißen müsse. Daß sie Herzeleoyde heißt, weise darauf hin, wie sehr es Wolfram vermieden habe, den durch Gottfried entehrten Namen noch einmal zu verwenden. Über die im 2. Kapitel geäußerte Kritik an Kleins Textexegesen hinaus möchte ich noch auf einen anderen Gesichtspunkt aufmerksam machen. Die von Klein

---

403) Die Hs. D hat die Lesart 'von der slechten line' bzw. 'slechte lynen', H hat 'schettelin(en)' und B 'lach(t)er lile(n).

404) Ich nenne als Beispiel Parz. 56,19, wo von einer Dame namens 'Terdelaschoye' die Rede ist, frz. 'terre de la joie' bedeutet 'Land der Freude'. Vgl. dazu Kolb, Munsalvaesche, S.174. Ähnlich verfährt Wolfram mit der Chrêtienschen 'la fee Morgain', die bei ihm zu 'Feimurgan' wird. Vgl. Kolb, S.37. In diese Richtung weist auch ein Deutungsversuch Wilhelm Scherers, der bei Lichtenstein genannt wird. Anknüpfend an die Form, die die Prosaversion des Eilhartschen Werkes bietet: 'Gymelle von der Schitriel', schreibt Lichtenstein: "Ich zweifle nicht daran, dass uns hier die echte Lesart Eilharts vorliegt." "Scherer vermuthet, 'Schit Rîele' sei zu trennen, das erste Wort sei das afrz. 'chit'=civitas: dem 'Schit' würde dann das Wolframsche 'Monte' entsprechen und die beiden Namen 'Rybêle' und 'Rîele' sich allerdings sehr nahe stehen." (S.CXCIV.)

405) Kolb, Munsalvaesche, S.9.

406) Klein, Zur Entstehungsgeschichte des Parzival, S.19.

angenommene kontradiktorische Bezogenheit der 'Parzival' - Vorgeschichte auf die Riwalin- Blanscheflur- Geschichte resultiert aus einer Fehleinschätzung dichterischen Arbeitens in mittelalterlicher Zeit. Dichter wie Wolfram, Gottfried, Hartmann, aber auch Rudolf von Ems und Ulrich von Türheim werden ihre Bemühungen vermutlich in erster Linie darauf gerichtet haben, verschiedene Bearbeitungen des Stoffes, an dem sie gerade arbeiteten, in die Hand zu bekommen; verschiedentlich schildern die Dichter ihre Maßnahmen, zu der ihrer Meinung nach "richtigen" Vorlage zu kommen. Gottfried suchte lange nach der "richtigen" 'Tristan' - Erzählung und fand sie schließlich bei Thomas von Britanje, Rudolf von Ems erzählt, daß er viele von der 'histôrje' abweichende Versionen der Lebensgeschichte Alexanders gefunden habe, und Wolfram fand, wie er selbst sagt, die 'rehten maere' bei Kyot, denn Meister Cristjân erzähle nicht immer zuverlässig.[407] Sein Interesse an 'Parzival' - Bearbeitungen war vermutlich größer als an in Arbeit befindlichen oder gerade fertiggestellten Dichtungen, in denen eine ganz andere Sage erzählt wird. Deshalb finden sich im 'Parzival' Hinweise auf die 'Tristan' - Sage nur sehr am Rande. Daß er sie in Gestalt des 'Tristrant' kannte, wird aus den Namenformen, die er benutzt, ziemlich deutlich.

In diesem Zusammenhang möchte ich auf einen Aspekt in Meiers Basler Vortrag zurückkommen, wo bestimmte 'Parzival' - Partien, insbesondere 436,11 ff., als "stillschweigende Verurteilung von Gottfrieds Heldin Isolde"[408] interpretiert werden. Dieses Vorgehen ist umso seltsamer, als gerade Texte zum Beweis herangezogen werden, die den Namen Isolde gar nicht enthalten. Um Eilharts Einfluß auf Wolfram abzuweisen, bedient er sich der Curvenal- Stelle, die dazu aber nicht geeignet ist, weil Wolfram und Gottfried für den Erzieher Tristans keine von Eilhart abweichende Namenform wählten. Hätte Meier die 'Isalde' - Stelle und die 'Riwalin von Lohneis' - Stelle berücksichtigt, in denen Eilhart deutlich erkennbar ist, wäre sein Urteil vielleicht anders ausgefallen. Es stellt sich der Verdacht ein, daß sie unterdrückt wurden, um die Kontroversenhypothese nicht zu gefährden.

In einem Aufsatz aus dem Jahre 1950 geht Hans Eggers den "Literarischen Beziehungen des Parzival zum Tristrant Eilharts von Oberg"[409] nach und bezeichnet eine Rei-

---

407) Vgl. dazu den Epilog des 'Parzival', vv. 827,1-11.

408) Meier, S.510.

409) Hans Eggers, Literarische Beziehungen des Parzival zum Tristrant Eilharts von Oberg. In: PBB (Halle) 72, 1950, S.39-51.

he von Textabschnitten, die seiner Meinung nach deutlich machen, daß "die Berühहोrung Wolframs mit Eilhart nicht gar so oberflächlich" war, "wie die Benutzung noch so vieler Namen, die Wolfram ja aus vielerlei Quellen beizieht, vermuten lassen könnte".[410] So erinnere die 'Isalde'-Stelle Parz. 187,12ff. sehr stark an Eilhart 1037ff. Während Wolfram "die Schönheit der Kondwîrâmûrs schildert, stellt er sie über andere Frauengestalten des eigenen und fremder Werke, und hier läßt er sich zu unmittelbarer Benutzung von Eilharts Werk herbei".[411] Eggers denkt an die folgenden 'Parzival'-Verse

> 187,12 Condwîr âmûrs ir schîn
> doch schiet von disen strîten:
> Jeschûten, Enîten,
> und Cunnewâren de Lalant,
> und swâ man lobs die besten vant,
> d â m a n f r o u w e n s c h o e n e g e w u o c,
> ir glastes schîn vast under sluoc
> und bêder Isalden.
> jâ muose p r î s e s w a l d e n
> Condwîr âmûrs: (412)

und stellt sie den Eilhart-Versen 1037 'ouch l o b e t e man si genuoc./swâ man g u o t e r v r o u w e n g e w u o c,/d a b e h i e l t s i u eine d e n p r î s.' gegenüber. Obwohl die wörtlichen Übereinstimmungen erstaunlich sind, würde ich sie zurückhaltender als Eggers beurteilen. Um sagen zu können, daß Wolfram Eilharts Text übernommen hat, müssen wir wissen, ob Wolfram eine Handschrift des 'Tristrant' zur Verfügung stand und, wenn ja, welche Handschrift: "Hier liegt also eine ganz unzweifelhafte Benutzung Eilharts durch Wolfram vor, wenn dieser natürlich auch zu selbständig ist, um wörtlich abzuschreiben."[413] Trotz der Einschränkung, die ich hinsichtlich der Unzweifelhaftigkeit gemacht habe, halte ich Eggers' Ansatz, den 'Tristrant' stärker als bisher zur Erklärung des 'Parzival' heranzuziehen, für gewinnbringend. Ich teile die von Eggers bemerkten Anklänge an Eilhart in den ersten vier 'Parzival'-Büchern mit:

---

410) Eggers, S.40.

411) Eggers, S.46.

412) Ich habe die Sperrungen von Eggers übernommen, zitiere aber nach der 1.Aufl. 1833.

413) Eggers, S.46.

> Im ersten Buch findet sich nichts als ein Anklang (Môrolt); im zweiten folgt der kurzen Erwähnung Rîwalîns unmittelbar eine ausführliche Beschäftigung mit Môrolt. Von den Môroltszenen spannt sich zum vierten Buch die Brücke durch das Eilhartzitat aus der Môroltnachbarschaft bei Erwähnung der Kondwirâmûrs, wobei wir die starke Anteilnahme bei Erwähnung Kurwenâls im dritten Buch als einen Pfeiler dieser Brücke betrachten; schließlich zieht das eine Zitat das andere, jenes 'Liâze dort, Liâze hie' unmittelbar nach sich. Erwägen wir dies alles, so werden wir zugeben, daß der Tristrant Wolframs Schaffen bei der Abfassung dieser ersten vier Bücher - bewußt oder unbewußt - beständig als starke Unterströmung begleitet hat. (414)

In Eggers' Aufsatz fehlt die Auseinandersetzung mit der umfangreichen Literatur, in der nach Textberührungen bei Gottfried und Wolfram gesucht wird. Er konzentriert sich auf Eilhart, dessen zeitlicher Abstand zu Wolfram es wahrscheinlich macht, daß er und nicht Gottfried als Übermittler der 'Tristan'-Sage in Frage kommt.

Die Ausführungen zu den von Wolfram und Gottfried gebrauchten Namenformen der 'Tristan'-Sage sind nicht so erschöpfend, wie die Bedeutung des Problems es verlangte. Im Rahmen der vorliegenden Arbeit konnte es nicht ausführlicher behandelt werden. Ich beabsichtige aber, dieses Thema in der nächsten Zeit wieder aufzugreifen.

---

414) Eggers, S.49/50.

ZUSAMMENFASSUNG

Das vorliegende Buch greift einen Problembereich altgermanistischer Forschung auf, dessen Diskussion sich schon seit längerer Zeit - von wenigen Versuchen, die bisher gewonnenen Ergebnisse in Frage zu stellen, abgesehen - in einem Stadium permanenter Bestätigung, allenfalls punktueller Modifikation befindet. Die zentrale These aus diesem Problembereich ist die der 'Dichterfehde': Gottfried von Straßburg und Wolfram von Eschenbach waren nicht nur Zeitgenossen, sondern sie kannten jeweils die Werke des anderen und polemisierten in ihren eigenen Werken gegeneinander; sie rivalisierten miteinander und befehdeten einander.

Ich zeige, daß diese zentrale These, sowie gewisse ihr untergeordnete Thesen (Fiktivität Kyots, schubweise Publikation des 'Parzival', Chronologien im Dienste der Zentralthese), aus Voraussetzungen der Literaturkritik des 19. Jahrhunderts erwachsen sind und aus den überlieferten Texten nicht abgeleitet werden können. Der Nachweis vollzieht sich in zwei Stufen: 1. wurde die für diesen Thesenkomplex wichtigste Sekundärliteratur auf ihre Motivationen und Ziele hin kritisch durchgesehen. 2. wurden die wichtigsten der von der Forschung für den Beweis einer 'Dichterfehde' in Anspruch genommenen Textstellen aus dem 'Tristan' und dem 'Parzival' einer erneuten Prüfung unterzogen.

Ergebnisse der Untersuchung der ersten Stufe sind: Die Annahme und schrittweise Verfestigung der These von der 'Dichterfehde' erklärt sich aus der teils stammesgeschichtlich orientierten, teils moralisierenden Literaturbetrachtung des 19. Jahrhunderts, in der sich stilistische Gesichtspunkte mit stammesphysiologischen und moralischen Kategorien verbanden; hinzutreten einerseits mangelnder Sinn für die historischen Verhältnisse im Mittelalter, andererseits die unreflektierte Übertragung von Erfahrungen mit dem Literaturbetrieb des 19. Jahrhunderts, insbesondere die literarische Auseinandersetzung zwischen Goethe und Schiller. Außerdem erweist sich die Unterthese, daß die Figur des Kyot fiktiv sei, als eine bloße Hilfskonstruktion im Interesse der Zentralthese: Die Einstellung der mittelalterlichen Dichter Vorlagen gegenüber im allgemeinen und Wolframs im besonderen einerseits sowohl wie andererseits die durchweg lückenhafte Überlieferung mittelalterlicher Literatur legen von sich aus eine solche Annahme nicht nahe, machen sie vielmehr unwahrscheinlich. Auch die Vorstellung einer schubweisen Publikation des 'Parzival' sowie die Annahme, daß der 'Tristan' unvollendet geblieben sei, weil Gottfried sich den Schwierigkeiten seines Stoffes nicht mehr gewachsen fühlte, entstammen der Erfahrungswelt des 19. Jahrhunderts und sind dem Mittelalter ganz inadäquat. Desgleichen sind relative Chronologien von 'Tristan' - Teilen und 'Parzival' - Teilen lediglich künstliche Konstruktionen im Dienste der Zentralthese; darüber, ob der 'Tristan' vor, gleichzeitig mit oder nach dem 'Parzival' entstanden ist, läßt sich nach der derzeitigen Quellenlage überhaupt nichts aussagen.

Die Ergebnisse auf der zweiten Stufe bestätigen noch einmal, daß die Zentralthese sowohl wie ihre Hilfsthesen Spekulationen sind, die jeder Verankerung in der Wirklichkeit entbehren. Jede dieser wichtigsten Textstellen zur 'Dichterfehde' läßt sich auch so interpretieren, daß keinerlei Bezug zwischen Gottfried und Wolfram besteht. Gewöhnlich sind die Interpretationen, die man gewinnt, wenn man sich nicht bemüht, einen solchen Bezug herzustellen, werkimmanent stichhaltiger und direkter sowie im besseren Einklang mit unserer Kenntnis literarischer Produktionsweisen des Mittelalters. Verschiedentlich habe ich für eine Textstelle mehrere Interpretationen gegeben, um anzudeuten, wie wenig zwingend die Festlegung auf eine 'Fehde' - Interpretation ist; selbstverständlich können in diesen Fällen nicht sämtliche gegebenen Interpretationen zutreffen, aber es ging hier ja nicht darum, eine endgültig "richtige" Interpretation zu liefern, sondern eben nur darum, zu zeigen, daß die 'Fehde' - Lesung nur eine unter mehreren möglichen ist und gewöhnlich die am wenigsten überzeugende. Ich glaube allerdings, daß einige meiner Interpretationen einen wirklichen Fortschritt im Verständnis dieser Textstellen bedeuten.

Das unmittelbare Anliegen dieses Buches ist, die Auffassung von der 'Dichterfehde' zwischen Gottfried und Wolfram als einen literaturgeschichtlichen Topos zu erweisen und als inhaltliche Hypothese über ein Stück literarischer Wirklichkeit des Mittelalters zu widerlegen. Dieses Ziel glaube ich hier erreicht zu haben. Ein umfassenderes Anliegen dieser Arbeit ist, gewisse Aspekte der altgermanistischen Arbeitsweise in Forschung und Darstellung in Frage zu stellen und durch nüchterne Prüfung von Motivationen und kritische Prüfung von Texten, auch im Zusammenhang mit unserer Kenntnis mittelalterlicher Sprach- und Kulturgeschichte, ein im eigentlichen Sinne wissenschaftlicheres Arbeitsklima in der Altgermanistik herbeizuführen. Ob auch dieses Ziel erreicht wird, können erst die Aufnahme dieses Buches und die weiterführende Forschungsarbeit der Zukunft erweisen.

LITERATURVERZEICHNIS

Textausgaben und Übersetzungen

Tristan, von Meister Gotfrit von Straßburg, mit der Fortsetzung des Meisters Ulrich von Turheim, in zwey Abtheilungen hg. von E [berhard] von Groote. Berlin 1821.

Gottfrieds von Straßburg Werke, aus den beßten Handschriften mit Einleitung und Wörterbuch, hg. von Friedrich Heinrich von der Hagen. 1.Band: Tristan und Isolde mit Ulrichs von Turheim Fortsetzung. Breslau 1823.

Gottfried von Straßburg. Tristan und Isold. Hg. von Friedrich Ranke. Zürich und Berlin, 8.Aufl., 1964.

Gottfried von Straßburg. Tristan. Hg. von Karl Marold. 3.Abdruck, mit einem durch F.Rankes Kollationen erweiterten und verbesserten Apparat, besorgt und mit einem Nachwort versehen von Werner Schröder. Berlin 1969.

Wolfram von Eschenbach. Hg. von Karl Lachmann. Berlin 1833.

Wolframs von Eschenbach Parzival und Titurel. Hg. von Karl Bartsch. Leipzig, 2.Aufl., 1875. 1.Theil. (=Deutsche Klassiker des Mittelalters. Mit Wort- und Sacherklärungen. Begründet von Franz Pfeiffer. 9.Band: Wolfram von Eschenbach. Parzival und Titurel).

Wolframs von Eschenbach Parzival und Titurel. Hg. und erklärt von Ernst Martin. 2 Bände. (=Germanistische Handbibliothek IX), Halle 1900-1903.

Rudolf von Ems. Barlaam und Josaphat. Hg. von Franz Pfeiffer. Mit einem Anhang aus Franz Söhns, Das Handschriftenverhältnis in Rudolfs von Ems 'Barlaam', einem Nachwort und einem Register von Heinz Rupp. Berlin 1965. (Deutsche Neudrucke. Reihe: Texte des Mittelalters. Hg. von Karl Stackmann).

Rudolf von Ems. Alexander. Ein höfischer Versroman des 13. Jahrhunderts. Zum ersten Male hg. von Victor Junk. 2 Teile. Leipzig 1928/1929 (=Bibliothek des Literarischen Vereins Stuttgart. Bd. 272, 274).

Wigalois. Der Ritter mit dem Rade. Getichtet von Wirnt von Gravenberch. Hg. von Georg Friedrich Benecke. 1.Druck. Berlin 1819.

Henric van Veldeken. Eneide. I. Hg. von Gabriele Schieb und Theodor Frings. Berlin 1964.

Eilhart von Oberge. Tristrant. Hg. von Franz Lichtenstein. Straßburg 1877 (=Quellen und Forschungen zur Sprach- und Culturgeschichte der germanischen Völker XIX. Hg. von Bernhard ten Brink, Wilhelm Scherer, Elias Steinmeyer).

Ulrich von Türheim. Rennewart. Aus der Berliner und Heidelberger Handschrift hg. von Alfred Hübner. Berlin und Zürich 1938 (=DTM 39).

Willehalm. Ein Rittergedicht aus der zweiten Hälfte des dreizehnten Jahrhunderts von Meister Ulrich von dem Türlin. Hg. von Samuel Singer. Prag 1893 (=Bibliothek der mittelhochdeutschen Litteratur in Böhmen. Bd. IV).

Heinrichs von Freiberg Tristan. Hg. von Reinhold Bechstein. Leipzig 1877.

Das Buch der Natur. Von Konrad von Megenberg. Die erste Naturgeschichte in deutscher Sprache. Hg. von Franz Pfeiffer. Stuttgart 1861.

Berol. Tristan und Isolde. Übersetzt von Ulrich Mölk. München 1962 (= Klassische Texte des romanischen Mittelalters in zweisprachigen Ausgaben. Hg. von Hans Robert Jauss und Erich Köhler).

Das Rolandslied des Pfaffen Konrad. Hg. von Carl Wesle. Bonn 1928. (=Rheinische Beiträge und Hülfsbücher zur germanischen Philologie und Volkskunde 15).

Das Rolandslied des Pfaffen Konrad. Mittelhochdeutscher Text und Übertragung. Hg., übersetzt und mit einem Nachwort von Dieter Kartschoke. Fischer Bücherei. Bücher des Wissens, Bd. 6004. Frankfurt/M. 1970.

Parcival. Rittergedicht von Wolfram von Eschenbach. Aus dem Mittelhochdeutschen zum ersten Male übersetzt von San-Marte (Albert Schulz). In zwei Bänden. 2., verbesserte Aufl., Leipzig 1858.

Parzival, von Wolfram von Eschenbach. Neu bearbeitet von Wilhelm Hertz. Stuttgart 1898.

Gottfried von Straßburg. Tristan. Translated entire for the first time. With the surviving fragments of the Tristran of Thomas. Newly translated. With an introduction by Arthur T.Hatto. Penguin Classics (1970) repr.

Briefwechsel

Briefwechsel zwischen Jacob und Wilhelm Grimm aus der Jugendzeit. Hg. von Herman Grimm und Gustav Hinrichs. 2., vermehrte und verbesserte Aufl., besorgt von Wilhelm Schoof. Weimar 1963.

Briefwechsel der Brüder Jacob und Wilhelm Grimm mit Karl Lachmann. Im Auftrage und mit Unterstützung der preußischen Akademie der Wissenschaften. Hg. von Albert Leitzmann. Mit einer Einleitung von Konrad Burdach. 1.Band. Jena 1927.

Briefe Karl Lachmanns an Georg Friedrich Benecke. Hg. von Albert Leitzmann. Berlin 1943 (=Abhandlungen der Preußischen Akademie der Wissenschaften, Jahrg. 1942. Phil.-hist. Kl., Nr.8).

Briefwechsel zwischen Karl Müllenhoff und Wilhelm Scherer. Im Auftrag der Preußischen Akademie der Wissenschaften hg. von Albert Leitzmann. Mit einer Einführung von Edward Schröder. Berlin und Leipzig 1937.

Literaturgeschichten, Wörterbücher und Grammatiken

Bartels, Adolf. Geschichte der deutschen Literatur. Bd.1. Die ältere Literatur. Leipzig, 3.und 4.Aufl., 1905.

Bartels, Adolf. Geschichte der deutschen Literatur. Ausgabe in einem Bande. Hamburg, Berlin und Braunschweig, 9. und 10.Aufl., 1920.

Bartels, Adolf. Geschichte der deutschen Literatur. Große Ausgabe in drei Bänden. 1.Bd. Die ältere Zeit. Leipzig 1924.

Barthel, L.F., und F.X. Breitenfellner. Bayerische Literaturgeschichte. München [1953].

Boor, Helmut de, und Richard Newald. Geschichte der deutschen Literatur von den Anfängen bis zur Gegenwart. 2.Bd. Die höfische Literatur. Vorbereitung, Blüte, Ausklang. 1170-1250. München, 7.Aufl., 1966.

Ehrismann, Gustav. Geschichte der deutschen Literatur bis zum Ausgang des Mittelalters. 2.Teil: Die mittelhochdeutsche Literatur. II.Blütezeit. Erste Hälfte. München 1927.

Gervinus, Georg Gottfried. Geschichte der deutschen Dichtung. 1.Bd. 4. gänzlich umgearbeitete Ausg. Leipzig 1853.

Kurz, Heinrich. Geschichte der deutschen Literatur mit ausgewählten Stücken aus den Werken der vorzüglichsten Schriftsteller. 1.Bd. Von den ältesten Zeiten bis zum ersten Viertel des 16. Jahrhunderts. Leipzig, 6.Aufl., 1873.

Nadler, Josef. Literaturgeschichte der deutschen Stämme und Landschaften. 1.Bd. Die Altstämme (800-1600). Regensburg 1912.

Scherer, Wilhelm. Geschichte der deutschen Literatur. Berlin, 3.Aufl., 1885.

Schwietering, Julius. Die deutsche Dichtung des Mittelalters. Potsdam [1941].

Vilmar, A.F.C. Geschichte der deutschen National-Literatur. Marburg 1844.

Vogt, Friedrich, und Max Koch. Geschichte der deutschen Litteratur von den ältesten Zeiten bis zur Gegenwart. Leipzig und Wien 1897.

Dombrowski, Ernst Ritter von. Deutsche Waidmannssprache. Mit Zugrundelegung des gesamten Quellenmaterials für den praktischen Jäger bearbeitet. Neudamm 1897.

Harrach, Ernst Graf von. Die Jagd im deutschen Sprachgut. Wörterbuch der deutschen Weidmannssprache. Stuttgart 1953.

Wörterbuch der der Weidmannssprache für Jagd- und Sprachfreunde aus den Quellen bearbeitet von Joseph und Franz Kehrein. Wiesbaden 1969 (Genehmigter Nachdruck der Ausgabe von 1898).

Schweizerisches Idiotikon mit etymologischen Bemerkungen untermischt. Samt einer Skizze einer Schweizerischen Dialektologie. Von Franz Stalder. 1.Bd. Aarau 1812.

Kluge, Friedrich. Etymologisches Wörterbuch der deutschen Sprache. 20.Aufl. bearbeitet von Walther Mitzka. Berlin 1967.

Mausser, Otto. Mittelhochdeutsche Grammatik. 1.Teil: Dialektgrammatik. München 1932.

Paul, Hermann. Mittelhochdeutsche Grammatik. 20.Aufl. von Hugo Moser und Ingeborg Schröbler. Tübingen 1969.

Einzelabhandlungen

Baier, A. Der Eingang des Parzival und Gottfrieds Tristan. In: Germania 25, 1880, S.403-407.

Bartsch, Karl. Die Eigennamen in Wolframs Parzival und Titurel. In: Germanistische Studien. Supplement zur Germania. Hg. von Karl Bartsch. 2.Bd. Wien 1875. S.114-159.

Bodmer, Johann Jacob. Der Parzival. Ein Gedicht in Wolframs von Eschilbach Denckart. Eines Poeten aus den Zeiten Kaiser Heinrich des VI. In 2 Gesängen. Erschienen 1753 bei Heidegger in Zürich.

Bodmer, Johann Jacob. Altenglische und altschwäbische Balladen. In Eschilbachs Versart. Zugabe von Fragmenten aus dem altschwäbischen Zeitalter, und Gedichten. Zweytes Bändchen. Zürich, bey J.C.Füeßly.. 1781.

Brackert, Helmut. Rudolf von Ems. Dichtung und Geschichte. Heidelberg 1968 (=Germanistische Bibliothek. R.3: Untersuchungen und Einzeldarstellungen).

Büsching, Johann Gustav. Wolfram von Eschenbach, sein Leben und seine Werke. In: Museum für altdeutsche Literatur und Kunst. 1.Bd. Berlin 1809. S.1-36.

Bumke, Joachim. Wolfram von Eschenbach. 2.durchgesehene Aufl., Stuttgart 1966 (Sammlung Metzler, Bd.36).

Bumke, Joachim. Die Wolfram-von-Eschenbach-Forschung seit 1945. Bericht und Bibliographie. [München] 1970.

Burdach, Konrad. Vorspiel. Gesammelte Schriften zur Geschichte des deutschen Geistes. 1.Bd. 1.Teil: Mittelalter. Halle 1926.

Dalby, David. Der maere wildenaere. In: Euph. 55, 1961. S.77-84.

Danckert, Werner. Unehrliche Leute. Die verfemten Berufe. Bern und München 1963.

Docen, Bernhard Josef. Gallerie altdeutscher Dichter. In: Museum für altdeutsche Literatur und Kunst. 1.Bd. Berlin 1809. S.37-61.

Docen, Bernhard Josef. Erstes Sendschreiben über den Titurel, enthaltend: Die Fragmente einer Vor-Eschenbachischen Bearbeitung des Titurel. Aus einer Handschrift der Königl. Bibliothek zu München hg. und mit einem Kommentar begleitet von B.J.Docen. Berlin und Leipzig 1810.

Eggers, Hans. Literarische Beziehungen des Parzival zum Tristrant Eilharts von Oberg. In: PBB (Halle) 72, 1950. S.39-51.

Eggers, Hans. Deutsche Sprachgeschichte. Bd.2. Das Mittelhochdeutsche. rde Bd. 191/192.

Eis, Gerhard. Vom Werden altdeutscher Dichtung. Literarhistorische Proportionen. Berlin 1962.

Ettmüller, Ludwig. Herbstabende und Winternächte. Gespräche über deutsche Dichtungen und Dichter. 2.Bd. Erzählende Dichtungen des dreizehnten bis sechzehnten Jahrhunderts. Stuttgart 1866.

Fromm, Hans. Tristans Schwertleite. In: DVjs 41, 1967. S.333-350.

Ganz, Peter F. Polemisierte Gottfried gegen Wolfram? In: PBB (Tüb.)88, 1966. S.68-85.

Goetz, Wolfgang. Wolfram von Eschenbach. In: Die Großen Deutschen. Neue Deutsche Biographie. Hg. von Willy Andreas und Wilhelm von Scholz. In vier Bänden. 1.Bd. Berlin 1935. S.182-194.

Green, Dennis H. Der Auszug Gahmurets. In: Wolfram-Studien 1970 (=Veröffentlichungen der Wolfram-von-Eschenbach-Gesellschaft. Hg. von Kurt Ruh, Werner Schröder und Ludwig Wolf), Berlin 1970.

Grimm, Jacob. Rede auf Lachmann. Gehalten in der öffentlichen Sitzung der Akademie der Wissenschaften in Berlin am 3. Juli 1851. In: Reden und Abhandlungen von Jacob Grimm. 1.Bd. Kleinere Schriften. Berlin 1864.

Grimm, Wilhelm. Kleinere Schriften. Hg. von Gustav Hinrichs. 1.Bd. Berlin 1881.

Hagen, Friedrich Heinrich von der. Minnesinger. Geschichte der Dichter und ihrer Werke. Abbildungen der Handschriften, Sangweisen, Abhandlung über die Musik der Minnesinger, Alte Zeugnisse, Handschriften und Bearbeitungen, Übersicht der Dichter nach der Zeitfolge, Verzeichnisse der Personen und Ortsnamen, Sangweisen der Meistersänger nach den Minnesingern. Neudruck der Ausgabe Aalen 1838. Otto Zeller Verlagsbuchhandlung 1963.

Hempel, Heinrich. Kleine Schriften. Zur Vollendung seines 80. Lebensjahres am 27. August 1965. Hg. von Heinrich Matthias Heinrichs. Heidelberg 1966.

Hertz, Wilhelm. Spielmannsbuch. Stuttgart und Berlin 1905.

Klüden, C. Über den Eingang zu Eschenbachs Parzival. In: Germania. Neues Jahrbuch der Berlinischen Ges. für deutsche Sprache und Alterthumskunde. 5.Bd. Berlin 1843. S.222-246.

Knorr, Friedrich. Die Mittelhochdeutsche Dichtung. Jena [1938].

Klein, Karl Kurt. Das Freundschaftsgleichnis im Parzivalprolog. Ein Beitrag zur Klärung der Beziehungen zwischen Wolfram von Eschenbach und Gottfried von Straßburg. In: Ammann-Festgabe. 1. Teil. Innsbruck 1953. S.75-94 (= Innsbrucker Beiträge zur Kulturwissenschaft 1).

Klein, Karl Kurt. Gottfried und Wolfram. Zum Bogengleichnis Parzival 241,1-30. In: Festschrift für Dietrich Kralik. Dargebracht von Freunden, Kollegen und Schülern. Horn (N.-Ö.) 1954. S.145-154.

Klein, Karl Kurt. Wolframs Selbstverteidigung. In: ZfdA 85, 1954/55. S.150-162.

Klein, Karl Kurt. Zur Entstehungsgeschichte des Parzival. In: PBB (Halle) 82, 1961 (Sonderband Elisabeth Karg-Gasterstädt zum 75. Geburtstag am 9.2.1961 gewidmet) S.13-28.

Kayser, Wolfgang. Das sprachliche Kunstwerk. Bern und München, 8.Aufl., 1962.

Kolb, Herbert. Munsalvaesche. Studien zum Kyotproblem. München 1963.

Kolb, Herbert. Der ware Elicon. Zu Gottfrieds Tristan vv.4862-4907. In: DVjs 41, 1967. S.1-26.

Lachmann, Karl. Auswahl aus den hochdeutschen Dichtern des 13. Jahrhunderts. Für Vorlesungen und zum Schulgebrauch. Berlin 1820.

Lachmann, Karl. Über den Eingang des Parzivals. In: Kleinere Schriften zur deutschen Philologie von Karl Lachmann. Hg. von Karl Müllenhoff. Berlin 1876.

Meier, John. Wolfram von Eschenbach und einige seiner Zeitgenossen. Aus der Festschrift zur 49. Versammlung deutscher Philologen und Schulmänner. Basel 1907. S.507-520.

Merker, Paul. J.J.Bodmers Parzivalbearbeitung. In: Vom Werden des deutschen Geistes. Festgabe Gustav Ehrismann zum 8. Oktober 1925. Hg. von Paul Merker und Wolfgang Stammler. Berlin und Leipzig 1925. S.196-219.

Mosselman, Frederik. Der Wortschatz Gottfrieds von Straßburg. s'-Gravenhage (Den Haag) 1953.

Naumann, Bernd. Vorstudien zu einer Darstellung des Prologs in der deutschen Dichtung des 12. und 13. Jahrhunderts. In: Formen mittelalterlicher Dichtung. Siegfried Beyschlag zu seinem 65. Geburtstag von Kollegen, Freunden und Schülern. Hg. von Otmar Werner und Bernd Naumann (=Göppinger Arbeiten zur Germanistik hg. von Ulrich Müller, Franz Hundsnurscher und Cornelius Sommer) Göppingen 1970. S.23-37.

Nolte, Albert. Der Eingang des Parzival. Dissertation Marburg 1899.

Norman, Frederick. The enmity of Wolfram and Gotfried. In: German Life and Letters XV (1961/62). S.53-67.

Norman, Frederick. Meinung und Gegenmeinung: Die literarische Fehde zwischen Gottfried von Straßburg und Wolfram von Eschenbach. In: Miscellanea di studi in onore di Bonaventura Tecchi. Bd. 1. [Rom.1969]. S.67-86.

Ochs, Ernst. Gottfrieds wildenære. In: Archiv für das Studium der neueren Sprachen, 197, 1961. S.126.

Ohly, Friedrich. Vom geistigen Sinn des Wortes im Mittelalter. Darmstadt 1966 (Sonderausgabe der Wissenschaftlichen Buchgesellschaft).

Pollmann, Leo. 'Trobar clus', Bibelexegese und hispano-arabische Literatur. Münster o.J. (=Forschungen zur romanischen Philologie. Hg. von Heinrich Lausberg. Heft 16).

Ranke, Friedrich. Die Überlieferung von Gottfrieds Tristan. In: ZfdA 55, 1917. S.157-277 und 381-438.

Rieger, M. Die Vorrede des Parzival. In: ZfdA 46, 1902. S.175-181.

Schröder, Walter Johannes. Zum Bogengleichnis Wolframs, Parz. 241,1-30. In: PBB (Tüb.) 78, 1956. S.453-457.

Schröder, Werner. Zur Chronologie der drei großen mittelhochdeutschen Epiker. In: DVjs 31, 1957. S.264-302.

Schulze, Ursula. Literarkritische Äußerungen im Tristan Gottfrieds von Straßburg. In: PBB (Tüb.) 88, 1967. S.285-310.

Schweikle, Günther. War Reinmar 'von Hagenau' Hofsänger zu Wien? In: Gestaltungsgeschichte und Gesellschaftsgeschichte. Literatur-, kunst- und musikwissenschaftliche Studien. In Zusammenarbeit mit Käte Hamburger hg. von Helmut Kreuzer. (=Martini-Festschrift). Stuttgart 1969. Bd. 1. S.1-31.

Stosch, Johannes. Wolframs Selbstverteidigung, Parz. 114,5 bis 116,4. Leipzig 1883 (Habilitationsschrift der Universität Marburg).

Tschirch, Fritz. Wernhers "Helmbrecht" in der Nachfolge von Gottfrieds "Tristan". Zu Stil und Komposition der Novelle. In: PBB (Tüb.) 80, 1958. S.292-314.

Unger, Otto. Bemerkungen zu einer neuen 'Willehalm'-Übersetzung. In: Wolfram-Studien 1970 (= Veröffentlichungen der Wolfram-von-Eschenbach-Gesellschaft. Hg. von Kurt Ruh, Werner Schröder und Ludwig Wolf), Berlin 1970. S.194-198.

Wapnewski, Peter. Herzeloydes Klage und das Leid der Blancheflur. Zur Frage der agonalen Beziehungen zwischen den Kunstauffassungen Gottfrieds von Straßburg und Wolframs von Eschenbach. In: Festgabe für Ulrich Pretzel. Zum 65. Geburtstag dargebracht von Freunden und Schülern. Hg. von Werner Simon, Wolfgang Bachofer und Wolfgang Dittmann. Berlin 1963. S.173-184.

Wehrli, Max. Formen mittelalterlicher Erzählung. Aufsätze. Zürich und Freiburg/Br. [1969].

Willson, Bernard. Wolframs Bogengleichnis. In: ZfdA 91, 1961/62. S.56-62.

Wolf, Alois. Die Klagen der Blanscheflur. Zur Fehde zwischen Wolfram von Eschenbach und Gottfried von Straßburg. In: ZfdPh 85, 1966. S.66-82.